## Guillaume Musso

Francuski pisarz, absolwent ekonomii, z zawodu nauczyciel. Debiutował w 2001 r. thrillerem *Skidamarink*, doskonale przyjętym przez krytykę. Jego druga powieść **Potem...** zainspirowana wypadkiem samochodowym, z którego cudem uszedł z życiem, sprzedała się we Francji w nakładzie pół miliona egzemplarzy. W 2008 r. miał premierę film nakręcony na jej podstawie, z Johnem Malkovichem, Evangeline Lilly i Romainem Duris w rolach głównych; w planach są trzy następne ekranizacje prozy Musso. Pisarz robi światową karierę. Świadczą o tym ogromne sukcesy jego kolejnych powieści – **Uratuj mnie**, **Będziesz tam?**, **Ponieważ cię kocham**, **Wrócę po ciebie**, **Kim byłbym bez ciebie?**, **Papierowa dziewczyna**, **Telefon od anioła**, **7 lat później...**, **Jutro** i **Central Park** – 20 milionów sprzedanych egzemplarzy oraz przekłady na 36 języków.

EWELINA
ABERDEEN 11-11.2018r.

*Tego autora*

POTEM...
URATUJ MNIE
BĘDZIESZ TAM?
PONIEWAŻ CIĘ KOCHAM
WRÓCĘ PO CIEBIE
KIM BYŁBYM BEZ CIEBIE?
PAPIEROWA DZIEWCZYNA
TELEFON OD ANIOŁA
7 LAT PÓŹNIEJ...
JUTRO
CENTRAL PARK

# GUILLAUME MUSSO

# 7 lat później...

Z angielskiego przełożyła
JOANNA PRĄDZYŃSKA

Wydawnictwo
A. Kuryłowicz

Tytuł oryginału:
7 ANS APRÈS...



Redakcja: Elżbieta Kobusińska

Ilustracja na okładce: Andriy Solovyov/Shutterstock

Projekt graficzny okładki i serii: Andrzej Kuryłowicz

Skład: Laguna

ISBN 978-83-7985-778-4

Książka dostępna także jako audiobook

*Wyłączny dystrybutor*

Firma Księgarska Olesiejuk sp. z o.o. sp. j.
Poznańska 91, 05-850 Ożarów Mazowiecki
tel. (22) 721 30 00, faks (22) 721 30 01
www.olesiejuk.pl

*Wydawca*

WYDAWNICTWO ALBATROS ANDRZEJ KURYŁOWICZ S.C.
Hlonda 2A/25, 02-972 Warszawa
www.wydawnictwoalbatros.com

2016. Wydanie III (kieszonkowe – I)
Druk: Abedik S.A., Poznań

# Część pierwsza

# A rooftop in Brooklyn

*Tylko samotnie można jechać bez celu. Z towarzyszem podróży byle wyprawa ma zawsze cel.*

Alfred Hitchcock, *Zawrót głowy*

# 1

Zwinięta pod kołdrą Camille obserwowała przycupniętego na brzegu okna kosa. Za szybą szumiał jesienny wiatr. Promienie słońca igrały w liściach drzew, odbijając się złotymi refleksami w przeszklonym dachu. Całą noc lało, za to teraz błękitne czyste niebo zapowiadało piękny październikowy dzień.

Leżący koło łóżka kremowy golden retriever podniósł łeb i wystawił nos.

— Chodź, Buck, chodź szybko, pieseczku! — zaprosiła go Camille na łóżko, klepiąc dłonią w poduszkę.

Pies nie dał sobie powtarzać zaproszenia dwa razy. Jednym susem znalazł się koło pani, żeby dostać porcję porannych pieszczot. Dziewczyna pogłaskała go, popieściła okrągły łeb i oklapnięte uszy, po czym zmusiła się do wstania.

— Rusz się, staruszko!

Z żalem wydobyła się z ciepłej miękkiej pościeli. Raz-dwa

włożyła dres, potem wsunęła stopy w adidasy, a blond włosy ściągnęła w luźny kucyk.

— No, Buck, idziemy pobiegać! — rzuciła, już biegnąc po schodach prowadzących do salonu.

▫

Dwupiętrowy budynek, którego centralny punkt stanowiło obszerne atrium, skąpany był w słońcu. Ta elegancka miejska rezydencja z brązowego kamienia należała do rodziny Larabee od trzech pokoleń.

Trzy poziomy, urządzone nowocześnie, minimalistycznie, z przestronnymi pokojami, ozdobione były malarstwem z lat dwudziestych. Na ścianach wisiały obrazy Marca Chagalla, Tamary Łempickiej i Georges'a Braque'a. Mimo obecności tych płócien skromny wystrój wnętrza przywodził na myśl raczej Soho i TriBeCę niż konserwatywną Upper East Side.

— Tato? Jesteś tam? — spytała Camille, wchodząc do kuchni.

Wzięła sobie szklankę zimnej wody i rozejrzała się dokoła. Ojciec najwyraźniej zjadł już śniadanie. Na lśniącym blacie obok niedopitej filiżanki kawy i resztki bajgla leżał „Wall Street Journal", który Sebastian Larabee przeglądał każdego ranka, oraz numer magazynu „Strad".

Nadstawiwszy ucha, Camille usłyszała prysznic na piętrze. Widocznie ojciec był jeszcze w łazience.

— Hej! — Klepnęła Bucka i zatrzasnęła drzwi lodówki, żeby przeszkodzić mu w chwyceniu resztki pieczonego kurczaka. — Śniadanie później, ty łakomczuchu!

Założyła słuchawki na uszy i wybiegła truchtem z domu. Domostwo rodziny Larabee znajdowało się między Madison i Park Avenue, na wysokości Siedemdziesiątej Czwartej Ulicy, w ładnym, otoczonym drzewami zakątku. Mimo wczesnej godziny w dzielnicy panował ruch. Między willami i eleganckimi budynkami przejeżdżały taksówki i prywatne limuzyny. Dozorcy w uniformach gorliwie uczestniczyli w tym oszałamiającym balecie, zatrzymując *yellow cabs*, otwierając drzwi samochodów, ładując do środka bagaże.

Camille dotarła kłusem do Piątej Alei i wbiegła w Millionaire's Mile, aleję miliarderów, ciągnącą się wzdłuż Central Parku, na której znajdowały się najbardziej prestiżowe muzea miasta: Metropolitan, Muzeum Guggenheima, Neue Galerie...

— No, piesku, dawaj! Najpierw obowiązek, potem przyjemność! — rzuciła w kierunku Bucka, kierując się szybszym krokiem na ścieżkę dla biegaczy.

□

Sebastian Larabee, upewniwszy się, że Camille już nie ma w domu, wyszedł z łazienki i udał się do jej pokoju na cotygodniową kontrolę. Wprowadził ją, kiedy córka zaczęła dorastać.

Z ponurym wzrokiem i zmarszczonymi brwiami wyglądał jak w swoje złe dni, ponieważ od wielu tygodni czuł, że ona coś przed nim ukrywa, widział, że mniej interesuje się nauką i grą na skrzypcach.

Sebastian ogarnął spojrzeniem pomieszczenie: był to duży

pokój dorastającej dziewczyny, utrzymany w tonacji pastelowej i emanujący poetycznym spokojem. Promienie słońca grały w muślinowych firankach. Na wielkim łóżku leżały kolorowe poduszki i zmięta kołdra. Sebastian odsunął pościel i usiadł na materacu.

Wziął do ręki smartfon z nocnego stolika. Bez oporów wprowadził cztery cyfry PIN-u, który podpatrzył, gdy córka telefonowała. Aparat się odblokował. Sebastian poczuł przypływ adrenaliny.

Za każdym razem, kiedy potajemnie ingerował w życie osobiste Camille, bał się tego, co może odkryć.

Do tej pory nie znalazł niczego złego, ale kontynuował kontrole...

Sprawdził wykaz ostatnich połączeń, które odebrała i które sama nawiązała. Znał na pamięć wszystkie jej numery: koleżanek z Saint Jean Baptiste High School, nauczycielki skrzypiec, partnerki od gry w tenisa...

Nie było żadnego chłopca. Żadnego intruza. Żadnej groźby. Uff!

Zainteresował się ostatnio wgranymi zdjęciami. Nic groźnego. Zdjęcia z urodzin małej McKenzie, córki mera, z którą Camille chodziła do szkoły. Żeby niczego nie przeoczyć, zrobił zoom na butelki w poszukiwaniu alkoholu. Tylko coca-cola i soki owocowe.

Następnie przejrzał pocztę, SMS-y, historię nawigacji w sieci i wiadomości błyskawicznych. Tutaj również wszystkie kontakty były jasne, a treść rozmów niewinna.

Trochę się uspokoił.

Odłożył telefon na miejsce, potem sprawdził przedmioty i papiery na biurku. Leżący na wierzchu laptop go nie zainteresował.

Pół roku wcześniej zainstalował na nim keylogger. Dzięki temu programowi szpiegowskiemu otrzymywał regularnie wyczerpujące zestawienie stron odwiedzanych przez Camille, jak również zapis jej poczty elektronicznej i rozmów na czacie. Oczywiście to posunięcie było potajemne. Dobre duchy z pewnością by go potępiły, zaliczając do grupy ojców nadużywających swoich praw. Ale Sebastian się nie przejmował. Jako ojciec miał obowiązek przewidzieć i oddalić od córki potencjalne niebezpieczeństwa. Cel uświęcał środki.

Nie chcąc, żeby Camille go nakryła, rzucił okiem przez okno i dopiero zabrał się za dalsze sprawdzanie. Przeszedł do części pokoju oddzielonej wezgłowiem łóżka, w której była garderoba. Metodycznie otwierał wszystkie szafy i zaglądał pod każdą kupkę ubrań. Skrzywił się na widok manekina w sukience bez ramiączek, według niego zbyt śmiałej dla dziewczyny w wieku jego córki.

Odsunął drzwi szafki z butami i odkrył parę nowych pantofelków: lakierki na wysokich obcasach od Stuarta Weitzmana. Popatrzył na nie zaniepokojony. Był to symbol, którego widok go zabolał, gdyż oznaczał zbyt wczesną chęć córki do przemiany z gąsieniczki w motyla.

Zirytowany, odstawił je na miejsce i od razu zauważył elegancką różowo-czarną papierową torbę z symbolem znanej firmy bieliźniarskiej. Otworzył ją z obawą i zobaczył satynowy komplet: stanik bardotka i koronkowe majteczki.

— No, tego już za wiele! — wybuchł, rzucając torbę w głąb szafy. Z wściekłością trzasnął drzwiami bieliźniarki, gotów natychmiast objechać córkę za ten zakup. Ale potem, nie wiedzieć czemu, pchnął drzwi łazienki. Przejrzał dokładnie zawartość kosmetyczki i wyjął z niej listek z tabletkami. Seria numerów oznaczała, kiedy i którą należy wziąć. Z dwóch rządków jeden był napoczęty. Sebastian poczuł, że ręce mu się trzęsą. Złość zmieniła się w panikę, kiedy uświadomił sobie ewidentny fakt, że jego piętnastoletnia córka bierze tabletki antykoncepcyjne.

# 2

— No, Buck, wracamy do domu!

Po dwóch okrążeniach trasy golden retriever zaczął już dyszeć ze zmęczenia. Umierał z chęci wskoczenia do wielkiego stawu za ogrodzeniem. Camille przyspieszyła i zakończyła bieg sprintem. Trzy razy w tygodniu, w celu zachowania formy, biegała w Central Parku na dwuipółkilometrowej trasie wokół stawu Reservoir.

Przez chwilę szła z rękami opartymi na biodrach, żeby odzyskać regularny oddech, a potem spokojnie ruszyła ku Madison, między rowerzystami, młodzieżą na rolkach i wózkami dziecięcymi.

— Jest tu ktoś?! — wykrzyknęła, otwierając drzwi domu.

Nie czekając na odpowiedź, wbiegła po trzy stopnie na piętro do swojego pokoju.

Muszę się sprężać, bo nie zdążę! — pomyślała zdenerwowana, wchodząc pod prysznic. Umyła się, wytarła, skropiła perfumami i poszła do garderoby wybrać ubranie.

To najważniejszy moment dnia... uświadomiła sobie.

Chodziła do Saint Jean Baptiste High School, katolickiej szkoły dla dziewcząt. Było to elitarne liceum, przyjmujące dzieci bogatej nowojorskiej socjety. Panowały w nim ścisłe reguły, które nakazywały noszenie mundurka: plisowanej spódnicy, blezera z herbem szkoły, białej koszulowej bluzki i opaski na włosach.

Ten elegancki, lecz surowy strój dziewczęta mogły na szczęście urozmaicać dodatkami. Camille zawiązała wokół szyi fantazyjny szeroki krawat i posmarowała wargi malinowym błyszczykiem.

Na zakończenie podkreśliła stylizację *preppy* jaskraworóżową *it bag*, którą dostała na urodziny.

— Dzień dobry, tato! — rzuciła, siadając przy bufecie na środku kuchni.

Ojciec nie odpowiedział. Camille spojrzała na niego. Wyglądał bardzo elegancko w ciemnym garniturze o włoskim kroju. Zresztą to ona sama doradziła mu ten fason marynarki: z opadającymi ramionami, wciętą w pasie, która doskonale leżała. Ojciec miał zatroskany wyraz twarzy i szklany wzrok. Stał bez ruchu przed wielkim oknem.

— Czy wszystko w porządku? — zaniepokoiła się Camille. — Zrobić ci jeszcze kawy?

— Nie.

— Trudno! — rzuciła lekko.

W kuchni unosił się w powietrzu przyjemny zapach tostów. Camille nalała sobie do szklanki soku pomarańczowego i rozwinęła serwetkę leżącą koło talerzyka, z której wypadł... listek z jej tabletkami.

— Czy możesz mi to wyjaśnić?! — spytała drżącym głosem.

— To raczej ty powinnaś to wyjaśnić mnie! — zawołał ojciec.

— Grzebałeś w moich rzeczach! — oburzyła się Camille.

— Nie zmieniaj tematu! Co robią tabletki antykoncepcyjne w twojej kosmetyczce?

— To moja prywatna sprawa! — zaprotestowała dziewczyna.

— To nie jest prywatna sprawa, gdy chodzi o piętnastolatkę.

— Nie masz prawa mnie szpiegować!

Sebastian podszedł do niej, wymachując groźnie wskazującym palcem.

— Jestem twoim ojcem i mam wszystkie prawa!

— Daj mi spokój! Wtrącasz się we wszystko: sprawdzasz moich przyjaciół, to, gdzie chodzę, moją korespondencję, filmy, które oglądam, książki, które czytam...

— Posłuchaj, wychowuję cię sam od siedmiu lat...

— Przecież tego chciałeś!

Zniecierpliwiony Sebastian uderzył pięścią w stół.

— Odpowiedz mi na pytanie: z kim sypiasz?

— Nie twoja sprawa! Nie muszę cię pytać o pozwolenie! To nie twoje życie! Nie jestem już dzieckiem!

— Jesteś zbyt młoda, żeby utrzymywać stosunki seksualne. To lekkomyślność! Czego szukasz? Chcesz zniszczyć całą swoją dotychczasową pracę na kilka dni przed konkursem Czajkowskiego?

— Och, mam dość skrzypiec! A zresztą mam też w nosie ten cały konkurs! Nie zamierzam do niego przystępować! No, masz, wygrałeś!

— Akurat! To najłatwiejsze wyjście! Teraz powinnaś ćwiczyć dziesięć godzin dziennie, żeby mieć choć szansę zabłyśnięcia! Zamiast tego kupujesz seksowną bieliznę i buty, których cena musi się równać dochodowi narodowemu Burundi.

— Przestań się mnie czepiać! — wykrzyknęła Camille.

— A ty przestań się stroić jak dziwka! Wyglądasz jak... jak twoja matka! — wrzasnął Sebastian, tracąc kompletnie panowanie nad sobą.

Zdumiona gwałtownością jego słów, odparła atak:

— Jesteś nienormalny!

Tego było już za wiele. Kompletnie wyprowadzony z równowagi, zamachnął się i wymierzył córce siarczysty policzek. Pod wpływem silnego uderzenia dziewczyna straciła równowagę, taboret, na którym siedziała, zachwiał się i przewrócił.

Oszołomiona, podniosła się i chwilę stała nieruchomo, jeszcze pod wrażeniem tego, co się stało. Opanowawszy zdenerwowanie, złapała torebkę, zdecydowana ani sekundy dłużej nie zostawać w tym samym pomieszczeniu co ojciec. Sebastian starał się ją zatrzymać, ale odepchnęła go i wyszła z domu, nie zamykając za sobą drzwi.

# 3

Coupé z ciemnymi szybami wjechało w Lexington i skręciło w Siedemdziesiątą Trzecią Ulicę. Sebastian opuścił na szybę osłonę przeciwsłoneczną. Jesień roku dwa tysiące dwunastego wydawała się wyjątkowo piękna. Myśląc o kłótni z Camille, czuł się przygnębiony. Pierwszy raz podniósł na nią rękę. Świadomy upokorzenia, jakie musiała przeżyć, głęboko żałował swojej impulsywnej reakcji, ale była ona proporcjonalna do uczucia zawodu, którego doznał.

To, że jego córka może prowadzić życie seksualne, załamało go. Wszystko następowało zbyt szybko, podważało plany, jakie miał w stosunku do niej. Lekcje gry na skrzypcach, studia, perspektywa różnych zawodów... Nie było tu miejsca na nic nieprzewidzianego.

Żeby się uspokoić, wziął głęboki oddech i wyjrzał przez okno samochodu. Tego pięknego jesiennego poranka wiał lekki wiatr i chodniki Upper East Side pokrywały liście o ognistych kolorach. Sebastian był przywiązany do tej zamożnej, opierającej się upływającemu czasowi dzielnicy, w której mieszkali przedstawiciele wyższych klas społecznych Nowego Jorku. Dyskretna, wyrafinowana elegancja tej enklawy aksamitnego komfortu miała na niego uspokajający wpływ. Czuł się, jakby przebywał w szklanej kuli, z dala od zgiełku.

Wyjechał na Piątą Aleję i skręcił w stronę Central Parku, cały czas myśląc o córce i ich kłótni. Z pewnością był zaborczym ojcem, ale w ten właśnie sposób — może niezręczny, zgoda — okazywał Camille miłość. Może powinien spróbować odnaleźć sprawiedliwy podział między poczuciem ojcowskiego obowiązku chronienia córki a jej pragnieniem niezależności? Przez kilka sekund łudził się, że to jest proste i że się zmieni. Potem przypomniał mu się blister z pigułkami antykoncepcyjnymi i wszystkie dobre postanowienia wzięły w łeb.

□

Od czasu rozwodu wychowywał Camille sam. Był dumny, że dał jej wszystko, czego potrzebowała: miłość, troskę, wykształcenie. Zawsze wyprzedzał życzenia córki i ją dowartościowywał. Zawsze też był obecny przy niej, traktował swoje ojcostwo bardzo poważnie, angażował się w sprawdzanie pracy domowej, kontrolował postępy w nauce gry na skrzypcach, pilnował, by nie opuszczała lekcji jazdy konnej.

Z pewnością coś przegapił, na pewno nie wszystko mu się udawało, ale starał się, jak mógł. W obecnych dekadenckich czasach przede wszystkim chciał przekazać córce pewne zasady moralne. Chronił ją przed podejrzanym towarzystwem, przestrzegał przed pogardą, cynizmem i miernotą. Przez wiele lat mieli ze sobą dobry, serdeczny kontakt. Camille zwierzała mu się ze wszystkiego, często prosząc o radę i stosując się do niej. Była dumą jego życia: dorastająca panna, inteligentna, subtelna i pracowita, prymuska w szkole i być może — przyszła wielka skrzypaczka. Ale od kilku miesięcy często się kłócili i musiał przyznać, że czuł się coraz bardziej bezradny przy tej niebezpiecznej przeprawie przez rzekę dojrzewania.

□

Taksówkarz z tyłu nacisnął klakson, żeby zwrócić mu uwagę, że dawno zapaliło się zielone światło. Sebastian westchnął głęboko. Już nie rozumiał ludzi, nie rozumiał młodych, nie rozumiał tych czasów. Wszystko go złościło lub wywoływało w nim strach. Świat tańczył nad przepaścią, zewsząd czyhało niebezpieczeństwo.

Oczywiście należało nadążać za pędzącym czasem, stawiać czoło przeciwnościom, nie załamywać rąk, ale ludzie już w nic nie wierzyli. Punkty odniesienia znikały, ideały ginęły. Nadszedł kryzys gospodarczy, potem ekologiczny i społeczny. Stary system przemijał, politycy, rodzice i nauczyciele się poddawali.

To, co działo się z Camille, podważało wszystkie jego zasady i tylko pogłębiało niepokój.

Sebastian zamknął się w sobie, żył we własnym świecie. Obecnie rzadko opuszczał swoją dzielnicę, a jeszcze rzadziej Manhattan.

Był cenionym lutnikiem i uwielbiał samotność, więc coraz częściej zamykał się w pracowni. Przez całe dnie jedynym jego towarzyszem pozostawała muzyka. Obrabiał wtedy dłutem instrumenty, modelując ich barwę i brzmienie, żeby tworzyć pojedyncze egzemplarze, z których czuł się dumny. Jego pracownia lutnicza miała przedstawicielstwa w Europie i Azji, ale on sam nigdy tam nie był. Stosunki towarzyskie ograniczał do niewielkiego kręgu znajomych, głównie ludzi ze środowiska muzyki klasycznej albo potomków patrycjuszowskich rodzin od pokoleń mieszkających na Upper East Side.

Sebastian spojrzał na zegarek i dodał gazu. Na poziomie Grand Army Plaza minął jasnoszarą fasadę starego hotelu Savoy i zaczął slalomem wyprzedzać samochody i dorożki z turystami, żeby jak najszybciej dotrzeć do Carnegie Hall. Wjechał na parking podziemny naprzeciw legendarnej sali koncertowej i wsiadł do windy, żeby dostać się do swojej pracowni.

Przedsiębiorstwo Larabee & Son zostało założone przez jego dziadka, Andrew Larabee, pod koniec lat dwudziestych ubiegłego wieku. Z czasem skromna rodzinna firma rozwinęła się i zrobiła światową karierę; teraz był to adres nie do pominięcia w dziedzinie wytwarzania i konserwacji starych instrumentów.

Sebastian, gdy tylko znalazł się w pracowni, odetchnął z ulgą. Panowała tu atmosfera spokoju i bezpiecznego komfortu. Czas jakby stanął w miejscu. Przyjemne wonie drewna klonu, wierzby i świerku mieszały się z bardziej odurzającymi zapachami werniksu i rozpuszczalników.

Lubił tę szczególną atmosferę rzemiosła jakby z innej epoki. W osiemnastym wieku szkoła w Cremonie wyniosła sztukę lutniczą na szczyty perfekcji. Od tamtych czasów technika niewiele się zmieniła. W świecie ciągłych zmian ta stabilność miała w sobie coś uspokajającego.

Przy warsztatach lutnicy i praktykanci pracowali nad różnymi instrumentami. Sebastian przywitał się z Josephem, szefem atelier, który był zajęty nastawianiem kołków w altówce.

— Ludzie z firmy Farasio dzwonili w sprawie bergonziego. Sprzedaż została przyspieszona o dwa dni — wyjaśnił, strzepując wiórki ze skórzanego fartucha.

— Przesadzają! Jak mamy zdążyć z tym zamówieniem? — zaniepokoił się Sebastian.

— Aha, i chcieliby dziś dostać certyfikat autentyczności. Myślisz, że to możliwe?

Sebastian był nie tylko utalentowanym lutnikiem, lecz także uznanym ekspertem w dziedzinie starych instrumentów.

Przybrał zbolałą minę. To miała być najważniejsza sprzedaż roku. Rezygnacja z niej byłaby nie do pomyślenia.

— Muszę skompletować notatki i zredagować raport, ale jeśli usiądę do tego natychmiast, wieczorem wszystko będzie gotowe.

— Dobrze! Zadzwonię do nich.

▫

Sebastian poszedł do wielkiego salonu recepcyjnego o ścianach obitych liliowym aksamitem. Do sufitu przyczepiono w charakterze ozdoby około pięćdziesięciu skrzypiec i altówek. To stanowiło o oryginalności sali, która miała niezwykłą akustykę. Wielu wybitnych artystów z całego świata kupowało tu lub poddawało renowacji swoje instrumenty.

Sebastian usiadł przy stole i założył okulary w cienkiej oprawie, po czym wziął do rąk instrument, którego ekspertyzę miał sporządzić. Była to prawdziwa rzadkość: skrzypce należały do Carla Bergonziego, najzdolniejszego ucznia Stradivardiego. Na instrumencie zapisano rok jego wykonania: 1720. Egzemplarz zachował się w zadziwiająco dobrym stanie i słynny dom aukcyjny Farasio zamierzał uzyskać za niego podczas najbliższej jesiennej aukcji co najmniej milion dolarów.

Jako specjalista o światowej sławie Sebastian nie mógł sobie pozwolić na pomyłkę przy wydarzeniu o takiej randze. Podobnie jak enolog lub perfumiarz miał w pamięci miliony szczegółów charakterystycznych dla każdej szkoły lutniczej: Cremona, Wenecja, Mediolan, Paryż, Mirecourt... Jednak mimo tak wielkiego doświadczenia trudno mu było potwierdzić ze stuprocentową pewnością autentyczność danego instrumentu i przy każdej kolejnej ekspertyzie narażał swoją reputację.

Ostrożnie umieścił skrzypce między ramieniem a podbródkiem, wziął smyczek i zagrał pierwsze takty którejś z partit Bacha. Dźwięk, który wydobył się z instrumentu, był wyjątkowy, przynajmniej do chwili, gdy jedna ze strun nagle pękła i tak jak puszczona gumka strzeliła go w policzek. Zaskoczony, odłożył instrument. Czuł się podenerwowany i spięty, co odbiło się na jego grze! Nie umiał się skupić i zapomnieć o porannej kłótni z córką. Wciąż słyszał jej zarzuty i coraz bardziej się nimi przejmował. Musiał się zgodzić, że częściowo miała rację. Tym razem przeholował. Przerażony myślą, że ją utraci, wiedział, że jak najszybciej musi się z nią z powrotem dogadać, ale bał się, że to będzie trudne. Spojrzał na zegarek i wyjął komórkę. Lekcje się jeszcze nie zaczęły, może mu się uda... Zadzwonił, ale usłyszał automatyczną sekretarkę.

Nie ma co marzyć...

Wiedział, że teraz otwarta dyskusja skazana była na niepowodzenie. Trzymał ją za krótko, więc pozornie musi trochę ustąpić... W tym celu potrzebował jednak pomocnika. Kogoś, kto pomógłby mu odzyskać zaufanie Camille. Gdy wróci między nimi zrozumienie, wtedy on postara się wyjaśnić całą sprawę z pigułkami antykoncepcyjnymi i przemówi córce do rozsądku. Ale kogo mógłby poprosić o wstawiennictwo?

Przeanalizował w myślach kilka opcji. Przyjaciele? Miał dużo znajomych, ale nikogo na tyle bliskiego i godnego zaufania, by móc się zwierzyć z tak osobistego problemu. Jego ojciec zmarł w zeszłym roku. Co do matki, to nie była osobą, którą można by nazwać nowoczesną. Jego przyjaciółka, Natalia, właśnie wyjechała do Los Angeles z New York City Ballet.

Pozostawała matka Camille, Nikki...

# 4

Nikki...

Nie, to niemożliwe! Nie rozmawiali ze sobą od siedmiu lat. Zresztą raczej umrze, niż poprosi o pomoc Nikki Nikovski!

Po zastanowieniu doszedł do wniosku, że niewykluczone, że właśnie ona pozwoliła Camille brać tabletki antykoncepcyjne! Byłoby to do niej podobne. Nikki kierowała się w życiu swobodą obyczajów i wszystkimi tymi niby-postępowymi teoriami, według których należało dzieciom pozwolić na niezależność, ślepo im ufać, nie karać ich, nie uznawać żadnych autorytetów, być tolerancyjnym pod każdym względem, czyli uznać całkowitą wolność, wynikającą z nieświadomości i naiwności.

Zastanowił się nad tym chwilę. Czy było możliwe, że Camille poprosiła o radę nie jego, ale swoją matkę? Nawet przy tak intymnym problemie jak antykoncepcja wydało mu się to mało prawdopodobne. Przede wszystkim dlatego, że

Nikki prawie nie widywała córki, a poza tym Nikki — z własnej woli lub nie — zawsze trzymała się z daleka od jej edukacji.

Za każdym razem, gdy wracał myślami do swojej byłej żony, Sebastian odczuwał rozgoryczenie i złość. Złościł się zresztą tylko na siebie, gdyż klęska ich związku wydawała się nieuchronna od samego początku. To małżeństwo było największą pomyłką jego życia. Stracił w nim złudzenia, spokój ducha i radość życia.

Nie powinni się nigdy spotkać ani sobie spodobać! Dzieliło ich wszystko: pochodzenie społeczne, wykształcenie i wyznanie. Mieli krańcowo różne temperamenty i charaktery! A jednak się w sobie zakochali.

□

Kiedy Nikki wylądowała na Manhattanie, przeniósłszy się tu z rodzinnego New Jersey, była początkującą modelką, marzyła o karierze aktorskiej i o musicalach na Broadwayu. Żyła beztrosko z dnia na dzień i na luzie.

Miała żywy, ekstrawertyczny umysł i we wszystko angażowała się z pasją, była zniewalająca i umiała to wykorzystać, żeby dopiąć celu. Ale wszystko robiła z przesadą, z przesadą poddawała się emocjom i z przesadą je wyrażała. Odczuwała potrzebę potwierdzania swojej wartości w oczach mężczyzn i bez przerwy igrała z ogniem, gotowa przeholować, byle tylko upewnić się w swojej uwodzicielskiej sile.

Była dokładnym przeciwieństwem Sebastiana.

Sebastian zachowywał się powściągliwie i z rezerwą.

Wychował się w bogatym mieszczańskim domu i odebrał staranne wykształcenie. Snuł długoletnie plany, których się zawsze trzymał.

Wszyscy z jego otoczenia, i rodzice, i przyjaciele, szybko się zorientowali, co się święci, i od razu go ostrzegli, że Nikki nie jest dla niego dobrą partnerką. Ale Sebastian się uparł. Jakaś przemożna siła przyciągała ich ku sobie. Oboje uwierzyli w naiwny i banalny mit o przeciwieństwach, które się przyciągają.

Uważali, że mają szczęście. Pobrali się pod wpływem chwili i Nikki od razu zaszła w ciążę. Na świat przyszły bliźniaki: Camille i Jeremy. Po szalonej młodości Nikki zapragnęła stabilizacji i rodziny. Sebastian, nieco sztywny z powodu swojego konserwatywnego środowiska, myślał, że w tym związku znajdzie ucieczkę od dotychczasowego śmiertelnie nudnego życia. Każde z nich traktowało tę miłość jako wyzwanie, każde chciało skosztować zakazanego owocu. Niestety, rzeczywistość okazała się brutalna. Różnice, które na początku dodawały pieprzyka ich związkowi, szybko stały się powodem irytacji, a potem niekończących się kłótni.

Nawet po narodzinach bliźniaków nie udało im się znaleźć wspólnych wartości, co pozwoliłoby im ewoluować w małżeństwie. Konieczność ustalenia zasad, jak wychowywać bliźnięta, jeszcze bardziej pogłębiła konflikt. Nikki była za tym, żeby dzieciom dawać wolną rękę; Sebastian uważał, że jest to zbyt niebezpieczne. Starał się ją przekonać, że osobowość dziecka powinna się rozwijać z poszanowaniem pewnych niewzruszonych zasad. Absolutnie nie umieli się dogadać i każde broniło zaciekle swoich racji. Tak to było. Dorosłych ludzi się nie zmieni. Nie można zburzyć fundamentów czyjejś osobowości.

Rozstali się na skutek przykrego wydarzenia, które Sebastian potraktował jako zdradę. Nikki według niego przekroczyła granice tego, co on mógł znieść. Wydarzenia, które nastąpiły, zdruzgotały go i były sygnałem alarmowym, żeby zakończyć ten bezsensowny związek.

Aby uratować z tego chaosu dzieci i uzyskać wyłączne prawo opieki nad nimi, Sebastian zaangażował znanego specjalistę od rozwodów i prawa rodzinnego. Adwokat przyłożył się wyjątkowo dobrze do tego, żeby zmieszać Nikki z błotem po to, by zrezygnowała z własnej woli ze swoich praw rodzicielskich. Sprawy jednak okazały się trudniejsze, niż przewidywano. Sebastian w końcu zaproponował żonie, że on zrezygnuje z praw do opieki nad Jeremym, ale zatrzyma Camille. Nikki, żeby nie stracić wszystkiego w długo trwających procesach sądowych, zgodziła się na taki podział.

Tak więc od siedmiu lat Camille i Jeremy mieszkali w różnych domach, pod opieką dwóch różnych dorosłych, którzy wychowywali ich diametralnie różnie. Odwiedziny u „drugiego rodzica" były rzadkie i dokładnie zaplanowane. Camille miała prawo widywać matkę co drugą niedzielę. W tym samym czasie Jeremy mógł widywać ojca.

Wprawdzie ich małżeństwo okazało się prawdziwym piekłem, ale było to dawno. Lata mijały i Sebastian zorganizował sobie życie. Teraz Nikki była już niknącym wspomnieniem. Czasem, ale bardzo rzadko, do jego uszu dochodziło coś na jej temat, poprzez Camille. Kariera modelki nie wypaliła, kariera aktorska nigdy się nie zaczęła. Z ostatnich wieści: Nikki zrezygnowała z pozowania do zdjęć, z castingów i marzeń o karierze aktorskiej i poświęciła się malarstwu. Jej płótna były czasem wystawiane w gorszych galeriach, na Brooklynie, a o niej samej słyszało niewiele osób. Co do mężczyzn, to podobno zmieniała ich jak rękawiczki i nigdy nie trafiła na tego właściwego. Miała wyjątkowy talent do przyciągania takich, przez których cierpiała, a oni szybko orientowali się w jej słabych stronach, uderzali w bolące miejsca i starali się to wykorzystać. Podobno z wiekiem starała się ustabilizować swoje życie uczuciowe. Według słów Camille od kilku miesięcy spotykała się z jakimś nowojorskim gliną. Oczywiście o dziesięć lat od niej młodszym. Z Nikki nic nigdy nie było proste.

▫

Dzwonek telefonu wyrwał Sebastiana z zamyślenia. Spojrzał na komórkę i otworzył oczy ze zdumienia. Oto zdarzyło się coś bardzo dziwnego, bo na ekranie wyświetliło się nazwisko Nikki Nikovski.

W pierwszym odruchu odsunął telefon od siebie. Praktycznie nie miał żadnych kontaktów z byłą żoną. W rok po rozwodzie widywali się jeszcze przelotnie podczas „wymiany" dzieci, ale ich stosunki ograniczały się obecnie do kilku informacyjnych SMS-ów, aby zgrać codwutygodniowe wizyty dzieci. Jeśli Nikki dzwoniła do niego, to znaczy, że zdarzyło się coś niedobrego.

Camille... pomyślał, odbierając.

— Nikki?

— Dzień dobry, Sebastianie.

Natychmiast wyczuł w jej głosie niepokój.

— Co się stało?

— To Jeremy... Czy miałeś z nim ostatnio kontakt?

— Nie, dlaczego pytasz?

— Zaczynam się martwić. Nie wiem, gdzie on jest.

— Jak to?

— Nie był w szkole ani wczoraj, ani dziś. Jego komórka nie odpowiada i nie nocował w domu od...

— Chyba żartujesz! — przerwał jej. — Nie wrócił na noc do domu?

Nikki nie odpowiedziała od razu. Przewidywała jego irytację i wyrzuty.

— Już od trzech nocy nie ma go w domu.

Sebastian przestał oddychać. Ścisnął telefon tak, że zbielały mu palce.

— Zawiadomiłaś policję?

— To nie jest dobry pomysł.

— Dlaczego?

— Proszę, przyjedź, wszystko ci wyjaśnię.

— Już jadę — rzekł i się rozłączył.

# 5

Znalazł miejsce do parkowania na skrzyżowaniu Van Brunt i Sullivan Street. Były korki i prawie trzy kwadranse zajęło mu dotarcie do Brooklynu.

Po rozwodzie Nikki zamieszkała z Jeremym w zachodniej części południowego Brooklynu, w dzielnicy zwanej Red Hook. Kiedyś były to tereny zamieszkane przez dokerów i opanowane przez mafię, enklawa, do której prawie nie docierały środki publicznego transportu miejskiego. Miejsce to przez długi czas cierpiało z powodu swojego odizolowania i tego, że uchodziło za niebezpieczne. Jednak tamte okropne czasy dawno minęły. Dziś Red Hook nie miało w sobie nic ze zdradliwego undergroundu, którym było w latach osiemdziesiątych i dziewięćdziesiątych. Tak jak wiele miejsc na Brooklynie Red Hook niezwykle się rozwinęło, a nawet stało się snobistycznym miejscem zamieszkania cyganerii, ulubionym przez wielu artystów i kreatorów mody.

Sebastian przyjeżdżał tutaj bardzo rzadko. Czasem odwoził

Camille w sobotę, ale stopa jego nigdy nie stanęła w mieszkaniu byłej żony. Z każdą wizytą na Brooklynie zdumiewał się jednak szybkością zmian, jakie tu następowały. Opuszczone magazyny i doki w zawrotnym tempie zamieniały się w ulice z galeriami i ekologicznymi restauracjami.

Sebastian zamknął samochód i poszedł ulicą aż do domu z ceglaną fasadą dawnej fabryki papieru, zamienionej w loft. W budynku wbiegł po dwa schody na przedostatnie piętro. Nikki czekała na niego na progu metalowych drzwi przeciwpożarowych, przez które wchodziło się do jej mieszkania.

— Dzień dobry, Sebastianie.

Popatrzył na nią, starając się pohamować wszelkie emocje. Zachowała szczupłą wysportowaną sylwetkę: o szerokich ramionach, szczupłej talii, długich nogach i ładnie zaokrąglonych pośladkach.

Jej twarz była bezspornie rasowa: miała wydatne kości policzkowe, wąski nos i kocie spojrzenie. Lecz ona sama starała się ukryć swój wdzięk, ubierając się w sposób sztucznie niechlujny, co miało sugerować artystyczny luz; włosy ufarbowała na rudo, długie warkocze zaplotła i podpięła w bezkształtny koczek. Zielone oczy w kształcie migdałów były zbyt mocno podkreślone czarną kredką, zgrabne ciało ginęło w workowatych spodniach, za to wydekoltowany T-shirt był na nią przyciasny.

— Witaj, Nikki! — rzucił i wszedł do mieszkania, nie czekając na zaproszenie.

Nie mógł się powstrzymać, żeby nie rozejrzeć się z ciekawością. Dawna fabryka z dumą prezentowała swoją przemysłową przeszłość: parkiet wycyklinowano i pobielono, na suficie pozostawiono widoczne belki, w pomieszczeniach słupy i konstrukcję z żeliwa, ściany były ze starych cegieł i szarego betonu. Wszędzie postawione bezpośrednio na ziemi schły wielkie abstrakcyjne obrazy, które Nikki ostatnio namalowała. Sebastian uznał ten wystrój wnętrza za kompletnie bez sensu. Znajdowało się w nim mnóstwo różnych przedmiotów — najpewniej wynalezionych na pchlim targu — od starej kanapy typu Chesterfield do stołu w salonie, zrobionego ze starych zardzewiałych drzwi położonych na dwóch krzyżakach. Była w tym pewnie jakaś logika, ale jemu ona umykała.

— No więc co to za historia? — spytał tonem pana i władcy.

— Mówiłam ci: nie wiem, co się dzieje z Jeremym od soboty rano.

Potrząsnął głową.

— Od soboty rano? Przecież dziś jest już wtorek!

— Wiem.

— I dopiero teraz zareagowałaś?!

— Zadzwoniłam do ciebie, żebyś mi pomógł, a nie po to, żebyś robił mi wyrzuty.

— Zaraz, zaraz, w jakim ty świecie żyjesz? Czy wiesz, jakie jest prawdopodobieństwo odnalezienia dziecka czterdzieści osiem godzin po jego zaginięciu?

Nikki zdusiła krzyk, chwyciła go za płaszcz i zaczęła wypychać z mieszkania.

— Spadaj! Jeśli nie przyszedłeś tu, żeby mi pomóc, nie chcę cię widzieć!

Zaskoczony gwałtownością jej reakcji, zaczął się wyrywać i udało mu się złapać Nikki za ręce i ją zatrzymać.

— Wyjaśnij mi, dlaczego dopiero teraz do mnie zadzwoniłaś.

Nikki popatrzyła na niego. W jej oczach błyszczały prowokujące ciemnozłote błyski.

— Może gdybyś się bardziej interesował swoim synem, krócej bym się wahała!

Sebastian nic nie odpowiedział. Po chwili odezwał się spokojnym głosem:

— Odnajdziemy go, obiecuję ci, ale musisz mi opowiedzieć wszystko od początku.

Nikki patrzyła na niego nieufnie, ale w końcu spuściła oczy.

— Siadaj. Pójdę przygotować nam kawę.

# 6

— Ostatni raz widziałam Jeremy'ego w sobotę koło dziesiątej rano, tuż przed tym, jak wyszedł na swoje zajęcia z boksu.

Z głosu Nikki przebijał niepokój.

Sebastian zmarszczył brwi.

— Od kiedy on ćwiczy boks?

— Od ponad roku. Nie wiesz o tym?

Zrobił niedowierzającą minę. Obraz Jeremy'ego, delikatnej budowy chłopca, stanął mu przed oczami. Trudno mu było wyobrazić sobie syna na ringu.

— Zjedliśmy razem śniadanie — ciągnęła Nikki. — Potem przygotowaliśmy każde swoje rzeczy. Spieszyliśmy się, bo Lorenzo czekał na dole. Mieliśmy pojechać na weekend do Catskills...

— Lorenzo?

— Lorenzo Santos, mój chłopak.

— Czy to wciąż ten gliniarz, czy ktoś nowy?

— Kurwa, Sebastian, odczep się, dobra? — uniosła się Nikki.

Przeprosił gestem ręki. Nikki ciągnęła:

— Wychodząc z domu, Jeremy poprosił mnie, żebym mu pozwoliła przenocować u jego przyjaciela, Simona. Zgodziłam się. To była sobota, w sobotę prawie zawsze albo Jeremy spał u Simona, albo na odwrót.

— Pierwsze słyszę.

Nikki nie zareagowała.

— Pocałował mnie na do widzenia i poszedł. Nie zadzwonił przez cały weekend, ale nie niepokoiłam się...

— No pewnie, dlaczego miałabyś się niepokoić!

— On ma piętnaście lat. To już nie jest mały chłopiec. A Simon jest prawie pełnoletni.

Sebastian podniósł oczy do nieba, ale powstrzymał się od komentarzy.

— Wróciłam na Brooklyn w niedzielę wieczorem. Ponieważ było już późno, nocowałam u Santosa.

Sebastian popatrzył na nią zimno i spytał:

— A w poniedziałek rano?

— Wpadłam do domu o dziewiątej. O tej porze normalnie Jeremy jest już w szkole. Nie zdziwiłam się, że go nie ma w domu.

Sebastian się zniecierpliwił.

— A potem?

— Cały dzień pracowałam, przygotowując moją wystawę w BWAC. To jest ten budynek nad wodą, w którym mieści się organizacja artystyczna...

— Daruj mi detale, proszę...

— Po południu odczytałam na komórce wiadomość ze szkoły. Zawiadamiali mnie, że Jeremy nie był na lekcjach.

— Zadzwoniłaś do rodziców tego kolegi?

— Wczoraj rozmawiałam z matką Simona. Powiedziała mi, że jej syn już parę dni temu pojechał na jakiś zlot naukowy. Wynika z tego, że Jeremy nie spał u niego w ten weekend.

□

Sebastian poczuł wibrowanie komórki w kieszeni. Popatrzył na ekran: ludzie z domu aukcyjnego Farasio, którzy zaczynają się niepokoić o ekspertyzę skrzypiec.

— Wtedy naprawdę się przestraszyłam — ciągnęła Nikki. — Chciałam pójść na komisariat, ale... Nie byłam pewna, czy policja przyjmie zgłoszenie o zaginięciu...

— Dlaczego?

— Bo Jeremy nie pierwszy raz nie wrócił na noc do domu.

Sebastian westchnął. Dopiero teraz otwierały mu się oczy. Nikki wyjaśniła:

— W zeszłym roku w sierpniu Jeremy przez dwa dni nie dał mi znaku życia. Potwornie się zdenerwowałam i zawiadomiłam komisariat w Bushwick, że syn zaginął. W końcu pojawił się trzeciego dnia. Okazało się, że pojechał sobie na wycieczkę do parku Adirondack.

— Co za kretyn! — wybuchł Sebastian.

— Wyobrażasz sobie, jak zareagowali policjanci. Udzielili mi złośliwej reprymendy, że lekceważę ich czas, powiedzieli mi, jaką jestem matką, skoro nie umiem upilnować własnego syna.

Sebastian doskonale to sobie wyobraził. Zamknął oczy, pomasował powieki i zaproponował:

— Teraz ja zadzwonię, ale nie na komisariat, tylko bezpośrednio do burmistrza. Jego córka chodzi z Camille do tej samej klasy i niedawno naprawiłem skrzypce jego żony. Poproszę go, żeby mnie skierował do...

— Zaczekaj, nie wiesz jeszcze wszystkiego, Sebastianie.

— Czego jeszcze nie wiem?

— Jeremy ma mały problem. Figuruje już w rejestrze karnym.

Sebastiana zatkało. Popatrzył z niedowierzaniem na Nikki.

— Chyba żartujesz? Dlaczego mi o tym nie powiedziałaś?

— Ostatnio zrobił parę głupstw.

— Jakich głupstw?

— Pół roku temu zatrzymali go, kiedy mazał farbą w sprayu po ciężarówce w hangarze Ikei. — Nikki wypiła łyk kawy, potrząsając głową w przygnębieniu. — Idioci nie mają nic lepszego do roboty, tylko zatrzymywać dzieciaki, które mają artystyczną duszę! — zaklęła.

Sebastian się żachnął. Od kiedy takie mazanie zaliczało się do sztuki? Nikki faktycznie patrzyła na świat w dziwny sposób.

— Była sprawa przed sądem?

— Tak. Skazano go na dziesięć dni pracy społecznej. Ale trzy tygodnie temu złapano go na kradzieży w sklepie.

— Co ukradł?

— Grę wideo. Wolałbyś, żeby ukradł książkę?

Sebastian nie zareagował na tę prowokację. Drugi wyrok byłby dramatyczny. Panowała polityka „zero tolerancji", syn mógł teraz wylądować w więzieniu nawet za drobną kradzież.

— Zrobiłam, co mogłam, żeby tylko sklep nie złożył skargi — uspokoiła go Nikki.

— Boże! Co ten smarkacz ma w głowie?

— Przecież to nie koniec świata — zaczęła Nikki uspokajająco. — Każdy z nas przynajmniej raz zwinął coś w sklepie, kiedy byliśmy młodzi. To normalne, że w wieku dorastania...

— Normalne?! Kraść?! — nie wytrzymał Sebastian.

— Tak już jest w życiu. Kiedy byłam młoda, podkradałam w sklepach bieliznę, ubrania, perfumy... Nawet przez to się spotkaliśmy, o ile pamiętasz.

To nie najlepsza rzecz, jaka nam się zdarzyła... — pomyślał Sebastian i wstał z krzesła. Trzeba się zastanowić. Czy Jeremy jest w niebezpieczeństwie? Jeśli nie pierwszy raz już znikał w taki sposób...

Nikki jakby czytała w jego myślach.

— Tym razem naprawdę się boję, Sebastianie. Jeremy widział, jak bardzo przeżyłam ostatni jego wyskok, i przysiągł, że nigdy już nie zostawi mnie bez wiadomości.

— Co proponujesz?

— Nie wiem... Dzwoniłam do większych szpitali na izbę przyjęć, poza tym...

— Czy nic cię nie uderzyło, kiedy przeszukiwałaś jego pokój?

— Jak to: „kiedy przeszukiwałam jego pokój"?!

— Przeszukałaś jego pokój czy nie?

— Nie, jego pokój to jego prywatny świat. To...

— Jego prywatny świat? Ale już trzy dni nie masz z nim żadnego kontaktu, Nikki! — krzyknął i wbiegł na metalowe schody, które prowadziły na piętro.

# 7

— Jak dorastałam, nie znosiłam, gdy matka grzebała w moich rzeczach.

Nikki, mimo że bała się o syna, niechętnie weszła do jego pokoju.

— Grzebiesz w rzeczach Camille?

— Raz w tygodniu! — odrzekł Sebastian spokojnie.

— Naprawdę masz jakiś problem!

Być może mam problem, ale przynajmniej Camille nie zaginęła! — pomyślał perfidnie, biorąc się do pracy.

Pokój Jeremy'ego rozpościerał się na niemałej przestrzeni dzięki nietypowemu układowi dawnej fabryki. Była to klasyczna nora *geeka*, który nie przejmował się porządkiem. Do ścian zostały przypięte afisze kultowych filmów, takich jak: *Powrót do przyszłości*, *Interkosmos*, *Tron*. Oparty o przepierzenie stał rower z ostrym kołem. Kąt pokoju zajmował automat do gier wideo z Donkey Kongiem, pochodzący z lat osiemdziesiątych. Z kosza na śmieci wystawała piramida pudełek po nuggetsach, mrożonej pizzy i puszki red bulla.

— Co za burdel! — wykrzyknął Sebastian. — Czy on tu kiedykolwiek sprząta?

Nikki przebiła go spojrzeniem. Chwilę stała bez ruchu, po czym dołączyła do byłego męża i otworzyła szafę:

— Wygląda na to, że zabrał plecak! — zauważyła.

Sebastian podszedł do biurka. Półkolem stały na nim trzy wielkie monitory podłączone do dwóch komputerów. Dalej zobaczył kompletne wyposażenie DJ-a: gramofony, mikser, markowe kolumny, wzmacniacz, głośnik basowy... Wysokiej jakości sprzęt dla profesjonalisty.

Skąd chłopak bierze pieniądze, żeby sobie to kupić? — pomyślał Sebastian.

Przyjrzał się półkom. Uginały się pod niezliczoną liczbą komiksów: *Batman*, *Superman*, *Kick-Ass*, *X-Men*. Sceptycznie przerzucił strony ostatniego stojącego na półce zeszytu: to był numer *Spidermana*, w którym Peter Parker ustąpił miejsca jakiemuś Metysowi-Mulatowi. *Czasy się zmieniają*... jak śpiewał Dylan.

Na innej półce znalazł mnóstwo podręczników do gry w pokera oraz długie pudełko aluminiowe, w którym było dziesięć stosów ceramicznych żetonów i dwie talie kart.

— Czy to jakaś szulernia?

— To nie ja kupiłam mu ten komplet do gry! — żachnęła się Nikki. — Wiem tylko, że ostatnio dość często grywa w pokera.

— Z kim?

— Wydaje mi się, że z kolegami ze szkoły...

Sebastian się skrzywił. Nie za bardzo mu się to wszystko podobało.

Pocieszył się, gdy zobaczył na półce również „prawdziwe" książki: *Władcę pierścieni*, *Diunę*, *Wehikuł czasu*, *Czy androidy śnią o elektrycznych owcach?*, cykl *Fundacja*...

Oprócz lektury godnej każdego szanującego się *geeka* było tam również około dziesięciu podręczników pisania scenariuszy, biografie Stanleya Kubricka, Quentina Tarantino, Christophera Nolana i Alfreda Hitchcocka.

— Jeremy interesuje się kinem? — spytał Sebastian zdziwiony.

— Oczywiście! Jego marzeniem jest zostać reżyserem. Nigdy ci nie pokazywał swoich amatorskich filmów? Nie wiesz pewnie nawet, że ma kamerę, co?

— No, nie wiem — przyznał się Sebastian.

Z pewnym smutkiem uświadomił sobie, że właściwie nie znał swojego syna. I to nie dlatego, że rzadko go widywał, po prostu w ciągu ostatnich lat zupełnie nie umieli się ze sobą dogadać. Nie kłócili się nawet, po prostu zapanowała między nimi obojętność. Jeremy zbyt przypominał swoją matkę, nie był synem, jakiego Sebastian by pragnął, więc ojciec przestał brać udział w jego życiu i rozwoju, nie interesował się ani jego postępami w nauce, ani jego aspiracjami. Powoli, nie czując wyrzutów sumienia z tego powodu, odciął się od Jeremy'ego.

— Nie widzę nigdzie jego paszportu! — zaniepokoiła się Nikki, przeglądając szuflady biurka.

Zamyślony Sebastian nacisnął na klawisz Enter w komputerze. Jeremy najwyraźniej był fanem gier online. Monitor włączył się i na ekranie ukazał się wizerunek *World of Warcraft*. System zapraszał do wejścia za pomocą hasła.

— Nawet o tym nie myśl! — odwiodła go od tego Nikki. — On jest kompletnie zwariowany na punkcie swojego komputera i zna się na informatyce dziesięć razy lepiej niż my oboje razem wzięci.

Szkoda. Ta przeszkoda pozbawiała ich najważniejszego źródła informacji. Sebastian posłuchał byłej żony i zrezygnował z dostania się do komputera syna. Zauważył jednak, że do laptopa podłączona była pamięć zewnętrzna. Może ona nie była zakodowana.

— Czy ty masz własny laptop? Moglibyśmy go tutaj podłączyć.

— Zaraz przyniosę.

Kiedy Nikki wyszła, popatrzył na ścianę w głębi pokoju, na której Jeremy wytagował kolorowy fresk o temacie mistycznym — życzliwie wyglądający Chrystus unosił się na błękitnozielonym niebie. Sebastian podszedł do fresku, przyjrzał się farbom w sprayu, które stały na podłodze. Mimo otwartego okna ostry zapach rozpuszczalnika unosił się jeszcze w powietrzu. Graffiti musiało zostać wykonane stosunkowo niedawno.

— Zainteresował się religią? — spytał Nikki, kiedy wróciła.

— Nic mi o tym nie wiadomo. Ale ten obraz jest piękny.

— Tak uważasz? Miłość cię oślepiła...

Nikki wręczyła mu swój laptop, rzucając spojrzenie bazyliszka.

— Być może oślepiła mnie, gdy spotkałam ciebie, ale...

— Ale?

Nikki nie odpowiedziała. Zrezygnowała z kłótni. Mieli przed sobą ważniejsze problemy.

Sebastian otworzył laptop, podłączył do niego twardy dysk syna i zaczął przeglądać jego zawartość. Pamięć zewnętrzna zawierała filmy i muzykę ściągniętą z internetu. Najwyraźniej Jeremy był absolutnym fanem rockowej grupy The Shooters. Sebastian przejrzał kilka sekund jednego z ich koncertów: prymitywny garażowy rock, blade naśladownictwo Strokesów czy The Libertines.

— Co to za grupa?

— To taki zespół z Brooklynu — wytłumaczyła mu Nikki. — Sami finansują własną działalność. Jeremy często chodzi na ich koncerty.

Jezu... — pomyślał, słuchając słów byłej żony.

Przeglądając inne pliki, odkrył dziesiątki seriali telewizyjnych, o których nie słyszał nigdy w życiu, oraz filmy o dość obrazowych tytułach, w których pełno było słów takich jak *fuck*, *boobs* i tym podobnych.

Uważał za swój obowiązek otworzenie jednego z plików. Na ekranie pojawiła się pulchna pielęgniarka, która z rozmarzonym wzrokiem rozpięła fartuch, następnie oddała się miłości francuskiej ze swoim dziwnym pacjentem.

— Wyłącz to! — oburzyła się Nikki. — To ohyda!

— Nie przejmuj się tak! — zaczął ją uspokajać Sebastian.

— Nie przeszkadza ci, że twój syn ogląda porno?

— Nie, i jeśli mam być szczery, to mnie raczej uspokaja.

— To cię uspokaja!

— Jak zdałem sobie sprawę, że nasz syn nosi te wszystkie bezpłciowe ubrania i ma zniewieściały wygląd, naprawdę zacząłem się martwić, że jest gejem!

Nikki spojrzała na niego oburzona.

— Naprawdę tak myślałeś?

Nie odpowiedział. Nikki nie ustępowała:

— Nawet gdyby był gejem, to co?

— Ponieważ nie jest, nie ma o czym mówić!

— Jeśli chodzi o tolerancję, to widzę, że zatrzymałeś się w dziewiętnastym wieku. Przerażające!

Sebastian bardzo się pilnował, żeby nie dać się wciągnąć w tę dyskusję. Nikki jednak nie odpuszczała.

— Nie tylko jesteś homofobem, ale na dodatek popierasz tego rodzaju filmy, które rozpowszechniają degradujący obraz kobiety.

— Nie jestem żadnym homofobem ani nie popieram pornografii! — odrzekł zirytowany Sebastian, ostrożnie wycofując się z dyskusji.

Otworzył pierwszą szufladę biurka. W środku było pełno wielokolorowych drażetek, które wysypały się z wielkiego opakowania M&M'sów. Pośród słodyczy znalazł wizytówkę studia tatuażu w Williamsburgu, przypiętą do szkicu wyobrażającego smoka.

— Projekt tatuażu. Rzeczywiście smarkacz niczego nam nie daruje. Musi być gdzieś tajemna lista, którą nastolatki sobie przekazują, kompilacja wszystkich możliwych głupot, które można zrobić, żeby wyprowadzić rodziców z równowagi.

Nikki przerwała poszukiwania, bo znalazła skrytkę, a w niej jeszcze nieotwarte opakowanie prezerwatyw.

— Widziałeś? — pokazała pudełko Sebastianowi.

— Czy twój ukochany synek ma dziewczynę?

— Nic o tym nie wiem.

Sebastianowi przypomniały się tabletki antykoncepcyjne, które dwie godziny temu znalazł w pokoju Camille. Ona bierze tabletki, on używa prezerwatyw — nic się na to nie poradzi, dzieci dorastają. W przypadku Jeremy'ego odczuł satysfakcję, w przypadku córki — strach. Zastanawiał się, czy porozmawiać o tym z Nikki, gdy znalazł wypalonego do połowy skręta.

— Trawka jest gorsza od pornosów! Czy wiedziałaś, że on pali to gówno?

Zajęta przeszukiwaniem komody Nikki tylko wzruszyła ramionami.

— Zadałem ci pytanie!

— Zaczekaj! Chodź na chwilę!

Nikki uniosła stertę bluz od dresów, pod nią leżał telefon.

— Jeremy nigdzie by nie pojechał bez komórki! — stwierdziła.

Podała komórkę byłemu mężowi. Gdy wyjmował telefon z futerału, zauważył wciśniętą pod aparat kartę kredytową.

A tym bardziej bez karty kredytowej! — pomyśleli jednocześnie, wymieniając zaniepokojone spojrzenia.

# 8

Zapach rozmarynu i dzikich kwiatów wisiał w powietrzu. Ożywcza bryza powodowała drżenie grządek lawendy i krzaków. Z przerobionego na ekologiczny warzywnik dachu starej fabryki roztaczał się fantastyczny widok na East River, na drapacze chmur na Manhattanie i na Statuę Wolności.

Zdenerwowana Nikki uciekła na dach, żeby zapalić papierosa. Oparta o ceglany kominek patrzyła na Sebastiana, który spacerował pomiędzy skrzynkami z drewna tekowego, w których rosły dynie, bakłażany, cukinie, karczochy i różne przyprawy.

— Poczęstujesz mnie? — spytał, podchodząc do niej.

Rozluźnił krawat i rozpiął koszulę, żeby zerwać plaster Nicorette przyklejony na łopatce.

— Nie powinieneś tego robić.

Zignorował sugestię byłej żony, zapalił i zaciągnął się, potem pomasował sobie powieki. Był bardzo zaniepokojony.

W myślach podsumował wyniki przeszukania pokoju syna. Jeremy skłamał, mówiąc matce, że będzie nocował u swojego przyjaciela, Simona. Wiedział, że przyjaciel wyjechał. Potem wyszedł z domu z plecakiem i paszportem, co sugerowało jakąś podróż, być może nawet samolotem. Z drugiej strony nie zabrał ze sobą ani telefonu, ani karty kredytowej, którą pożyczała mu matka. Dzięki tym dwóm rzeczom policja mogła dowiedzieć się o jego ruchach i ewentualnym miejscu pobytu.

— On nie tylko uciekł, lecz jeszcze zrobił wszystko, żeby nie można było go znaleźć.

— Z jakiego powodu miałby to zrobić? — spytała Nikki.

— Znów wpakował się w jakieś kłopoty, tym razem wygląda to poważnie!

Oczy Nikki zaszły łzami i ścisnęło ją w gardle. Poczuła, jak strach skręca jej wnętrzności. Syn, inteligentny i zaradny, był jednocześnie bardzo naiwny i nie stąpał twardo po ziemi. Niepokojący wydawał się już fakt, że coś ukradł. Ale to zniknięcie wręcz ją przeraziło.

Po raz pierwszy w życiu pożałowała, że zostawiła mu tyle wolności, że postawiła na te jego pozytywne cechy, szlachetność, tolerancję i otwartość. Sebastian miał rację. Współczesny świat był zbyt brutalny i niebezpieczny dla marzycieli i idealistów. Trudno dać sobie w nim radę bez pewnej dozy cynizmu, sprytu i wyrachowania.

Sebastian zaciągnął się drugi raz i wypuścił dym, który rozpłynął się w krystalicznym powietrzu. Z tyłu za nim znajdowała się końcówka klimatyzacji, która mruczała jak kot. Zdenerwowanie Sebastiana kontrastowało ze spokojną atmosferą, która mimo wszystko panowała w tej współczesnej dekoracji.

▫

Stali na dachu, w oddali widać było wieżowce Manhattanu. Hałaśliwe miasto, ruch uliczny, to wszystko znajdowało się daleko pod nimi. Rój pszczół, robiących ostatnie zapasy przed zimą, buczał wokół ula. Promienie słoneczne załamywały się w gałęziach krzewów, barwiły złotym światłem małą drewnianą cysternę w pordzewiałych metalowych obręczach.

— Opowiedz mi, w jakim towarzystwie Jeremy się obraca.

Nikki zdusiła niedopałek w donicy z ziemią.

— Właściwie to wciąż widuję go z tymi samymi dwoma chłopcami.

— Ze słynnym Simonem... — zgadł Sebastian.

— I z Thomasem. Thomas to jego najlepszy kolega.

— Dzwoniłaś do niego?

— Nagrałam się, ale nie oddzwonił.

— Więc na co czekamy?

— Możemy go złapać przy wyjściu ze szkoły — oznajmiła Nikki, patrząc na zegarek.

Razem opuścili punkt obserwacyjny na dachu, ruszając ścieżką wyłożoną kamiennymi płytami między donicami.

Zanim zeszli na dół, Sebastian wskazał palcem na małą chatkę, przykrytą czarnym plastikiem.

— Co tam trzymasz?

— Nic! — odrzekła Nikki zbyt szybko. — To znaczy narzędzia.

Popatrzył na nią nieufnie. Nie zapomniał tej intonacji, którą miała w głosie, kiedy kłamała. To właśnie była ta intonacja.

Odsunął płachtę i rzucił okiem pod namiot. Stało tam kilka doniczek z marihuaną. Miejsce zostało fachowo wyposażone: rzędy doniczek oświetlały lampy sodowe, był tu system klimatyzacji, automatycznego podlewania, stały torby z nawozem i najmodniejsze produkty ogrodowe.

— Jesteś kompletnie nieodpowiedzialna! — zdenerwował się.

— Dobra, dobra... Nie ma co robić awantury o trochę trawy.

— Trochę trawy?! To jest uprawa narkotyków!

— No cóż, może powinieneś czasem się sztachnąć, nie byłbyś taki sztywny!

Sebastianowi nie było do śmiechu.

— Nie mów mi, że rozprowadzasz to gówno, Nikki!

Oczywiście zaczęła wyjaśniać po swojemu:

— Niczego nie rozprowadzam. To jest uprawa wyłącznie na moje potrzeby. Trawka w stu procentach ekologiczna, czysta. Dużo zdrowsza niż te wszystkie żywice, które sprzedają dealerzy.

— To jest... jesteś nieodpowiedzialna. Mogą cię za to przymknąć!

— Dlaczego? Masz zamiar na mnie donieść?

— A twój kochaś, ten Santos, myślałem, że pracuje w oddziale do spraw zwalczania narkotyków.

— Oni mają ważniejsze sprawy, nie martw się!

— A Jeremy? Camille?

— Dzieci tu nigdy nie przychodzą.

— Nie drwij ze mnie! — krzyknął, pokazując palcem nowiutki kosz do koszykówki, przyczepiony niedawno do kraty.

Nikki wzruszyła ramionami i westchnęła.

— Och, po prostu się odczep ode mnie!

Sebastian odwrócił od niej spojrzenie i wziął głęboki wdech, ale złość rosła w nim jak fala, przynosząc przykre wspomnienia, otwierając źle zabliźnione rany, przypominając o prawdziwym charakterze Nikki — kobiety nieodpowiedzialnej, której nigdy nie można było zaufać.

W napadzie złości chwycił ją za szyję i przycisnął do metalowej półki.

— Jeśli wciągnęłaś choć trochę mojego syna w twoje ciemne sprawki, załatwię cię tak, że się nie pozbierasz, rozumiesz?! — Rozluźnił uścisk dłoni, przyduszając jej tchawicę oboma kciukami. — Rozumiesz?! — wycharczał.

Nikki dusiła się i nie mogła nic odpowiedzieć. Pełen złości i pretensji do żony Sebastian wzmocnił uścisk.

— Przysięgnij, że zniknięcie Jeremy'ego nie ma nic wspólnego z tą twoją uprawą trawy!

Starał się cały czas nie wypuszczać jej z mocnego uścisku, ale nagle poczuł, że sam traci równowagę. Dzięki znajomości samoobrony Nikki wyrwała mu się i błyskawicznie chwyciła leżący nieopodal zardzewiały sekator, którego ostry koniec przytknęła do piersi byłego męża.

— Spróbuj tylko jeszcze raz podnieść na mnie rękę, to cię załatwię!

# 9

South Brooklyn Community High School mieściła się w wielkim budynku z brązowej cegły przy Conover Street. Była pora lunchu. Sądząc po liczbie furgonetek cateringowych stojących przed szkołą, jedzenie w stołówce nie należało do najlepszych.

Sebastian nieufnie zbliżył się do jednej z tych furgonetek ze smakołykami, które od kilku lat krążyły po Nowym Jorku, zaspokajając głód jego mieszkańców. Każda z nich miała swoją specjalność: hot dogi z homarem, tacos, *dim-sum*, falafele... Sebastian ze swoim obsesyjnym podejściem do czystości unikał zazwyczaj podobnych miejsc, ale od poprzedniego dnia nic nie jadł i w brzuchu mu boleśnie burczało.

— Odradzam ci specjały z Ameryki Południowej — lojalnie uprzedziła go Nikki.

Przez przekorę nie posłuchał jej i zamówił porcję *ceviche*, peruwiańskiego dania na bazie surowej marynowanej ryby.

— Jak wygląda ten Thomas? — spytał, gdy zadzwonił dzwonek na koniec lekcji i uczniowie wysypali się na dziedziniec szkolny.

— Pokażę ci go — powiedziała Nikki, mrużąc oczy, żeby nie przegapić kolegi syna.

Sebastian zapłacił za zamówienie i spróbował ryby. Połknął kęs. Ostra marynata natychmiast zapiekła go w gardle. Wykrzywił się.

— Uprzedzałam cię — przypomniała z westchnieniem Nikki.

Żeby złagodzić ogień w przełyku, wypił duszkiem szklankę *horchaty*, którą wręczył mu sprzedawca. Brązowawe mleko roślinne czuć było wanilią i zrobiło mu się od tego niedobrze.

— To on! — wykrzyknęła Nikki, pokazując jakiegoś chłopaka w tłumie.

— Który? Ten pryszczaty czy ten mały łebek?

— Pozwól mi mówić, zgoda?

— Zobaczymy...

Thomas bardzo dbał o swój wygląd. Miał na sobie dżinsy rurki, czarną dopasowaną kurtkę, na nosie okulary Wayfarer, wyluzowany wyraz twarzy, był tylko pozornie potargany, a rozpięta biała koszula pozwalała podziwiać jego wątły tors. Co rano musiał spędzać sporo czasu w łazience, stylizując się na młodego rockersa.

Nikki złapała go przed boiskiem do kosza, otoczonym siatką.

— Hej! Thomas!

— Dzień dobry pani! — odpowiedział, odsuwając nieposłuszny kosmyk, który opadł mu na twarz.

— Nie odpowiedziałeś na moje SMS-y.

— Noo... Ostatnio jestem bardzo zajęty.

— Nie masz żadnej wiadomości od Jeremy'ego?

— Nie. Od piątku go nie widziałem.

— Żadnych e-maili ani telefonów, ani SMS-ów?

— Nic.

Sebastian przyjrzał się chłopakowi uważniej. Nie podobał mu się ani ton, ani wygląd tego smarkacza, który nosił gotyckie pierścienie, różańce z masy perłowej i bransolety. Jednak ukrył swoją niechęć i zapytał:

— Nie masz w ogóle pojęcia, gdzie może być Jeremy?

Thomas spojrzał na Nikki.

— Co to za facet? — spytał.

— Jestem papieżem, gówniarzu!

Chłopak cofnął się odruchowo, ale zrobił się bardziej rozmowny.

— Ostatnio rzadziej się widywaliśmy. Jeremy nie przychodził na żadne próby naszego zespołu.

— Dlaczego?

— Wolał grać w pokera.

— Naprawdę? — zdziwiła się zaniepokojona Nikki.

— Chyba potrzebował forsy. Wydaje mi się, że nawet sprzedał swoją gitarę i dał ogłoszenie na eBayu, żeby sprzedać aparat fotograficzny.

— Potrzebował pieniędzy? Na co? — spytała Nikki.

— Nie wiem. Dobra, muszę już iść.

Ale Sebastian chwycił go za ramię.

— Nie tak szybko! Z kim grał w tego pokera?

— Nie wiem. Z jakimiś facetami w internecie.

— Online?

— Trzeba by spytać Simona — wykręcił się chłopak.

— Simon jest na praktykach. Dobrze o tym wiesz — powiedziała Nikki.

Sebastian szarpnął chłopakiem.

— Dobra, teraz gadaj, smarkaczu!

— No, nie wolno panu mnie dotknąć! Znam swoje prawa!

Nikki próbowała uspokoić Sebastiana, ale on już stracił cierpliwość. Ten arogancki gnojek zaczynał mocno działać mu na nerwy.

— Z kim Jeremy grał w pokera?

— Z takimi dziwnymi facetami... z *roundersami*...

— To znaczy?

— To tacy faceci, którzy siadają do *cash games* w poszukiwaniu łatwego łupu — wyjaśnił Thomas.

— Szukają niedoświadczonych graczy, żeby ich oskubać, tak?

— Tak — potwierdził Thomas. — Jeremy uwielbiał udawać naiwniaka, żeby ich ogrywać. Robił na tym niezłą forsę.

— Jakie stawki chodziły?

— Och, nic wielkiego. Nie jesteśmy w Vegas. Oni grają, żeby uregulować rachunki i pospłacać kredyty.

Nikki i Sebastian popatrzyli na siebie z niepokojem. Wszystko było podejrzane: nielegalne domy gry dopuszczające małoletnich, ucieczka z domu, ewentualne długi...

— Gdzie rozgrywali te partie?

— W jakichś melinach, gdzieś w Bushwick.

— Znasz dokładne adresy?

— Ja? Skąd. Mnie to nie interesowało.

Sebastian chętnie użyłby bardziej radykalnej metody, żeby zmusić smarkacza do gadania, ale Nikki go przekonała, że tym razem chłopak mówi prawdę.

— Dobra, spadam! Poza tym umieram z głodu!

— Jeszcze jedna rzecz, Thomas... Czy Jeremy ma dziewczynę?

— Jasne!

Nikki zrobiła zdziwioną minę.

— Wiesz, jak ona się nazywa?

— To jakaś starsza babka.

— Co takiego?

— Wdowa.

Sebastian zmarszczył brwi.

— Pytaliśmy o jej imię.

— Wdowa Ciągutka! — wypalił i wybuchł śmiechem.

Nikki westchnęła. Sebastian złapał chłopaka za kołnierz i przyciągnął ku sobie.

— Dosyć tych głupich kawałów. Ma dziewczynę czy nie?

— W zeszłym tygodniu powiedział mi, że spotkał kogoś w internecie. Jakąś Brazylijkę chyba. Pokazał mi zdjęcia, prawdziwa bomba, ale według mnie to nieprawda. Jeremy nie potrafiłby wyjąć podobnego towaru.

Sebastian puścił chłopaka. Nic więcej już z niego nie wyciągną.

— Zadzwonisz do mnie, jeśli dowiesz się czegoś nowego? — spytała Nikki.

— Oczywiście, proszę pani! — zapewnił chłopak i odszedł.

Sebastian pomasował sobie skronie. Małolat go wykończył. Ten głos, ten sposób wyrażania się, a jeszcze ten wygląd. Wszystko było okropne.

— Co za cymbał! — westchnął. — Trzeba będzie bardziej uważać, z kim nasz syn się zadaje.

— Najpierw musimy go odnaleźć! — szepnęła Nikki.

# 10

Przeszli przez ulicę, żeby wsiąść do starego motocykla z koszem z boku, którym jeździła Nikki. Było to bmw serii dwa, oryginał z lat sześćdziesiątych.

Wręczyła mu kask, który nosił już, gdy jechali w tę stronę.

— Co teraz?

Nikki miała kamienną twarz. Sprawa coraz bardziej wyglądała na ucieczkę z domu. Żeby zyskać pieniądze, sprzedał gitarę i wstawił aparat fotograficzny na licytację w sieci. Uciekł, zachowując wszelkie środki ostrożności, żeby uniemożliwić odnalezienie go. Przede wszystkim zaś miał nad nimi trzy dni przewagi.

— Jeśli to jest ucieczka, to znaczy, że on musiał się czegoś bać! — orzekła Nikki.

Sebastian rozłożył bezradnie ręce.

— Ale czego? I dlaczego nam się nie zwierzył?

— Nie można powiedzieć, żebyś był przykładem wyrozumiałości.

Nagle Sebastianowi coś przyszło do głowy.

— A Camille? Może z nią się skontaktował?

Twarz Nikki się rozświetliła. To był trop nie do zlekceważenia. Bliźniaki nie spotykały się zbyt często, ale w ostatnich miesiącach ich relacje jakby się zacieśniły.

— Spróbujesz do niej zadzwonić?

— Ja? — zdziwiła się Nikki.

— Myślę, że tak będzie lepiej. Potem ci powiem.

Kiedy Nikki wybierała numer córki, Sebastian zadzwonił do biura. Szef pracowni, Joseph, zostawił mu dwie pilne wiadomości nagrane jedna po drugiej, z prośbą o szybki kontakt.

— Sebastianie, mamy poważny problem. Ci z Farasio starali się kilkakrotnie do ciebie dodzwonić i teraz skarżą się, że specjalnie nie odbierasz telefonu.

— Miałem kłopoty, wydarzyło się coś niedobrego.

— Posłuchaj, oni wpadli bez zapowiedzi do pracowni i zobaczyli, że nie pracujesz. Chcą potwierdzenia z twojej strony przed trzynastą, że dostaną raport dziś wieczorem.

— A jeśli nie?

— Jeśli nie, to oddadzą instrument do ekspertyzy do Furstenberga.

Sebastian westchnął. Najwyraźniej tego ranka otworzył puszkę Pandory i teraz nie wiedział, jak ją zamknąć. Zastanowił się nad sytuacją najspokojniej, jak mógł. Dzięki jego wkładowi sprzedaż skrzypiec Carla Bergonziego mogła przynieść mu ponad sto pięćdziesiąt tysięcy dolarów. Suma ta została już przez niego rozdysponowana, potrzebował jej, żeby firma przetrwała kryzys. Ale chodziło nie tylko o kwestię finansową — strata bergonziego byłaby straszną symboliczną klęską. Branża lutnicza to mały świat i wiadomości rozchodziły się w nim szybko.

Ta sprzedaż była prestiżowym wydarzeniem w środowisku i jeśliby się nie udała, jego najpoważniejszy konkurent, Furstenberg, nie omieszkałby nadać jej rozgłosu, żeby samemu na tym skorzystać.

Nie było w tym nic nowego. Sebastian współpracował z muzykami już ponad dwadzieścia lat. Artyści byli kapryśni, rozchwiani emocjonalnie, niepewni siebie. Wspaniale interpretowali wielkie dzieła muzyczne, jednak trudno było z nimi współpracować. Wybujałe ego i te ambicje, by korzystać z usług tylko najlepszego lutnika! Taką reputacją cieszył się Sebastian. W niecałe dwadzieścia lat uczynił z Larabee & Son najlepszą pracownię lutniczą w całych Stanach Zjednoczonych. Uważany był nie tylko za najzręczniejszego rzemieślnika, lecz także przypisywano mu wielki talent muzyczny, absolutny słuch i umiejętność idealnego rozpoznania temperamentu muzycznego klienta. Umiał doskonale dobrać instrumenty odpowiadające charakterowi i sposobowi gry danej osoby. Jednocześnie w testach jego skrzypce regularnie wygrywały ze stradivariusami i guarneriusami. Nazwisko Sebastiana stało się symbolem najwyższej jakości. Doprowadził do tego, że dziesięcioro najlepszych skrzypków i skrzypaczek świata kupowało instrumenty marki Larabee. Gwiazdy te były przekonane, że tylko on jest na tyle kompetentny, by opiekować się ich skrzypcami lub by wykonać dla nich nowy instrument. Ale ta pozycja nie była niewzruszona. Opierała się w takim samym stopniu na fachowości Sebastiana, co na „modzie" na jego usługi, a jej równowaga zależała od stosunków z klientami i od pochlebnych opinii przekazywanych z ust do ust, spowodowanych chwilowymi nastrojami. Bardziej niż kiedykolwiek w tym kryzysowym okresie Furstenberg i inni słynni lutnicy tylko czekali na jego jeden fałszywy krok. Wykluczone, żeby wypuścił z rąk ten kontrakt. Kropka.

— Zadzwoń do nich w moim imieniu — poprosił Josepha.

— Oni chcą rozmawiać z tobą.

— Powiedz, że odezwę się za trzy kwadranse. Muszę wrócić do biura. Ekspertyza będzie gotowa na wieczór.

Rozłączył się i w tym samym momencie Nikki również wyłączyła swój telefon.

— Camille nie odpowiada — oznajmiła. — Zostawiłam jej wiadomość. Dlaczego nie chciałeś sam do niej zadzwonić?

Zamiast jej odpowiedzieć Sebastian rzekł:

— Słuchaj, Nikki. Muszę na chwilę wrócić do biura.

Popatrzyła na niego zdumiona.

— Musisz wrócić do biura? Twój syn zaginął, a ty myślisz tylko o pracy?

— Umieram ze strachu, ale nie jestem policjantem. Trzeba zacząć zorganizowane poszu...

— Dzwonię do Santosa — przerwała mu. — On przynajmniej będzie wiedział, co robić.

Chwyciła za telefon i natychmiast połączyła się z kochankiem. Zdała mu sprawę z najmniejszych szczegółów historii zniknięcia Jeremy'ego.

Sebastian patrzył na nią niewzruszony. Najwyraźniej chciała go sprowokować, ale on się nie ugnie. Co mógł zresztą zrobić? Gdzie miał szukać? Nie umiał podjąć żadnej sensownej decyzji, czuł w tym samym stopniu lęk, co bezradność.

Poczuł ulgę, że zajmie się tym policja. Zresztą dość już zwlekali, żeby ją zawiadomić.

Czekając, aż Nikki skończy rozmawiać, podszedł do motocykla i wsiadł do przyczepy. Włożył skórzaną pilotkę — niewłaściwą w świetle obowiązujących zasad — i spuścił na nos ogromne okulary lotnicze. Czuł się przygnębiony, to, co się działo, przerastało go. Co robił na miejscu pasażera tego dziwnego motocykla w przebraniu przedwojennego pilota? Co za piekielny zbieg okoliczności spowodował, że jego życie nagle zachwiało się w posadach? Dlaczego musiał narazić się na ponowne spotkanie ze swoją byłą żoną? Dlaczego jego syn robił głupstwo za głupstwem? Dlaczego jego piętnastoletnia córka nagle postanowiła spać z chłopcami? Dlaczego zawodowo znalazł się na skraju przepaści?

Nikki skończyła rozmowę i podeszła do niego w milczeniu. Wsiadła na motor, przekręciła kluczyk w stacyjce. Silnik zawarczał groźnie. Ruszyła z kopyta w kierunku doków. Sebastian, z twarzą wystawioną na wiatr i zaciśniętymi zębami, kurczowo trzymał się siedzenia. Zapomniał płaszcza w mieszkaniu żony, i teraz trząsł się z zimna w eleganckim, ale podszytym wiatrem garniturze. W przeciwieństwie do niej nie był poszukiwaczem przygód, lubił siedzieć w domu. Wolał komfort swojego jaguara niż twarde siedzenie starego motocykla. Tym bardziej że Nikki chyba czerpała złośliwą przyjemność z przyspieszania za każdym razem, kiedy widziała dziurę w asfalcie.

W końcu dotarli do starej fabryki, w której znajdowało się mieszkanie Nikki.

— Wejdę z tobą po płaszcz! — uprzedził ją i wygramolił się z przyczepki. — I zostawiłem u ciebie kluczyki od mojego samochodu.

— Zrobisz, co zechcesz! — rzuciła, nie patrząc na niego. — Ja zaczekam na Santosa.

Poszedł za nią po schodach. Gdy dotarli na górę, Nikki otworzyła metalowe drzwi na wielkie poddasze, po czym przekroczyła próg mieszkania i krzyknęła.

# 11

Kanapa była wybebeszona, meble poprzewracane, to, co stało na półkach, walało się po podłodze. Najwyraźniej ktoś splądrował mieszkanie podczas ich nieobecności.

Nikki z bijącym sercem zrobiła kilka kroków do przodu, bojąc się tego, co jeszcze miała zobaczyć. W mieszkaniu panował nieprawdopodobny nieporządek. Telewizor został zerwany z haka, którym przymocowano go do ściany, obrazy leżały porozrzucane na podłodze, szuflady zostały wywrócone dnem do góry, wszędzie fruwały kartki papieru.

Nikki patrzyła przerażona. Ktoś sprofanował jej prywatny świat, zniszczył domowy azyl.

— Czy coś ukradli? — spytał Sebastian.

— Nie wiem. W każdym razie nie zabrali laptopa, leży na blacie w kuchni.

Dziwne, pomyślał.

Na jednej z nielicznych półek, które nie były przewrócone, Sebastian zauważył ładną inkrustowaną szkatułkę.

— Czy to ma jakąś wartość? — spytał.

— No pewnie, tam jest moja biżuteria.

Otworzył kasetkę. Były w niej między innymi pierścionki i bransoletki, które kiedyś od niego dostała. Bezcenne drobiazgi od Tiffany'ego.

— Co to za głupi złodziej, który nie wziął laptopa albo stojącej na widoku szkatułki z biżuterią!

— Ciii! — szepnęła Nikki, przykładając palec do ust.

Sebastian zamilkł, nie rozumiejąc, co się dzieje. Po chwili usłyszeli skrzypnięcie. Ktoś jeszcze był w mieszkaniu!

Nikki gestem nakazała mu, żeby się nie ruszał, i weszła po metalowych schodach na piętro. Pierwsze drzwi w korytarzu prowadziły do jej sypialni. Nikogo w niej nie było. Następnym pokojem była sypialnia Jeremy'ego. Za późno! Zasuwane pionowo okno wychodzące na podwórze trzasnęło i szyba wyleciała na zewnątrz. Nikki wychyliła się i zobaczyła sylwetkę grubasa, który uciekał żeliwnymi schodami przeciwpożarowymi. Przełożyła nogę przez parapet, zamierzając go ścigać...

— Zostaw go! — zawołał Sebastian, który złapał ją za rękę. — On na pewno ma broń.

Nikki posłuchała i przeszła do drugiego pokoju. Intruz albo intruzi najwyraźniej metodycznie przeszukiwali mieszkanie. Nikki, przygnębiona widokiem swoich rzeczy porozrzucanych na podłodze, zdołała tylko stwierdzić:

— Nie przyszli tu tylko, żeby kraść, ale szukali czegoś konkretnego.

Sebastian zainteresował się bliżej pokojem Jeremy'ego.

Na pierwszy rzut oka niczego nie brakowało. Machinalnie wyprostował podniszczone kolumny komputerów. Miał taki chorobliwy odruch, na granicy obsesji. Nienawidził bałaganu, był maniakiem, jeśli chodzi o porządek. Podniósł z podłogi rower z ostrym kołem, wyprostował chwiejącą się półkę i zebrał rozsypane na podłodze karty do gry. Kiedy wziął do ręki aluminiowe pudełko z kompletem do gry w pokera, zdumiał się. Ceramiczne żetony były sklejone razem, a powstała tubka wydrążona w środku. Przyjrzał się dokładniej. Tubki z żetonów zawierały plastikowe torebeczki. Wyciągnął jedną. Była pełna białego proszku.

Nie, to jakiś absurd... — pomyślał.

W panice odwrócił obie ceramiczne tuby i wysypał zawartość na łóżko. Było około dziesięciu małych przezroczystych saszetek.

Kokaina!

Nie mógł w to uwierzyć.

— Cholera! — rzuciła Nikki, wchodząc do pokoju.

Popatrzyli na siebie w milczeniu. Żadne z nich nie wiedziało, co powiedzieć.

— To tego szukali! Tu jest co najmniej kilogram!

Ale Sebastian wciąż nie mógł uwierzyć w to, co widział.

— To zbyt nieprawdopodobne, by było prawdziwe! To może... jakaś gra albo... kiepski żart!

Nikki potrząsnęła głową i zrobiła pełną zwątpienia minę. Nadcięła jedną z torebek i spróbowała szczyptę proszku. Poczuła gorzki, piekący smak i język jej zdrętwiał.

— To jest kokaina, Sebastianie.

— Ale jak...

Nie dokończył, bo usłyszeli wesoły dźwięk dzwonka do drzwi. Mieli gościa.

— Santos! — wykrzyknęła Nikki.

Patrzyli na siebie zdumieni i przestraszeni. Po raz pierwszy od lat połączyło ich wspólne bardzo silne uczucie: chcieli ochronić syna. Myśleli oboje tak samo. Tak samo waliły ich serca, tak samo się spocili i tak samo kręciło im się w głowie.

Dzwonek rozbrzmiał powtórnie. Policjant się niecierpliwił. Nie mieli czasu. Musieli szybko podjąć wspólną decyzję. Jeremy ryzykował bardzo wiele. W pierwszym odruchu chcieli zataić przed policją to, co znaleźli, gdyż ujawnienie faktu, że ich syn ukrywał w swoim pokoju kilogram kokainy, oznaczało narażenie go na karę długiego więzienia, na piekło więziennej codzienności. Chłopak musiałby pożegnać się ze studiami, miałby zniszczoną przyszłość, i to u progu dorosłego życia.

— Trzeba... — zaczął Sebastian.

— ...natychmiast się tego pozbyć! — dokończyła Nikki.

Wspólne działanie, ostatni szaniec.

Sebastian, zachęcony tym, że wreszcie myśleli tak samo, chwycił saszetki i wrzucił je do toalety, do której wchodziło się prosto z sypialni. Nikki za nim wrzuciła drugą połowę „towaru".

Dzwonek zabrzmiał po raz trzeci.

— Idź mu otworzyć. Ja zaraz tam przyjdę!

Nikki posłuchała. Kiedy schodziła po schodach prowadzących do salonu, Sebastian nacisnął na spust spłuczki. Kokaina rozpuszczała się z trudnością. Torebki musiały zatkać odpływ. Sebastian nacisnął spust drugi raz. To samo. W panice patrzył na białą wodę, cofającą się i grożącą wylaniem się z toalety.

# 12

— Czekam i czekam! — powiedział zirytowany Santos. — Już zaczynałem się niepokoić!

— Nie słyszałam dzwonka — skłamała Nikki.

Odsunęła się i wpuściła gościa do środka. Santos stanął jak wryty, gdy zobaczył, w jakim stanie jest mieszkanie.

— Co tu się stało? Tornado przeszło przez salon?

Nikki nie wiedziała, co odpowiedzieć. Czuła przyspieszone bicie serca, a na czoło wystąpiły jej krople potu.

— Trochę... trochę sprzątałam.

— Nikki? Wygłupiasz się czy co?

Nikki traciła grunt pod nogami. Nie uda się okłamać Santosa — mieszkanie było zdewastowane.

— Czy możesz mi powiedzieć, co się stało? — Santos zaczął się niecierpliwić.

Spokojny głos Sebastiana, dochodzący od strony schodów, zabrzmiał jak wyzwolenie.

— Pokłóciliśmy się, to się zdarza, prawda?

Santos, zaskoczony, odwrócił się i zobaczył Sebastiana, który, grając rolę zazdrosnego byłego męża, zrobił agresywny grymas.

— To nazywa pan kłótnią? — spytał ostro policjant, wskazując palcem zdewastowany salon.

Zażenowana Nikki przedstawiła ich sobie.

Obaj skinęli głowami na przywitanie. Sebastian starał się ukryć zdziwienie, ale tak naprawdę poczuł się trochę zaskoczony wyglądem Santosa, który okazał się od niego wyższy o głowę. Dobrze zbudowany Metys o delikatnych rysach nie wyglądał wcale na brutalnego gliniarza. Dobrze skrojony garnitur musiał pochłonąć połowę jego miesięcznej pensji. Krótkie włosy miał ładnie przystrzyżone, był gładko ogolony, wyglądał bardzo porządnie i wzbudzał zaufanie.

— Nie ma chwili do stracenia — odezwał się teraz, patrząc na oboje rodziców. — Nie chcę was niepokoić, ale trzy dni bez wiadomości od chłopaka to zbyt długo.

Machinalnie rozpiął marynarkę i ciągnął dalej autorytatywnym tonem:

— Sprawy zaginięć prowadzą władze lokalne, chyba że śledztwo rozciągnie się poza granice stanu albo kiedy chodzi o zaginięcie kogoś niepełnoletniego. W tym przypadku do akcji automatycznie wchodzi FBI, na podstawie programu CARD, Child Abduction Rapid Deployment. Znam tam kogoś. Zadzwoniłem już do niego i zawiadomiłem o zaginięciu Jeremy'ego. Czekają na nas w swojej kwaterze głównej, w Midtown, w Metlife Building.

— Okay, jedziemy za tobą — rzuciła Nikki.

— Ja biorę swój samochód — oznajmił Sebastian.

— To bez sensu, mam samochód służbowy i w razie korków dojedziemy szybciej, bo na sygnale.

Sebastian szybko spojrzał na Nikki.

— Oboje pojedziemy za tobą, Lorenzo — powiedziała.

— Doskonały pomysł! — ironicznie rzucił policjant. — Straćmy jeszcze więcej czasu!

Ale zorientował się, że nie uda mu się ich przekonać, więc podszedł do drzwi.

— W końcu to wasze dziecko — dodał i trzasnął drzwiami.

Mimo że wyszedł, nerwowa atmosfera nadal wisiała w powietrzu. Nikki i Sebastian nie bardzo wiedzieli, jaką taktykę przyjąć. Bali się podjąć złą decyzję i nie umieli rozsądnie przeanalizować wszystkich zdobytych informacji: ucieczki Jeremy'ego, jego zamiłowania do pokera, znalezienia kokainy...

Odruchowo wrócili do pokoju syna. Sebastianowi jakoś udało się przetkać toaletę za pomocą kija od szczotki. Kokaina znikła, ale nie dramatyczne wspomnienie po niej.

W poszukiwaniu jakiejś wskazówki Sebastian dokładniej obejrzał aluminiowe pudełko z kartami. Nie miało ono podwójnego dna, nie było też na nim żadnego napisu, na kartach również nie znalazł żadnych znaków, podobnie jak na fałszywych ceramicznych żetonach. Wewnątrz pudełko zostało wyłożone podziurkowaną gąbką. W tej wykładzinie zobaczył kieszonkę. Sebastian wsunął w nią dłoń... Pusta.

Ale nie! Wyciągnął z niej kartonową podstawkę pod piwo, z reklamą jakiejś marki. Z drugiej strony narysowane było zakrzywione ostrze, stylizowany symbol jakiegoś baru.

**Bar Bumerang**
**Frederick Street 17 — Bushwick**
**Właściciel: Drake Decker**

Sebastian wręczył podstawkę Nikki.

— Znasz ten bar?

Pokręciła przecząco głową. Sebastian nie ustępował.

— To z pewnością tam Jeremy gra w pokera!

Szukał jej spojrzenia, ale ona odwróciła się od niego. Bardzo zbladła, oczy jej błyszczały i patrzyły w jeden punkt. Wydawało się, że zaraz zasłabnie.

— Nikki! — krzyknął Sebastian.

Wybiegła z pokoju. Dogonił ją na schodach i poszedł z nią do łazienki. Zobaczył, że połknęła proszek uspokajający. Zdecydowanym gestem chwycił ją za ramię.

— Proszę cię, postaraj się uspokoić — powiedział, gdyż chciał wyłożyć jej swój plan. — Oto co zrobimy. Odczepisz przyczepę od motocykla i pojedziesz na Manhattan. Jak najszybciej. Musisz odebrać Camille ze szkoły.

Popatrzył na zegarek.

— Ona kończy lekcje o drugiej. Jeśli wyjedziesz od razu, zdążysz.

— Dlaczego martwisz się o nią?

— Posłuchaj, nie wiem, co ta kokaina robiła w pokoju

Jeremy'ego, ale jedno jest pewne, że jej właściciele będą starali się ją odzyskać.

— Przecież oni nas znają.

— Tak, znają twój adres i z pewnością mój też. Jesteśmy więc wszyscy czworo w niebezpieczeństwie: ty, ja, Jeremy i Camille. Mam nadzieję, że się mylę, ale lepiej nie ryzykujmy.

Paradoksalnie perspektywa nowego niebezpieczeństwa jakby dodała Nikki odwagi.

— Dokąd mam ją zawieźć?

— Zawieź ją na dworzec. Niech jedzie do East Hampton...

— Do twojej matki — odgadła Nikki.

— Tam będzie bezpieczna.

# 13

Budynek Saint Jean Baptiste High School wyglądał jak świątynia grecka.

Był doskonale symetryczny i miał fasadę z szarego marmuru ozdobioną trójkątnymi frontonami i delikatnie rzeźbionymi kolumnami doryckimi.

*Scientia potestas est** — tak brzmiała dewiza tej instytucji, wyrzeźbiona w kamieniu po obu stronach monumentalnych schodów, które nadawały szkole wygląd świątyni. Kamienną zimną atmosferę łagodziły śpiewy ptaków i promienie słońca, przebijające się przez żółtawe liście drzew. Miejsce to miało w sobie coś arystokratycznego, bił z niego spokój, emanowała kultura i wiedza. Trudno było uwierzyć, że człowiek znajdował się w samym centrum Manhattanu, tylko parę ulic od hałaśliwego, zatłoczonego Times Square.

---

* Wiedza to potęga.

Wystarczyło jednak kilka sekund, żeby ten klasztorny spokój został zakłócony. Najpierw jedna uczennica zeszła po schodach, potem małymi grupkami reszta. Dziewczęta rozproszyły się na chodniku.

Rozległy się śmiechy i krzyki. Mimo skromnego eleganckiego szkolnego mundurka z okrągłym kołnierzykiem dziewczęta rozmawiały na tematy dużo mniej powściągliwe, o chłopakach, randkach, zakupach, dietach, Twitterze i Facebooku.

Nikki, oparta o siodełko motocykla, mrużyła oczy. Szukała w tłumie dziewcząt sylwetki córki. Mimowolnie wyłapywała fragmenty rozmów. To nie był już język jej pokolenia.

W końcu zauważyła Camille. Odetchnęła z ulgą.

— Co tu robisz, mamo? — spytała Camille, szeroko otwierając oczy. — Widziałam twoją wiadomość.

— Nie mam zbyt dużo czasu, żeby ci wszystko teraz wyjaśnić, kochanie. Czy Jeremy ostatnio się do ciebie odzywał?

— Nie — odparła Camille.

Nikki zaczęła jej opowiadać o zniknięciu brata, ale nie chciała jej straszyć, więc ominęła fragment o splądrowanym mieszkaniu i kwestię kokainy.

— Zanim to wszystko się wyjaśni, tata chce, żebyś pojechała na kilka dni do babci.

— Co?! Nie ma mowy! W tym tygodniu mam mnóstwo sprawdzianów. A poza tym poumawiałam się z koleżankami.

Nikki postarała się być bardziej przekonująca.

— Posłuchaj, Camille. Nie byłoby mnie tutaj, gdyby nie to, że grozi ci niebezpieczeństwo.

— Jakie niebezpieczeństwo? Mój brat uciekł z domu, i co takiego? To przecież nie pierwszy raz.

Nikki westchnęła i spojrzała na zegarek. Za pół godziny miały pociąg do East Hampton, potem trzeba było czekać aż do wpół do szóstej wieczorem.

— Włóż to! — poleciła, wręczając córce kask.

— Ale...

— Nie ma żadnego „ale”. Jestem twoją matką. Jeśli mówię ci, że masz coś zrobić, to masz to zrobić i już! Bez dyskusji!

— Zupełnie tak jak tata! — poskarżyła się Camille, siadając na siodełku za matką.

Nikki ruszyła. Wyjechały z Upper East Side, sunąc Lexington między rzędami budynków z betonu i szkła tak szybko, jak to możliwe przy zachowaniu bezpieczeństwa.

Nie wolno mi mieć wypadku, zwłaszcza teraz... — pomyślała.

Po rozwodzie jej stosunki z Camille się rozluźniły. Kochała córkę bardzo, ale nie udało jej się nawiązać z nią ciepłego kontaktu. Wszystko z powodu tych absurdalnych warunków rozwodu, które narzucił Sebastian. Chociaż uczciwość nakazywała jej przyznać, że istniała jeszcze inna, bardziej podstępna bariera. Czuła kompleks niższości wobec córki. Camille była dziewczyną błyskotliwą, zakochaną w kulturze klasycznej. Bardzo wcześnie pochłonęła setki książek, znała większość najlepszych filmów. Pod tym względem Sebastian bardzo dobrze ją wychowywał, obracała się w środowisku uprzywilejowanym, chodzili razem do teatru, na koncerty i wystawy. Camille to dobre dziecko, nie była próżna, nigdy też nie zachowywała się z wyższością. Ale Nikki często odczuwała brak wiedzy, zwłaszcza gdy zapędziła się w rozmowie na tereny bardziej „uczone". Matka głupsza od córki... gorsza... Zwykle gdy o tym myślała, łzy napływały jej do oczu, choć starała się trzymać swój smutek na wodzy.

Nie zwalniając, przejechała Grand Central, rzuciła okiem na tylne lusterko, zmieniając pas, żeby wyprzedzić wóz strażacki.

Zawrót głowy, prędkość, uczucie duszności... Kochała to miasto i nienawidziła go jednocześnie. Jego ogrom, wrażenie ciągłego ruchu przytłaczały ją i oszałamiały.

Motocykl, maleńka zabawka w stosunku do pionowych strzelających w niebo ścian i prostopadle przecinających się ulic, pędził naprzód.

Co chwila rozlegało się wycie syren, w powietrzu wisiał kurz, poirytowani kierowcy prowadzili nerwowo swoje taksówki, słychać było jakieś krzyki.

Nikki wrzuciła niższy bieg, wzięła szeroki zakręt, żeby wjechać w Trzydziestą Dziewiątą Ulicę, po czym wtopiła się w ruch na Fashion Avenue. Przed oczami jeden widok zastępował szybko drugi: gęsty tłum, popękany asfalt, sfatygowane wózki sprzedawców hot dogów, metaliczne refleksy na ścianach wieżowców, wielki afisz na budynku przedstawiający parę zgrabnych nóg.

Kiedy wjeżdżała na Pennsylvania Plaza, udało jej się wcisnąć między dwa samochody.

Nowy Jork był piekłem dla motocykli: jezdnie były popękane i nierówne, nie było gdzie zaparkować.

— Koniec trasy, pasażerowie, wysiadać!

Camille wyskoczyła na chodnik i pomogła matce założyć kłódkę na motor.

Czterysta dwadzieścia cztery.

Pociąg odjeżdżał za dziesięć minut.

— Pospiesz się, kochanie.

Przebiegły przez ulicę nie po pasach i weszły do brzydkiego budynku, w którym kryła się Penn Station.

Jeśli wierzyć fotografiom z epoki wywieszonym w holu, ten najbardziej oblegany amerykański dworzec znajdował się niegdyś we wspaniałym budynku ozdobionym kolumnami z różowego granitu. Ogromna poczekalnia, zwieńczona szklanym dachem, miała rozmiar katedry, zresztą była ozdobiona gargulcami, witrażami i marmurowymi posągami. Ale ten złoty wiek dawno przeminął. Pod naciskiem inwestorów budowlanych i przemysłu rozrywkowego zburzono ten budynek na początku lat sześćdziesiątych, żeby wznieść na jego miejscu kompleks bezdusznych biurowców, hoteli i sal widowiskowych.

Nikki i Camille, rozpychając się łokciami, dotarły do kasy.

— Poproszę o bilet do East Hampton — zwróciła się Nikki do kasjerki.

Kobieta o kształtach Buddy wystawiała bilet nieskończenie długo. Na dworcu wrzało. Penn Station była punktem newralgicznym trasy łączącej Waszyngton z Bostonem oraz obsługiwała liczne dworce New Jersey i Long Island.

— Dwadzieścia cztery dolary. Pociąg odjeżdża za sześć minut.

Nikki odebrała resztę i wzięła Camille za rękę, żeby pociągnąć ją w podziemia, gdzie znajdowały się perony.

Na schodach ludzie spieszyli we wszystkie strony i popychali się. Panował taki tłok, że można było się udusić. Rozlegał się płacz dzieci. Walizki niesione przez jednych uderzały w kolana innych. Cuchnęło potem.

— Peron dwunasty jest z tej strony!

Nikki ciągnęła Camille za rękę. Wbiegły na peron.

— Pociąg odjeżdża za trzy minuty — ogłosił zawiadowca.

— Zadzwoń do nas, gdy tylko dojedziesz, dobrze?

Camille kiwnęła posłusznie głową.

Kiedy Nikki nachyliła się, żeby pocałować córkę na do widzenia, zauważyła, że dziewczyna jest zakłopotana.

— Czy coś przede mną ukrywasz? — spytała.

Jednocześnie zawstydzona, że złapano ją na gorącym uczynku, i odczuwając ulgę, że może pozbyć się ciężkiej tajemnicy, Camille zwierzyła się matce:

— Chodzi o Jeremy'ego. Kazał mi obiecać, że ci nic nie powiem, ale...

— Widziałaś go ostatnio — odgadła Nikki.

— Tak. Przyszedł po mnie w sobotę na lekcję tenisa.

W sobotę, to trzy dni temu, pomyślała Nikki.

— Był bardzo zaniepokojony — ciągnęła Camille. — I bardzo się spieszył. To jasne, że miał jakieś kłopoty.

— Powiedział ci, o co chodzi?

— Powiedział tylko, że potrzebuje pieniędzy.

— Dałaś mu?

— Nie miałam zbyt wiele przy sobie, więc poszedł ze mną do domu.

— Ojca nie było?

— Nie, był na obiedzie z Natalią. — Zaczęły trzaskać drzwi pociągu. Ostatni pasażerowie biegli po peronie i wskakiwali do wagonów. Popędzana przez matkę Camille ciągnęła: — Dałam Jeremy'emu dwieście dolców, które miałam, ale to mu nie wystarczyło, chciał, żebym otworzyła sejf ojca.

— Znasz kod?

— No pewnie, to data naszych urodzin!

Rozległ się dzwonek ostrzegający, że pociąg będzie za moment ruszał.

— Tam było pięć tysięcy dolarów w gotówce — dodała Camille, wskakując do wagonu. — Jeremy obiecał, że je odda, zanim tata się zorientuje.

Nikki zbladła. Camille to zauważyła i zaniepokoiła się.

— Mamo? Myślisz, że jemu coś się stało?

Po tym pytaniu drzwi wagonu się zamknęły.

# 14

Pogoda zepsuła się nagle.

W ciągu kilku minut niebo pociemniało jak ołów i horyzont zasłoniły ciemne chmury.

Na Brooklyn-Queens Express samochody jechały jeden za drugim. Kierując się na adres podany przez Santosa, Sebastian wykreślał w myślach linię, odgraniczającą to, co ma powiedzieć FBI, od tego, co przemilczeć. Nie było to łatwe. Od kiedy wsiadł do samochodu, na próżno próbował ułożyć fragmenty, którymi dysponował, w sensowny wzór. Niczym tępy ból wracało do niego niepokojące pytanie: Dlaczego Jeremy ukrywał u siebie w pokoju kilogram kokainy? Była tylko jedna odpowiedź: musiał tę kokainę komuś ukraść. Pewnie właścicielowi baru Bumerang. A potem, kiedy uświadomił sobie, co uczynił, przestraszony, musiał uciec przed dealerem.

Ale jak do czegoś takiego w ogóle mogło dojść? Przecież jego syn nie był durniem. Z policją miał w sumie niewielkie problemy, drobna kradzież, coś się zniszczyło... Nic, co łączyłoby go bezpośrednio lub pośrednio ze światem przestępczym.

Nagle samochody ruszyły szybciej. Trasa ekspresowa prowadziła przez długi tunel, po czym wypadała na zewnątrz, na nabrzeże East River.

W kieszeni Sebastiana zawibrowała komórka. To był Joseph.

— Przykro mi, ale straciliśmy kontrakt — zawiadomił go szef pracowni. — Ekspertyzę skrzypiec Bergonziego dostał Furstenberg.

Sebastian przyjął cios bez mrugnięcia okiem. Teraz wszystko wydawało mu się nieistotne. Wykorzystał to, że miał na linii Josepha, i spytał:

— Czy wiesz może, ile kosztuje kilogram kokainy?

— Co? Żartujesz chyba! Co się z tobą dzieje?

— To długa historia. Powiem ci, jak wrócę do biura. A więc wiesz?

— Nie mam zielonego pojęcia! — wyznał Joseph. — Ja jadę raczej na dwudziestoletniej whisky...

— Nie mam czasu na żarty, Joseph!

— Dobra... To zależy od jakości, od tego, skąd ona pochodzi...

— Tego sam mogę się domyślić. Mógłbyś to sprawdzić w internecie?

— Zaczekaj, już się łączę z Google... Co mam sprawdzić?

— Znajdź coś, byle szybko.

Z telefonem przy uchu Sebastian wjechał na pas, na którym trwały roboty drogowe. Jakiś pracownik kierujący ruchem wskazał mu palcem objazd. Nagły skręt wyrzucił Sebastiana na drogę prowadzącą na południe i na nowy korek na zjeździe.

— Znalazłem taki artykuł — odezwał się chwilę potem Joseph. — *Dziewięćdziesiąt kilogramów kokainy o wartości pięciu milionów dwustu tysięcy dolarów zostało znalezione na parkingu w Washington Heights.*

Sebastian zaczął obliczać za pomocą równania.

— Jeśli dziewięćdziesiąt kilogramów jest warte pięć milionów dwieście tysięcy, to kilogram...

— ...niecałe sześćdziesiąt tysięcy... — podpowiedział Joseph. — Czy możesz mi teraz wyjaśnić...

— Później, Joseph. Muszę się rozłączyć. Dzięki.

W Sebastianie narodziła się nadzieja. Miał plan. Była to wielka suma, ale nie dramatyczna. W każdym razie mógł ją dość szybko zdobyć w gotówce. Pojedzie do tego baru, jak mu tam... Bumerang i złoży temu Drake'owi Deckerowi propozycję nie do odrzucenia, a mianowicie: zwróci mu całkowitą wartość narkotyku plus da jeszcze czterdzieści tysięcy dolarów prowizji za kłopoty i za to, żeby zapomniał o istnieniu Jeremy'ego.

W jego rodzinie zawsze powtarzano, że „pieniądz to jedyna władza, którą się akceptuje bez dyskusji". Był to cytat, który jego dziadek musiał gdzieś wyczytać i uczynił z niego mantrę, dewizę rodzinną, która od lat przyświecała życiu rodziny Larabee. Bardzo długo Sebastian pogardzał tym sposobem myślenia, ale dzisiaj wydał mu się on sensowny. Z wiarą patrzył w przyszłość. Wszystko się na pewno jakoś ułoży. Opłaci tego dealera i niebezpieczeństwo wiszące nad jego rodziną oddali się i zniknie, a wtedy on weźmie w swoje ręce wychowanie syna i zajmie się jego „towarzystwem". Jeszcze nie jest za późno. W końcu cała ta historia może mieć swoje zbawienne strony.

Podjął decyzję. Nie miał ani minuty do stracenia.

Kiedy dojechał do skrzyżowania prowadzącego na Manhattan Bridge, zamiast wjechać nań, zawrócił z powrotem na Brooklyn. Jego celem stał się bar Bumerang.

# 15

— Spieprzaj stąd, zasrańcu!

Wyzwisko dotarło do Sebastiana, kiedy mijał grupę bezdomnych, którzy grzebali w pojemnikach na śmieci przy Pizza Hut na Frederick Street. Pili piwo z puszek schowanych w brązowych papierowych torbach i znaczyli swoje terytorium, rzucając wyzwiska przechodniom i kierowcom, którzy patrzyli na nich ze zbyt bliska.

— Spadaj, gnoju!

Jakiś pełny kubek rozwalił się o przednią szybę samochodu. Sebastian szybko zasunął okno i włączył wycieraczki.

Urocza okolica... — pomyślał.

Nigdy jeszcze nie był w tej części miasta. I nigdy już tu nie wróci, w każdym razie taką miał nadzieję.

W gęstym powietrzu unosiła się woń kuchni portorykańskiej. Z okien rozbrzmiewały karaibskie rytmy. Na gankach domów wisiały flagi dominikańskie. Szybko można było się zorientować, że Bushwick jest stolicą okolic opanowanych przez Latynosów. Dzielnica mackami ośmiornicy obejmowała jakieś dziesięć ulic, zamieszkanych głównie przez najuboższych obywateli, w znacznym stopniu utrzymywanych przez państwo. Nie dotarły tu jeszcze grupy bogatych snobów, które ostatnio upodobały sobie Williamsburg. Tutaj nie było młodych wystrojonych artystów ani ekologicznych restauracji, za to jeden za drugim stały wielkie magazyny, domy z dachami z blachy falistej i budynki z czerwonej cegły, nie brakowało ścian pokrytych graffiti i opuszczonych kwartałów porosłych chwastami.

Szeroka aleja była prawie pusta. Sebastian od razu zauważył Bumerang, ale wolał zaparkować jaguara na sąsiedniej uliczce. Zamknął samochód i wszedł na Frederick Street w momencie, gdy spadły pierwsze krople deszczu, wprowadzając w Bushwick atmosferę smutku i melancholii.

Bumerang nie miał w sobie nic z modnego i przytulnego baru. Była to ponura, brudna knajpa na przedmieściu, w której podawano tanią whisky i sandwicze z mielonym mięsem po dwa dolary za sztukę. Tablica przyczepiona do żelaznej kraty informowała, że lokal jest czynny od siedemnastej, ale metalowa krata była w trzech czwartych podniesiona, odsłaniając drzwi do tego cudownego przybytku.

Sebastian zapukał w przyciemnione szyby. Padało coraz bardziej. Nikt nie odpowiedział na jego pukanie. Podsunął kratę wyżej i spróbował otworzyć drzwi. Ustąpiły bez trudu. Był już całkiem przemoczony, wahał się więc tylko chwilę, zanim wszedł do środka. Wnętrze okazało się ponure, pogrążone w ciemnościach. Zrobił kilka kroków do przodu, zamknąwszy starannie drzwi za sobą, żeby nie zauważyli go ewentualni przechodnie.

— Jest tam kto? — spytał, zrobiwszy kolejny ostrożny krok do przodu. Wówczas poczuł obrzydliwy odór, który zmusił go do zakrycia ust dłonią. Zrobiło mu się niedobrze. Zapach żelaza, gwałtowna, uporczywa woń... krwi.

W pierwszej chwili chciał uciec, ale się powstrzymał. Cofnął się do ściany, szukając kontaktu. Kiedy nieprzyjemne żółte światło zalało pomieszczenie, żołądek podszedł mu do gardła z obrzydzenia i strachu.

Bar był cały wymazany krwią. Na parkiecie widniały czarne lepkie plamy. Ściany z cegły zostały spryskane na czerwono chyba sprayem. Boazerie tak samo. A nawet półki pełne butelek za kontuarem.

Prawdziwa rzeźnia.

W głębi lokalu, w kałuży krwi, leżał jakiś mężczyzna.

Drake Decker?

Serce waliło Sebastianowi w piersiach jak szalone. Mimo strachu i mdłości podszedł ku zwłokom. Okaleczone ciało ogromnego mężczyzny leżącego na plecach było zbroczone krwią. Stół bilardowy, na którym spoczywało, przypominał jakiś ołtarz ofiarny, wzniesiony specjalnie na krwawą ceremonię. Zmarły był łysy i nosił wąsy, ciało ważyło z pewnością ponad sto kilogramów. Miał zwisający brzuch, był bardzo owłosiony, wyglądał jak członek Bearsów, homoseksualnej grupy obnoszącej się ze swoją męskością. Płócienne spodnie, kiedyś koloru khaki, teraz ociekały czarną krwią. Rozerwana koszula w kratkę odsłaniała tors, brzuch, a zwłaszcza wnętrzności. Jelita, wątroba i żołądek skręcone w jedno wyglądały jak galaretowata, klejąca się zupa.

Sebastian nie mógł już dalej walczyć. Z rękoma na kolanach pochylił się i zwymiotował żółcią, która od dłuższej chwili podchodziła mu do gardła. Kilka sekund pozostał w tej pozycji. Spocony, w gorączce i bezdechu.

Jednak postarał się opanować. Z kieszeni koszuli leżącego wystawał portfel. Sebastianowi udało się wyciągnąć skórzane etui i sprawdzić zawartość: znajdowało się w nim prawo jazdy na nazwisko Drake'a Deckera.

Kiedy wkładał portfel z powrotem na miejsce, przez ciało Drake'a przebiegła konwulsja.

Sebastian podskoczył. W skroniach mu pulsowało.

Jakiś pośmiertny skurcz?

Pochylił się nad skrwawioną twarzą.

„Zwłoki" nagle otworzyły oczy. Sebastian cofnął się i zdusił krzyk strachu.

Cholera!

Drake może umierał, ale oddychał. Z ust ciekła mu strużka krwi.

Co robić?

Panika, zawrót głowy, uczucie duszenia się.

Sebastian wyjął komórkę i wystukał numer pogotowia. Nie podał swojego nazwiska, ale zażądał karetki pod numer siedemnasty, na Frederick Street.

Rozłączył się i zmusił do powtórnego spojrzenia na twarz Drake'a. Najwyraźniej Bear był torturowany na wszelkie sposoby. Krew przedostała się przez wełniany koc, który leżał na stole bilardowym. Po jego brzegach strumienie krwi spływały do otworów na kule. Teraz mężczyzna zdecydowanie już nie żył.

Sebastian poczuł palącą gorycz w gardle. W ustach miał sucho. Ledwo trzymał się na nogach. Nie mógł zebrać myśli.

Musi jak najszybciej się stąd wydostać. Zastanowi się później nad wszystkim. Sprawdzając, czy nic po sobie nie zostawił, zauważył na kontuarze baru butelkę burbona i obok szklankę wypełnioną do połowy. W złotej cieczy unosiły się kawałek skórki pomarańczowej i dwie duże kostki lodu. Kto to pił? Pewnie ten rzeźnik, który torturował Drake'a. Lód jednak nie był stopiony, a to oznaczało, że napastnik wyszedł stąd całkiem niedawno.

Albo też, że jeszcze wcale nie wyszedł...

Sebastian rzucił się do drzwi, słysząc z tyłu skrzypienie podłogi. Zamarł. A jeśli gdzieś tutaj uwięziono Jeremy'ego?

Odwrócił się i zauważył jakiś cień, który schował się za parawanem z laki.

Nie minęła sekunda, a kolos rzucił się na niego.

Miał ciemny kolor skóry, wielkie bary, twarz wytatuowaną jak maoryski wojownik, trzymał w dłoni sztylet z obustronnym ostrzem.

Sebastian zamarł.

Nie podniósł nawet ręki, żeby się zasłonić, gdy spadało na niego ostrze.

# 16

— Rzuć to! — krzyknęła Nikki, wpadając do pomieszczenia.

Teraz zamarł z kolei zdumiony olbrzym. Korzystając z tego, Nikki rzuciła się na Maorysa, żeby wymierzyć mu kopniaka, i trafiła olbrzyma w bok, ale go nie przewróciła. Morderca natychmiast się otrząsnął. Nie bał się wcale tych dwóch przeciwników. Gdyby sądzić po sadystycznym uśmieszku, który wykrzywił mu twarz, pewnie uważał, że przybycie kobiety sprawiło mu przyjemność.

Sebastian skorzystał z zamieszania i uciekł w głąb sali. Nie stchórzył, tylko zupełnie nie wiedział, jak to rozegrać. Nigdy w życiu z nikim się nie bił. Nigdy nikogo nie uderzył ani nie dostał żadnego ciosu.

Przed olbrzymem została sama Nikki. Na ugiętych nogach uniknęła jednego ciosu nożem, potem drugiego. Przerwa, podskok, salto, unik. Wprowadzała w życie wszystko to, czego nauczyła się na lekcjach boksu. Ale olbrzym nie będzie bez końca pudłował.

Musiała go za wszelką cenę pozbawić broni. Przestać czuć odór krwi. Zapomnieć, co tu się stało. Myśleć tylko o Jeremym.

Nie mam prawa umrzeć, dopóki nie odnajdę syna!

Chwyciła kij bilardowy ze stołu. Nie była to tak skuteczna broń jak nóż, ale utrudniała napastnikowi dojście do niej. Zamachnęła się kijem raz i drugi, udało jej się uderzyć olbrzyma drewnianym drągiem w twarz. Maorys zacharczał z wściekłością i jakby stwierdziwszy, że dość tej zabawy, wymierzył hakowaty cios nożem w kij, który złamał się na pół. Rozbrojona Nikki rzuciła mu w twarz oba kawałki kija. Opędził się od nich jednym gestem.

Widząc, że Nikki znalazła się w wielkim niebezpieczeństwie, Sebastian poczuł w sobie nowe siły. Chwycił przyczepioną do ściany gaśnicę i zerwał metalową nasadkę, żeby uwolnić gaz pod ciśnieniem.

— Masz! — wykrzyknął w stronę olbrzyma, kierując mu prosto w twarz pianę ze sprężonym dwutlenkiem węgla.

Zaskoczony napastnik zasłonił sobie oczy, nie puszczając noża. Korzystając z tego, że morderca został oślepiony, Nikki kopnęła go w krocze, a Sebastian zaczął go z całej siły walić gaśnicą.

Jeden z ciosów Sebastiana trafił wytatuowanego złoczyńcę prosto w głowę, co jeszcze spotęgowało jego wściekłość.

Oswobodził się i rzucił nożem w kierunku Nikki, która uchyliła się w ostatniej chwili. Nóż wbił się w ścianę.

Sebastian przestał bać się tego, że napastnik wypruje mu wnętrzności, i nagle wpadł w furię. Nie zdając sobie sprawy z niebezpieczeństwa, rzucił się na Maorysa, ale pośliznął się na kałuży krwi. Podniósł się, zacisnął pięść i zamierzał uderzyć go ciosem sierpowym, niestety, było za późno: dostał prosto w twarz i znalazł się za ladą baru. Żeby złagodzić upadek, chciał przytrzymać się półki, ale w rezultacie pociągnął ją za sobą razem ze wszystkimi butelkami i wielkim lustrem. Szkło potłukło się z hałasem. Sebastian, oszołomiony, leżał na podłodze, nie mogąc się podnieść.

Napastnikowi poprawił się nastrój i postanowił zabrać się do Nikki. Chwycił ją za szyję i rzucił na stół bilardowy. Włosy Nikki zamoczyły się w lepkiej krwi. Kobieta krzyknęła z obrzydzenia i strachu, kiedy znalazła się na zielonym stole kilka centymetrów od zwłok Drake'a.

Maorys walił ją pięściami po twarzy.

Jeden cios, drugi, trzeci...

Nikki traciła przytomność. Ostatkiem sił wyciągnęła rękę i chwyciła pierwszy przedmiot, na który natrafiła.

Była to połowa złamanego kija bilardowego.

Wytężyła wszystkie siły w ostatnim geście ratunku. Wycelowała ostrym końcem złamanego kija w twarz kolosa i zraniła go najpierw w czoło. Potem kij ześlizgnął się nieco niżej i wyłupił napastnikowi oko. Cyklop zawył z bólu i puścił swoją zdobycz. Wyciągnął kawał ostrej drzazgi z oka, po czym pod wpływem bólu zaczął kręcić się w kółko.

W ostatnim momencie zobaczył zbliżającego się do niego Sebastiana uzbrojonego w kawałek stłuczonego lustra.

Zbite szkło, błyszczące i ostre jak miecz, przecięło Maorysowi tętnicę szyjną.

# 17

— Nikki! Musimy stąd uciekać!

Powietrze w knajpie było ciężkie, ledwo można było oddychać.

Z tętnicy Maorysa, który zwalił się na podłogę pod kontuarem baru, wyciekała krew, jeszcze bardziej upodobniając pomieszczenie do tragicznej rzeźni albo nory obłąkanego rzeźnika, w której leżały dwa ciała w oczekiwaniu na rozpłatanie.

Na zewnątrz lało. Deszcz uderzał w szyby z głuchym dźwiękiem. Wiał silny wiatr, ale nie aż taki, żeby zagłuszyć syrenę karetki wjeżdżającej w ulicę.

— Wstawaj! — popędzał ją Sebastian. — Już jedzie pogotowie i niedługo wpadnie tu policja!

Pomógł Nikki wstać i objął ją w talii.

— Musi gdzieś tu być drugie wyjście!

Przez drzwi za barem wyszli na tylne podwórko, które prowadziło na maleńką uliczkę. Uciekli z piekła, więc z wdzięcznością odetchnęli czystym powietrzem, nadstawiając twarze na spadające z nieba krople. Po tym, co przeżyli, będą musieli wziąć długi prysznic, żeby zmyć krew, którą byli umazani.

Sebastian pociągnął Nikki do jaguara, przekręcił kluczyk w stacyjce i pełnym gazem ruszył do przodu, gdy tymczasem światła reflektorów wozów policyjnych rozdarły ponurą szarość Bushwick.

Jechali wystarczająco długo, żeby oddalić się od grożącego im niebezpieczeństwa. Potem Sebastian zatrzymał się przed płotem jakiejś budowy, na pustej ulicy Bedford Stuyvesant.

Wyłączył silnik. Samochód otaczała gruba deszczowa zasłona.

— Do cholery, co tam robiłeś?! — wykrzyknęła Nikki u progu załamania nerwowego. — Mieliśmy się spotkać na policji!

— Uspokój się, błagam! Myślałem, że sam jakoś wszystko załatwię! Pomyliłem się. Ale w jaki sposób ty...

— Chciałam obejrzeć to miejsce, zanim zaczną nas wypytywać agenci CARD. Chyba dobrze zrobiłam, co?

Nikki cała drżała.

— Co to byli za ludzie?

— Ten z brodą to Drake Decker, ale kim był ten wytatuowany potwór, nie mam pojęcia.

Opuściła osłonę przeciwsłoneczną i przejrzała się w lusterku. Miała opuchniętą twarz, podarte ubranie i włosy posklejane zaschniętą krwią.

— Jak Jeremy dostał się w tryby czegoś tak koszmarnego? — spytała zduszonym głosem i zamknęła oczy. Tama napięcia puściła i Nikki się rozpłakała. Sebastian położył dłoń na jej ramieniu, żeby ją pocieszyć, ale ona go odepchnęła.

Westchnął i zaczął sobie masować powieki. Czuł się ociężały i głowa go rozbolała. W przemoczonej koszuli dostał dreszczy. Nie mógł uwierzyć, że zabił człowieka, podcinając mu gardło kawałkiem stłuczonego lustra. Jak mógł dać się tak szybko wciągnąć w coś podobnego?

Obudził się tego ranka w komforcie swojego solidnego domu. Pokój zalewały dodające animuszu promienie słońca. Teraz zaś miał zakrwawione ręce, groziło mu więzienie i na dodatek nie wiedział, co się dzieje z synem.

Mimo bólu, który rozdzierał mu czaszkę i powodował mdłości, postarał się zebrać myśli. Mózg podsuwał mu różne obrazy: spotkanie z Nikki, odkrycie narkotyku, okaleczone zwłoki Deckera, bestialskie zachowanie Maorysa, kawałek lustra, wbity w szyję napastnika...

Rozległ się grzmot i burza rozpętała się z podwójną siłą. Na samochód spadały hektolitry wody, a wiatr poruszał nim jak statkiem na rozszalałym oceanie. Sebastian wytarł rękawem parę, która pojawiła się na szybie okna. Na zewnątrz nic nie było widać.

— Nie możemy dłużej ukrywać przed policją tego, czego się dowiedzieliśmy! — stwierdził, spoglądając na byłą żonę.

Nikki pokręciła głową.

— Przecież zabiliśmy człowieka! Przekroczyliśmy pewną granicę. Nie ma mowy, żeby cokolwiek ujawniać!

— Nikki, Jeremy znalazł się w znacznie większym niebezpieczeństwie, niż myśleliśmy.

Nikki odsunęła włosy spadające jej na twarz.

— Policja nam nie pomoże, Sebastianie. Nie miej złudzeń. Znajdą ciała dwóch zamordowanych mężczyzn i będą szukali winnego.

— Przecież zabiłem go w obronie własnej!

— Trudno będzie tego dowieść, wierz mi! A prasa będzie zachwycona, gdy dostanie tę historię znanego człowieka.

Zastanowił się nad ostatnim argumentem. W głębi duszy wiedział, że Nikki miała rację. To, co zaszło w barze przed ich przybyciem, nie było zwykłymi porachunkami między dealerami. To była prawdziwa jatka. A jeśli nawet nie wiedzieli jeszcze, jaką rolę w tym wszystkim odgrywał Jeremy, stało się jasne, że sprawa okazała się poważniejsza, niż myśleli. Nie chodziło już tylko o strach, żeby syn nie dostał się w ręce policji lub do więzienia. Bardziej bali się, żeby nie zginął...

W tym samym momencie odezwały się dzwonki ich komórek: partita Bacha u Sebastiana, riff Jimiego Hendrixa u Nikki. Nikki spojrzała na ekran: to Santos niecierpliwił się w siedzibie CARD. Postanowiła nie odbierać. Oddzwoni do niego później.

Spojrzała na komórkę Sebastiana. Prefiks wskazywał na telefon z zagranicy. Sebastian zmarszczył brwi, żeby pokazać jej, że on nie zna tego numeru, ale po kilku sekundach wahania postanowił odebrać i włączył głośnik.

— Pan Larabee? — spytał jakiś męski głos z obcym akcentem.

— To ja.

— Coś mi mówi, że chcieliby państwo dostać wiadomość od synka...

Sebastian poczuł, że się dusi.

— Kim pan jest? Co pan zrobił z...

— Miłego oglądania, panie Larabee! — rzucił głos i telefon zamilkł.

Zdumieni, spojrzeli po sobie w milczeniu i jeszcze bardziej się zaniepokoili.

Gdy usłyszeli krystaliczny przerywany dźwięk, podskoczyli. Zawiadomienie o poczcie elektronicznej wysłanej na telefon Nikki. Adresat nieznany. Otworzyła ją: wiadomość nie miała żadnej treści, tylko dołączony plik, który ładował się dość długo.

— To jakieś wideo — powiedziała Nikki.

Drżąc, otworzyła nagranie.

Instynktownie poszukała ramienia Sebastiana, żeby się go złapać.

Film się zaczął.

Spodziewała się najgorszego.

▫

Na zewnątrz ulewny deszcz wciąż łomotał w dach samochodu.

# 18

Komórka FBI wyspecjalizowana w poszukiwaniach zaginionych mieściła się w biurach na pięćdziesiątym szóstym piętrze Metlife Building, gigantycznego kanciastego wieżowca, swoim ogromem przytłaczającego Park Avenue.

Zniecierpliwiony Lorenzo Santos kręcił się niespokojnie w fotelu, siedząc w poczekalni, długim korytarzu z błyszczącego metalu i szkła, zawieszonym nad wschodnią częścią Manhattanu.

Porucznik nowojorskiej policji popatrzył nerwowo na zegarek. Od godziny już czekał na Nikki. Czyżby zrezygnowała z zawiadomienia policji o zaginięciu syna? Dlaczego? Zachowywała się bezsensownie. Z jej powodu on wyjdzie na idiotę w oczach kolegi z FBI, którego poprosił o pilne spotkanie.

Wyjął komórkę i nagrał kolejną wiadomość dla Nikki. Próbował ją złapać już trzeci raz, ale ona nie odbierała telefonu. Wpadł w irytację. Był pewien, że wszystko to wina tego Sebastiana Larabee, jej poprzedniego męża, którego pojawienie się na horyzoncie bardzo go rozdrażniło.

Cholera! Nie ma mowy, żeby stracił Nikki! Od pół roku był w niej szaleńczo zakochany. Obserwował jej każdy najdrobniejszy gest, chciał znać jej wszystkie myśli, interpretował każde jej słowo. Przez cały czas żył w strachu i pod presją. Z Nikki emanował specyficzny magnetyzm, który sprawiał, że Santos nie mógł bez niej żyć.

A teraz dodatkowo odezwał się w nim strach, spocił się i było mu gorąco.

Uczucie, które wywoływała w nim Nikki, nie było spokojną, głęboką miłością, a raczej gorączkową pasją, która doprowadzała go do szaleństwa, czuł się po zwierzęcemu uzależniony od jej zapachu, jej skóry, jej spojrzenia. Zależność ta męczyła go jak najgorszy z nałogów. Cierpiał. Gdy w grę wchodziła ona, stawał się bez charakteru i słaby. Nie wiedział, kiedy pułapka się zamknęła, a on został w środku. Zbyt późno, żeby się wycofać.

Teraz już wściekły i zaniepokojony, wstał z fotela i podszedł do okna. Poczekalnia była pomieszczeniem zimnym i bezosobowym, za to z okna roztaczał się przepiękny widok. Stalowa strzała i stylizowane skrzydła Chrysler Building, wanty mostu Williamsburg, statki sunące po East River, a potem, daleko na horyzoncie, anonimowe dachy Queensu, cała ta perspektywa rozciągała się, jak daleko sięgnąć wzrokiem.

Santos westchnął boleśnie. Tak chciałby wyleczyć się z zależności od tej kobiety. Dlaczego ona tak na niego działała? Dlaczego akurat ona? Czym różniła się od innych kobiet?

Starał się podejść do kwestii rozumowo, ale wiedział, że to na nic, bo co ma wspólnego urok, którego padło się ofiarą, z rozumem? Nieposłuszna i niezależna Nikki miała w oczach płomień, który mówił: „Będę zawsze wolna. Nigdy nie będę należeć do ciebie!". Ten płomień doprowadzał go do szaleństwa.

Zmrużył oczy. Deszcz ustał. Po niebie przesuwały się błękitne chmury. Zapadał już wieczór, stopniowo zapalały się światła miasta. Dwieście metrów nad ziemią Nowy Jork wydawał się pusty i spokojny, niczym nieruchomy statek skąpany w nierealnej poświacie.

Santos zacisnął pięść i przyłożył ją do szyby.

Nie był ani sentymentalny, ani romantyczny. Dość szybko wyrobił sobie pozycję w policji nowojorskiej. Zżerała go ambicja, znał teren jak nikt inny, podporządkował sobie swoją dzielnicę i rozwiązał już wiele poważnych spraw, nie wahając się nawiązać kontaktu z chuliganami, żeby stworzyć sobie własną siatkę informatorów. Praca w wydziale narkotykowym była trudna i niebezpieczna, ale Santos miał wystarczająco grubą skórę, żeby pływać w tym oceanie brudu bez ryzyka. Jak ktoś taki jak on mógł wpaść w pułapkę namiętności? Nigdy się nie skarżył, ale musiał przyznać, że dziś strach ściskał go za gardło. Strach, że straci Nikki, lub jeszcze gorzej, że zabierze mu ją inny mężczyzna.

Podskoczył na dźwięk swojej komórki. Niestety, to był tylko jego asystent, Mazzantini.

— Santos — odezwał się do słuchawki, w której usłyszał przede wszystkim wycie syreny policyjnej i hałas ruchu ulicznego, a dopiero potem zagłuszony tym wszystkim głos podwładnego.

— Pilna sprawa, szefie, podwójne zabójstwo w Bushwick. Właśnie tam jadę.

Podwójne zabójstwo...

Instynkt policjanta natychmiast wziął górę w Santosie.

— Adres?

— Bar na Frederick Street, Bumerang.

— Bar Drake'a Deckera?

— Ratownicy z karetki mówili, że to prawdziwa rzeźnia.

— Już tam jadę!

Rozłączył się, wyszedł na korytarz i zjechał windą do podziemnego parkingu, gdzie stał jego służbowy samochód.

Była godzina siedemnasta trzydzieści, koszmarny moment na wyjazd z Manhattanu autem. Żeby przebić się przez korki, Santos jechał z włączonym policyjnym kogutem.

Union Square, Greenwich Village, Little Italy.

Zwłoki dwóch ludzi u Drake'a Deckera.

Od kiedy pracował w Bushwick, Santos łapał już kilka razy „Grizzly Drake'a", ale to nie był wielki dealer. W ustawionej piramidalnie strukturze grupy handlującej narkotykami nie pojawiał się jako ktoś wydający rozkazy. Był raczej ostrożnym dostawcą, który na dodatek często współpracował z policją.

Co mogła oznaczać ta zagadka? Przez chwilę Santos zastanawiał się nad tym, ale wkrótce te myśli znów wyparła postać Nikki. Popatrzył na ekran komórki. Wciąż żadnej wiadomości.

Naprawdę przestraszony, przejechał przez Most Brookliński, wciąż myśląc o Nikki. Gdzie była? Z kim? Musi się tego dowiedzieć jak najszybciej.

Oczywiście najważniejsze w tej chwili było nowe śledztwo, ale kiedy znalazł się po drugiej stronie mostu, uznał, że dwaj nieboszczycy mogą jeszcze poczekać, i skierował się prosto do Red Hook, dzielnicy, w której mieszkała Nikki.

# 19

Brooklyn.

Nikki i Sebastian wrócili do zdewastowanego mieszkania i usiedli w kuchni, za drewnianym blatem, na którym stał komputer. Nikki włączyła go i sprawdziła pocztę, żeby odebrać wideo. Kiedy zaczęli je oglądać na telefonie, natychmiast próbowali odczytać coś więcej, ale ta operacja nie była prosta na maleńkim ekranie.

Nikki przeniosła plik na komputer z programem do obróbki cyfrowych nagrań wideo.

— Gdzie nauczyłaś się to robić? — spytał Sebastian, zdziwiony, że jego była żona jest tak obeznana z informatyką.

— Zajmuję się amatorskim teatrem z grupą z Williamsburga — wyjaśniła. — Filmuję sekwencje, które wprowadzam do naszych spektakli.

Sebastian kiwnął głową. Znał tę nową tendencję i nigdy nie był przekonany do używania filmu na scenie teatralnej, ale to nie był moment na dyskusję.

Nikki otworzyła wideo na całym ekranie. W wersji siedemnastocalowej na obrazie wyraźnie widać było piksele. Wyregulowała obraz, żeby otrzymać najlepszą jakość materiału. Film był bez dźwięku, dość wyraźny, trochę zielonkawy, jednak z poprzecznymi paskami. Prawdopodobnie pochodził z kamery przemysłowej.

Jeszcze raz obejrzeli wideo z normalną prędkością. Film trwał niecałe czterdzieści sekund, ale mimo że scena trwała krótko, była bardzo bolesna. Nieruchoma kamera została umieszczona na takiej wysokości, żeby umożliwić obserwację peronu metra czy jakiegoś podmiejskiego pociągu. Nagranie zaczynało się, gdy na peron wjeżdżał pociąg. Gdy tylko otworzyły się automatyczne drzwi, jakiś chłopak — Jeremy — wypadł na peron i zaczął uciekać. Widać było, jak się rozpychał w tłumie i jak zaczęło go gonić dwóch mężczyzn. Nie przebiegł trzydziestu metrów, gdy go dopadli pod schodami i przewrócili gwałtownie na posadzkę. Pod koniec nagrania widać było wykrzywioną niepokojącym uśmiechem twarz jednego z napastników, który popatrzył w kamerę.

Potem na ekranie pojawił się śnieg i wszystko się urwało.

Nikki zdrętwiała ze strachu. Postanowiła jednak trzymać nerwy na wodzy, gdyż zimna krew była warunkiem rozszyfrowania wideo.

— Myślisz, że gdzie to jest? — spytała.

Sebastian podrapał się po głowie.

— Nie mam pojęcia. To może być gdziekolwiek.

— Dobrze. Puszczę tę sekwencję jeszcze raz w zwolnionym tempie, a jeśli to będzie konieczne, obejrzymy ją klatka po klatce, żeby zebrać maksimum wskazówek.

Sebastian kiwnął głową i skupił się.

Ledwo Nikki włączyła wideo, Sebastian wskazał palcem na ekran. W prawym dolnym rogu widniała data.

— Trzynastego października... — przeczytał, mrużąc oczy.

— Wczoraj...

Pierwszy plan pokazywał pociąg metra, który zwalniał i zatrzymywał się na stacji. Nikki nacisnęła klawisz „pauza", żeby zatrzymać obraz i dokładniej przyjrzeć się wagonowi.

— Czy możesz jeszcze bardziej powiększyć obraz?

Zrobiła to. Zobaczyli dość stary model metra, gdzie wagony były białe i jasnozielone, a klamki z błyszczącego chromowanego metalu.

— Zobacz, na dole wagonu jest znak firmowy.

Za pomocą touchpada wyizolowała ten punkt na ekranie i przyciągnęła go bliżej. Emblemat nie był wyraźny, ale dało się rozróżnić stylizowaną twarz patrzącą w górę.

— Czy coś ci to mówi? — spytał Sebastian.

Nikki pokręciła przecząco głową i odrzekła:

— Nie, raczej nie...

Odtwarzała ciąg dalszy wideo. Drzwi otworzyły się, a w nich stał dorastający chłopak w kurtce typu Teddy z polaru i skóry.

Nikki znów zatrzymała obraz i powiększyła go. Chłopak miał schyloną głowę i twarz zasłoniętą baseballową czapką z daszkiem Metsów.

— Nie jesteśmy nawet pewni, czy to jest naprawdę Jeremy — zauważył.

— Jestem pewna, że to on — autorytatywnie stwierdziła Nikki. — On tak się nosi, to jego czapka i jego ubranie.

Sebastian, targany wątpliwościami, nachylił się do ekranu. Chłopak miał na sobie wąskie dżinsy, T-shirt, trampki Converse. Tak jak wszyscy chłopcy świata...

— Uwierz mojemu instynktowi — powiedziała Nikki.

Aby poprzeć swoje słowa, zrobiła cięcia na obrazie i powiększyła T-shirt chłopca. Wyczyściła ten fragment najlepiej jak mogła. Czerwone litery na czarnym tle, tworzące napis The Shooters, wydrukowany domowym sposobem, pojawiły się stopniowo na ekranie.

— To ulubiona grupa Jeremy'ego! — wykrzyknął Sebastian.

Nikki kiwnęła głową, po czym znów włączyła wideo.

Ekran odzwierciedlał zamieszanie i nieporządek panujący na peronie, na który wbiegł Jeremy, gdy rzucił się do ucieczki i rozpychał tłum. W końcu w polu widzenia kamery pojawili się dwaj faceci, którzy go gonili. Na pewno wysiedli z wagonu obok, ale widać było tylko ich plecy.

Nikki i Sebastian wpatrywali się w ekran w wielkim skupieniu i puszczali tę sekwencję kilka razy, ale z powodu tłumu na peronie i oddalenia scena była niewyraźna.

Potem pojawił się fragment najbardziej bolesny, w którym ich syn został gwałtownie przewrócony i przyciśnięty do posadzki na samym końcu peronu, tuż przed drzwiami wyjściowymi. Pięć ostatnich sekund było najbardziej znaczące: po unieruchomieniu Jeremy'ego jeden z napastników odwrócił się, poszukał oczami kamery, a gdy ją znalazł, uśmiechnął się drwiąco.

— Ten zasraniec wie, że jest filmowany! — wybuchł Sebastian. — On się z nami drażni!

Nikki wykadrowała twarz i zrobiła wszystko, co możliwe, żeby ukazać ją jak najwyraźniej. Facet wyglądał niesamowicie: miał sardoniczny wyraz twarzy, nieporządną brodę, długie tłuste włosy, przyciemnione okulary, a na głowie czapeczkę narciarską wciągniętą głęboko na uszy. Gdy tylko Nikki wszystko wyregulowała, jak najlepiej umiała, wydrukowała to na papierze fotograficznym najwyższej jakości. Czekając na wydruk, Sebastian zastanawiał się na głos:

— W jakim celu nam to przysłano? Nie ma żadnych instrukcji, nikt nie prosi nas o okup. To nielogiczne.

— Może to dopiero początek?

Sebastian wyjął wydruk portretu z drukarki i przyjrzał się dokładnie twarzy, chcąc znaleźć jakiś szczegół, który naprowadziłby go na ślad tożsamości napastnika. Facet wyglądał ponuro. Czy on go znał? Raczej nie, ale nie mógł tego stwierdzić zdecydowanie, bo obraz był niewyraźny, zamazany, twarz zakryta okularami, czapką i brodą, która nie wyglądała naturalnie.

Nikki jeszcze raz odtworzyła wideo.

— Skoncentrujmy się teraz na wyglądzie tego miejsca. Za wszelką cenę musimy się dowiedzieć, gdzie to jest.

Sebastian postanowił zapomnieć o twarzach i ruchach osób, które przesuwały się na ekranie, i skupić całą uwagę na wyglądzie dworca. Była to dwutorowa stacja podziemna z owalnym sklepieniem tunelu. Ściany zostały wyłożone kafelkami z białego fajansu i ozdobione planszami reklamowymi.

— Możesz przybliżyć ten afisz?

Nikki wykonała polecenie. Chodziło o różowy plakat, reklamujący premierę musicalu *My Fair Lady*. Po wyregulowaniu ostrości Nikki odczytała z trudnością napisy:

— Châtelet. Operetka paryska.

Sebastiana zatkało.

Paryż...

— Co Jeremy robi w Paryżu? To surrealistyczne!

A jednak...

Przypomniał sobie teraz, gdzie widział symbol z twarzą zwróconą ku niebu: było to podczas jego jedynej podróży do Paryża, siedemnaście lat wcześniej. Otworzył nową stronę, włączył przeglądarkę internetową, wystukał słowa „metro" i „Paryż" na Google i po dwóch próbach znalazł stronę RATP.

— Ten znak na wagonie to znak miejskiego transportu paryskiego — powiedział.

— Postaram się dowiedzieć, co to za stacja! — rzuciła Nikki, wypunktowując znajdującą się w głębi ekranu tablicę, na której niewyraźnie odcinały się od niebieskiego tła białe litery z nazwą stacji.

Operacja zajęła kilka minut. Nazwa stacji — długa i skomplikowana — pojawiała się na ekranie tylko przez sekundę i niecałkowicie. Wykonawszy kilka pospiesznych sprawdzeń w internecie, doszli do wniosku, że chyba chodzi o stację Barbès-Rochechouart.

Miejsce to znajdowało się w północnej części miasta.

Sebastian był coraz bardziej niespokojny. W jaki sposób trafiło do nich to wideo? Paryska sieć kontroli wideo założonej w korytarzach i na peronach metra musiała mieć tysiące kamer, tak jak Nowy Jork. Ale obrazy przez nie nagrane nie były dostępne dla publiczności. Kamery miały połączenie z centralą, która przekazywała obrazy wyłącznie policji, i to jeśli ta dysponowała nakazem sądowym.

— Może jeszcze raz wybierz ten numer! — zasugerowała Nikki.

Chodziło jej o cyfry, które pojawiły się na ekranie komórki tuż przedtem, zanim odezwał się grożący im głos, mówiąc: „Coś mi mówi, że chcieliby państwo dostać wiadomość od synka!". Wybierali je w samochodzie, zaraz po obejrzeniu wideo, ale nie zdołali się z nikim połączyć.

Tym razem było inaczej. Telefon zadzwonił trzy razy, kiedy ktoś odebrał i usłyszeli wesoły głos:

— *La Langue au chat, bonjour!*

Sebastian nie za dobrze znał francuski. Po dłuższych wyjaśnieniach interlokutora zrozumiał, że chodzi o kafejkę w czwartej dzielnicy Paryża.

Jego rozmówca, właściciel bistra, nie miał pojęcia o całej historii. Ktoś z pewnością zadzwonił z jego lokalu godzinę wcześniej. Mężczyzna coś tam wyjaśniał, a Sebastian się zdenerwował.

— Naigrywają się z nas! Bawią się w kotka i myszkę!

— Tak czy inaczej, wszystkie ślady prowadzą do Paryża — stwierdziła Nikki i spojrzała na zegarek. — Masz przy sobie paszport? — spytała.

Sebastian kiwnął głową twierdząco, ale zorientował się, do czego ona zmierza, i zaprotestował:

— Nie powiesz mi, że chcesz jechać już dziś do Paryża?

— To jedyne wyjście. Ty dużo myślisz, ale nic nie robisz!

— Zaczekaj, czy nie sądzisz, że to za szybko? Nie wiemy, kim są ci ludzie i czego chcą! Zachowując się tak, jak od nas oczekują, sami ładujemy się w paszczę lwa!

Ale Nikki była zdecydowana.

— Ty zrobisz, jak chcesz, Sebastianie, ale ja jadę.

Sebastian złapał się za głowę. Sprawa wymykała mu się z rąk. Wiedział, że nie przekona byłej żony. Niezależnie od tego, czy pojedzie z nią, czy nie, ona nie zrezygnuje z wyprawy. Czy mógł jej zaproponować jakiś inny krok?

— Kupię nam bilety! — skapitulował i połączył się ze stroną Delta Airlines.

Nikki podziękowała mu skinieniem głowy i poszła do swojego pokoju spakować walizkę.

## PROSZĘ PODAĆ NAZWĘ BANKU I NUMER KONTA

Było poza sezonem, więc Sebastian bez trudności znalazł dwa miejsca na lot o dwudziestej pierwszej pięćdziesiąt. Zapłacił przez internet, wydrukował dowody zakupu i karty pokładowe. Już wchodził na górę do Nikki, kiedy aż podskoczył na odgłos dzwonka przy drzwiach wejściowych.

Machinalnie zamknął komórkę i cicho podkradł się pod drzwi wejściowe. Spojrzał przez maleńki wizjer.

Santos.

Jeszcze jego tu brakowało!

Cichutko wziął bilety ze stołu i wszedł na piętro do Nikki, która wrzucała ubrania do wielkiej sportowej torby. Bezgłośnie powiedział: „San-tos", i z palcem na ustach dał znak, żeby poszła za nim do pokoju Jeremy'ego.

Gdy ciągnął ją do okna, ona zatrzymała się nagle i zawróciła, żeby wziąć z biurka czerwonego iPoda syna. Wsunęła sprzęt do torby.

Sebastian wzniósł oczy do nieba.

— No i co? Boję się latać samolotem! Jeśli nie będę miała czego słuchać, dostanę ataku paniki.

— Pospiesz się! — ponaglił.

Podeszła do Sebastiana i pomogła mu podnieść okno w górę.

Wyszedł pierwszy i podał jej rękę, pomagając stanąć na metalowej drabince.

Oboje zagłębili się w noc.

# 20

— Nikki, otwórz drzwi!

Santos uderzał palcami w metalowe drzwi loftu.

— Wiem, że tam jesteś!

Zdesperowany uderzył pięścią w stalową powierzchnię, ale drzwi ani drgnęły, natomiast poczuł dotkliwy ból.

Cholera!

Byli razem już pół roku, ale Nikki nigdy nie dała mu swoich kluczy.

Trzeba by tarana hydraulicznego, żeby ruszyć te drzwi.

Zszedł na dół i okrążył dom. Tak jak przypuszczał, na dwóch ostatnich piętrach paliło się jeszcze światło. Wszedł po zapasowych zewnętrznych schodkach, żeby zajrzeć przez okno, kiedy zauważył, że jedno z nich było otwarte. Wślizgnął się do pokoju Jeremy'ego.

— Nikki?! — zawołał.

Wyszedł na korytarz i zajrzał do wszystkich pokojów. Mieszkanie było puste i zdewastowane. Ten głupek Larabee nieźle go wyprowadził w pole, gdy mówił coś o kłótni małżeńskiej!

Zaczął się zastanawiać, co tu się mogło stać. Najwyraźniej chodziło o włamanie, ale dlaczego Nikki nic mu nie powiedziała?

Poczuł wibrowanie komórki, którą trzymał w kieszeni. Mazzantini się niecierpliwił. Santos czuł, że czas nagli i że jak najszybciej musi udać się na miejsce zbrodni w Bumerangu, ale postanowił nie odbierać.

Nie wiedząc, czego właściwie szuka, zaczął przeglądać dokładnie pokój chłopca. Prowadził go instynkt śledczego. Widać, że już ktoś tu wszędzie grzebał, i to dokładnie. Czy miało to coś wspólnego ze zniknięciem syna Nikki? Przejrzał kuferek z wyposażeniem do gry w pokera, który stał na łóżku. Szybko zorientował się, że ceramiczne żetony są fałszywe, i nie wiedząc, do czego dokładnie mogą służyć, poczuł, że trafił na istotny trop. Gdy wszedł do łazienki, bardziej zdziwiły go ślady butów i woda rozlana wokół toalety niż nieporządek. Nachylił się nad muszlą klozetową i zauważył na desce resztki białego proszku.

Kokaina...

Poczucie obowiązku kazało mu zebrać troszkę proszku na patyczek do uszu, który następnie wsunął do jednej z plastikowych saszetek, które zawsze nosił przy sobie.

Mimo że wydawało się to nieprawdopodobne, był przekonany, że analiza substancji potwierdzi jego podejrzenia.

Spieszył się, ale dał sobie jeszcze pięć minut na zbadanie terenu. Zszedł piętro niżej, sprawdził salon, otworzył kilka szuflad i popatrzył na półki. Miał już wyjść z mieszkania, gdy jego wzrok padł na laptop Nikki, stojący na blacie kuchennym. Podszedł i podniósł ekran. Komputer otworzył się na stronie Delta Airlines. Santos przerzucił aplikacje i odkrył wydruk PDF z dwoma biletami lotniczymi.

Zaklął i rzucił laptopem w ścianę.

□

Nikki z byłym mężem zamierzali jeszcze dziś wieczorem polecieć do Paryża...

# 21

Zapadła noc.

Jaguar zjechał z drogi szybkiego ruchu na terminal numer trzy lotniska JFK. Skręcił na parking długoterminowy i zjechał rampą obsługującą sześć poziomów parkingu pod ziemię.

— Koniecznie musisz się przebrać! — rzucił Sebastian do Nikki, parkując samochód tyłem.

Wyszli z domu w pośpiechu. Ani nie wzięli prysznica, ani się nie przebrali. Nikki miała na sobie ubrania podarte i poplamione krwią. Przejrzała się w tylnym lusterku. Na twarzy miała ślady uderzeń, wargę rozciętą, włosy pozlepiane.

— Jeśli w tym stanie pojawisz się na lotnisku, zaraz zatrzyma nas policja.

Nikki chwyciła torbę stojącą na tylnym siedzeniu. Szybko się przebrała, wyginając się, wsunęła na siebie spodnie od dresu i górę z kapturem, włożyła adidasy i związała włosy.

Windą pojechali na terminal odlotów, bez problemu przeszli przez bramki bezpieczeństwa i odprawę bagażową.

Kiedy wchodzili do samolotu, zadzwoniła komórka Sebastiana. To była Camille. Dzwoniła z pociągu, którym jechała do domu babci, na Long Island. Jak zwykle Long Island Railroad miała opóźnienie, ale Camille sprawiała wrażenie zadowolonej, przede wszystkim nie była już obrażona na ojca.

— Nie mogę się doczekać babcinych kasztanów z kominka! — W głosie Camille rozbrzmiewał entuzjazm.

Sebastian ucieszył się, że córka jest w tak dobrym nastroju, i uśmiechnął się do siebie. Na ułamek sekundy wróciły do niego szczęśliwe dni, gdy bliźniaki były małe i jechali z Nikki zbierać kasztany do lasów w Maine. Spacery na świeżym powietrzu, chrzęst nacinanej skorupki, ciepło emanujące od żaru kominka, metalowy dźwięk dziurkowanej patelni, smakowity zapach wypełniający pokój, ubrudzone palce, cudowny lęk przed sparzeniem się, gdy chwytało się upieczone kasztany...

— Macie jakieś wiadomości od Jeremy'ego?

Pytanie Camille sprowadziło go na ziemię.

— Znajdziemy go, kochanie, nie martw się.

— Jest z tobą mama?

— Tak, daję ci ją.

Sebastian wręczył telefon byłej żonie, a sam ruszył do przodu centralnym przejściem między fotelami airbusa. Kiedy dotarli na swoje miejsca, włożył bagaż na górną półkę i usiadł.

— Pamiętaj, daj nam znać, gdyby twój brat odezwał się do ciebie! — przypomniała Nikki córce.

— Ale gdzie wy właściwie jesteście? — spytała Camille.

— Ee... W samolocie... — wyjąkała speszona Nikki.

— Razem? Dokąd się wybieracie?

Nikki szybko zakończyła rozmowę.

— Muszę już kończyć, kochanie. Startujemy. Kocham cię!

— Ale mamo...

Nikki przerwała połączenie i oddała komórkę Sebastianowi, po czym opadła na fotel przy oknie.

Sebastian popatrzył, jak siadała i kurczowo chwytała się oparcia. Już gdy byli małżeństwem, Nikki bała się samolotu. Od tego czasu nic się nie poprawiło.

Spięta i sztywna Nikki obserwowała stewardesy, stewardów i innych podróżnych. Nieufnie spoglądała przez okienko na bagażowych i na setki świateł rozświetlających pasy startowe. Najmniejszy podejrzany dźwięk czy odbiegające od normy zachowanie pobudzało jej wyobraźnię do tworzenia tysiąca i jednego scenariuszy katastrof.

— Samolot to najbezpieczniejszy środek transportu w... — zaczął Sebastian, chcąc ją uspokoić.

— Oszczędź sobie! — warknęła, wciskając się głębiej w fotel.

Westchnęła i zamknęła oczy. Oprócz fizycznego zmęczenia dręczył ją stres i lęk wywołany przez świadomość, że synowi grozi niebezpieczeństwo, i przez natłok wydarzeń ostatnich godzin. Teraz powinna przebiec dwadzieścia kilometrów albo odbyć rundę bokserską, waląc w worek z piaskiem, a nie siedzieć w samolocie, skonfrontowana z jedną ze swoich najgorszych fobii. Oddech miała krótki, a w gardle sucho. Oczywiście nie zdążyła wziąć ze sobą żadnego leku uspokajającego. Włożyła słuchawki iPoda syna, żeby odizolować się od rzeczywistości. Popłynęła muzyka. Oddech Nikki zaczął się uspokajać.

Kiedy poczuła się lepiej, usłyszała głos stewardesy, która kazała wyłączyć jej iPoda.

Niechętnie posłuchała.

Ogromna, gigantyczna maszyna, Airbus 380, podjechała do pasa startowego i zatrzymała się na chwilę, zanim ruszyła.

— Startujemy! — zawiadomił kapitan.

Betonowy pas lotniska zawibrował pod ciężarem rozpędzającego się olbrzyma. Fotele zaczęły drgać.

Nikki była bliska ataku serca.

To, że pięciotonowy ciężar wznosił się w powietrze i latał, nigdy nie wydawało jej się naturalne. Nie miała klaustrofobii, ale fakt, że siedzi przypięta do fotela, że przez siedem czy osiem godzin będzie pozbawiona ruchu, był dla niej nieznośny. Ten stan niepokoju łatwo mógł przerodzić się w panikę.

A przede wszystkim, gdy tylko wchodziła na pokład samolotu, wydawało jej się, że traci wolność i kontrolę nad sytuacją. Życie nauczyło ją liczyć tylko na siebie, nie mogła znieść, że oddaje się w ręce niewidocznego, nieznajomego pilota.

Dotarłszy do końca pasa, stalowy potwór oderwał z trudnością swój ciężki korpus od ziemi. Zgnębiona psychicznie

Nikki trzęsła się w fotelu, dopóki samolot nie wzniósł się na wysokość prawie pięciu kilometrów. Gdy tylko pojawił się napis zezwalający na włączenie komputerów i telefonów, Nikki nacisnęła klawisz w iPodzie syna i zwinęła się pod kocem. Dziesięć minut później, zupełnie nieoczekiwanie, spała jak suseł.

□

Kiedy Sebastian upewnił się, że Nikki zasnęła, nachylił się nad nią, okrył ją dokładniej kocem, zgasił światło nad jej fotelem i przykręcił nieco zawór klimatyzacji, żeby się nie przeziębiła.

Wbrew sobie patrzył na nią przez kilka minut. Wydawała się taka krucha, a przecież po południu energicznie walczyła o życie ich obojga. Steward zaproponował mu coś do picia. Sebastian łyknął jednym haustem porcję wódki z lodem i zamówił drugą. Oczy paliły go ze zmęczenia, tępy ból wciąż dokuczał mu w szyi, trzymając potylicę jakby w imadle. Sebastian pomasował szyję, w nadziei, że go uśmierzy. W kakofonii i chaosie, które opanowały jego mózg, spróbował rozeznać się w sytuacji.

Jakie niebezpieczeństwo ich czeka? Kto był ich wrogiem? Dlaczego ktoś miał taką pretensję do Jeremy'ego? Dlaczego popełnili to szaleństwo, że nie zawiadomili o wszystkim policji? Czy ta historia mogła zakończyć się inaczej niż w więzieniu?

Dwanaście ostatnich godzin to był najgorszy czas, jaki przeżył do tej pory. I najbardziej nieoczekiwany. On, który zawsze wszystko dokładnie planował w najmniejszych szczegółach, który walczył, aby wyeliminować przypadek ze swojego życia, i miał obsesję, żeby nie wypaść z torów bezpiecznej codzienności, nagle znalazł się na skraju przepaści.

Tego popołudnia niespodzianie natknął się na zwłoki z wnętrznościami na wierzchu, a także musiał walczyć o życie z olbrzymem dwa razy wyższym od siebie, któremu poderżnął gardło... A wieczorem jakby nigdy nic leciał do Europy w towarzystwie kobiety, którą przysiągł wykreślić raz na zawsze ze swojego życia.

Zdjął buty i zamknął oczy, ale był zbyt ożywiony, by zasnąć. Wciąż myślał o krwawej jatce w barze Bumerang oraz o wideo, na którym zarejestrowano napaść na Jeremy'ego. Jednak stopniowo, pod wpływem zmęczenia i regularnego pomruku silników, zapadł w senną niemoc. Przestał się pilnować i myśli krążące wokół ostatnich wydarzeń podprowadziły go w końcu do wspomnień o dniu, w którym zobaczył Nikki po raz pierwszy.

Było to spotkanie-kolizja, które o mały włos wcale by się nie wydarzyło.

Miało ono miejsce siedemnaście lat wcześniej.

Dwudziestego czwartego grudnia.

W Nowym Jorku.

Kilka godzin przed Bożym Narodzeniem...

## *Sebastian*
## *Siedemnaście lat wcześniej...*

Czemu nie zabrałem się do tego wcześniej? — zastanawiał się rozżalony Sebastian.

Wielki sklep Macy's zajmuje cały kwartał między Broadwayem a Siódmą Aleją. Tamtego dwudziestego czwartego grudnia „największy magazyn świata" jest strasznie zatłoczony. Przez całe popołudnie pada śnieg, ale to nie odwodzi nowojorczyków ani turystów od ostatnich świątecznych zakupów. W holu przed ogromną choinką chór śpiewa kolędy, a klienci i gapie tłoczą się na ruchomych schodach, zanim rozproszą się po dziesięciu piętrach tej czcigodnej galerii handlowej. Ubrania, kosmetyki, zegarki, biżuteria, książki, zabawki — w świątyni konsumpcji każdy znajdzie coś dla siebie.

Co ja tu w ogóle robię?! — denerwował się Sebastian.

Jakieś rozbawione dziecko potrąca mnie, stara kobieta nadeptuje mi na nogę, w tym tłumie tracę rozeznanie. Nie powinienem był wybierać się na to wrogie terytorium. Chciałbym stąd uciec, ale jak mam się pojawić na rodzinnej wigilii bez prezentu dla mamy? Waham się, nie wiem, co wybrać. Może jedwabną apaszkę? Ale czy przypadkiem nie kupiłem jej takiej apaszki rok temu? Może torba? Ale są tak strasznie drogie! Perfumy? Ale jakie?

Z ojcem mam mniej problemów. Mamy taką milczącą umowę: w lata parzyste kupuję mu pudełko cygar, a w lata nieparzyste koniak.

Wzdycham i rozglądam się wokół. Czuję się zagubiony w tłumie ludzi, z których każdy najwyraźniej wie, czego chce. Zduszam przekleństwo: jakaś niezręczna sprzedawczyni oblewa mnie damskimi perfumami! Tym razem miarka się przebrała. Łapię pierwszy lepszy flakon perfum i przepycham się do kasy.

W kolejce przecieram twarz, przeklinając sprzedawczynię, przez którą pachnę niczym dziwka.

— Pięćdziesiąt trzy dolary, proszę pana.

Kiedy wyjmuję portfel, żeby zapłacić, kilka metrów od siebie zauważam jakąś długonogą piękność. Dziewczyna porusza się pewnym krokiem i za chwilę wyjdzie z działu kosmetycznego. W nonszalancko zarzuconej wełnianej pelerynie jest taka kobieca i seksowna. Na głowie ma szary beret, spod peleryny widać obcisłą minispódniczkę i wysokie ponad kolana botki na szpilkach, w ręku trzyma modną torbę.

— Proszę pana?

Podczas gdy szukam okularów w kieszeni marynarki, głos kasjerki przywołuje mnie do rzeczywistości. Wyciągam kartę kredytową, nie spuszczając oczu z pięknej nieznajomej, i widzę, że... zatrzymuje ją strażnik! Ubrany na czarno mężczyzna z krótkofalówką prosi ją stanowczym głosem o otwarcie torby. Dziewczyna się nie zgadza, gestykuluje, ale saszetka z kosmetykami, ukryta pod peleryną, wypada nagle na podłogę, zdradzając kradzież.

Strażnik chwyta dziewczynę stanowczym gestem za ramię i wzywa przez radiotelefon posiłki.

Odbieram swój zakup i podchodzę do dziewczyny. Widzę jej piegi, zielone oczy, parę długich skórzanych rękawiczek. Zwykle nie zwracam uwagi na kobiety. Na Manhattanie pełno jest ślicznych dziewcząt, a poza tym nie wierzę w miłość od pierwszego wejrzenia. Ale ta sytuacja wydaje się inna. To jeden z tych wyjątkowych momentów, które zdarzają się tylko raz. Mam dziwne wrażenie, że czekałem na to spotkanie. Chwila bardzo rzadka.

Mam trzy sekundy, żeby podjąć decyzję. Teraz lub nigdy. Otwieram usta, nie wiedząc, co powiem. Słowa same wypływają mi z ust, jakby zdalnie kierowane:

— No, Madison! Wydaje ci się, że jesteś na tej twojej prowincji? — pytam, dając jej kuksańca w bok.

Ona patrzy na mnie jak na Marsjanina.

Odwracam się do strażnika.

— To moja kuzynka, Madison. Mieszka w Kentucky.

Patrzę na kosmetyczkę.

— To wszystko, co znalazłaś na prezent dla ciotki Beth? Nie przemęczasz się, moja droga!

Teraz patrzę porozumiewawczo na strażnika.

— Ona nie zna niczego poza Walmartem. Myśli, że kasy zawsze są na parterze.

Strażnik oczywiście nie wierzy w żadne moje słowo, ale w sklepie panuje świąteczna atmosfera i facet z pewnością chce uniknąć awantury. Proponuję, że zapłacę za kosmetyczkę i zamkniemy sprawę. Potem rzucam w kierunku dziewczyny:

— Zwrócisz mi przy okazji, Madison!

— W porządku, w porządku... — mruczy strażnik pod nosem zmęczonym tonem.

Uśmiechem dziękuję mu za wyrozumiałość i idę za nim do kasy. Szybko płacę, ale gdy się odwracam, widzę, że piękna nieznajoma znikła.

□

Wbiegam na schody wjeżdżające do góry, skaczę po dwa schody naraz, mijam dział zabawek, rozpychając jakieś dzieciaki, po czym wypadam na Trzydziestą Czwartą Ulicę. Z nieba spadają grube płatki śniegu.

Którędy ona mogła pójść? Skręciła w lewo czy w prawo?

Na chybił trafił idę w lewo. Nie mam czasu nawet wyjąć okularów, jestem ślepy jak kret, na pewno jej nie znajdę.

Asfalt zaczyna pokrywać się warstwą szronu i jest bardzo ślisko. Trudno mi biec w ciężkim płaszczu i z pakunkami. Mimo dużego ruchu wybiegam na jezdnię, żeby uniknąć tłumu, ale szybko pożałuję tej decyzji, bo samochody jadą jeden za drugim. Staram się z powrotem wskoczyć na chodnik, ale tracę równowagę i padam jak długi na ziemię, zderzając się gwałtownie z jakąś kobietą.

— Bardzo mi przykro! — mówię, podnosząc się.

Szukam gorączkowo okularów w kieszeni płaszcza. Wkładam je i...

To ona!

— Znów pan! — słyszę jej zrzędliwy głos. — Co pan wyrabia, niech pan patrzy przed siebie!

— No, mogłaby pani mi przynajmniej podziękować! Gdyby nie ja...

— O nic pana nie prosiłam! A poza tym, czy ja wyglądam na dziewczynę z Kentucky?

Ale bezczelna! Ręce mi opadły. Kobieta drży. Widzę, że pociera sobie ramiona zgrabiałymi dłońmi.

— No, już dobrze! Jest bardzo zimno. Do zobaczenia! — mówi i odchodzi.

— Proszę zaczekać! Możemy wstąpić gdzieś na drinka?

— Spieszę się do metra! — wykrzywia się kobieta, wskazując głową wejście na Herald Square po drugiej stronie ulicy.

— Niech się pani zgodzi! Kieliszek jakiegoś dobrego wina w Bryant Park Cafe. To tuż obok i rozgrzeje się pani.

Kobieta się waha. W końcu mówi:

— No dobrze... Zgoda. Ale niech się pan na nic nie nastawia, zupełnie nie jest pan w moim typie.

□

Bryant Park Cafe znajduje się za budynkiem Nowojorskiej Biblioteki Publicznej. W lecie park ten jest maleńką oazą zieleni pośród drapaczy chmur Midtown. Tłum studentów i osób pracujących w tej dzielnicy przychodzi tu posłuchać koncertu czy wykładu, pograć w szachy albo zjeść w spokoju hot doga. Ale tego zimowego wieczoru pejzaż przypomina stację narciarską. Przez oszkloną ścianę widać przechodniów opatulonych w grube kurtki, jak z trudem przedzierają się przez śnieg niby Eskimosi na krach.

— Zanim mnie pan o to zapyta, nazywam się Nikki.

— Bardzo mi miło! Ja jestem Sebastian Larabee.

Kawiarnia pęka w szwach. Zupełnie przypadkowo dostajemy jednak stolik z widokiem na ślizgawkę.

— Trochę zbyt wytrawne to wino, nie wydaje się panu? — pyta dziewczyna, odstawiając kieliszek.

— Zbyt wytrawne? To Gruaud-Larose rocznik tysiąc dziewięćset osiemdziesiąt dwa!

— Dobrze, dobrze, proszę się nie obrażać!

— Wie pani, ile ono kosztuje? I jaką ma notę w przewodniku po winach Parkera?

— Nie wiem i nic mnie to nie obchodzi. Ma mi smakować tylko dlatego, że jest drogie?

Potrząsam głową i zmieniam temat.

— Co pani robi w Wigilię?

Dziewczyna odpowiada obojętnie.

— Spędzam Wigilię z przyjaciółmi, mieszkamy w starym domu koło doków. Wypijemy parę drinków, wypalimy parę skrętów, zabawimy się. Jeśli ma pan ochotę...

— Upić się ze squattersami? Dziękuję, nie.

— Trudno. Tutaj nie można palić, co?

— Nie wydaje mi się.

— Szkoda.

— Co pani robi? Jest pani studentką?

— Chodzę do szkoły teatralnej i pracuję jako modelka. A pan?

— Jestem lutnikiem.

— Naprawdę?

— Wytwarzam i konserwuję skrzypce.

— Dziękuję bardzo, wiem, kto to jest lutnik! Za kogo pan mnie bierze? Za jakąś prostaczkę z Kentucky?

Pociąga łyk saint-julien.

— W sumie niezłe to wino. Dla kogo kupił pan perfumy, dla dziewczyny?

— Dla matki.

— Biedna! Następnym razem proszę mnie poprosić o radę, uniknie pan w ten sposób wpadki.

— Akurat, mam prosić o radę złodziejkę!

— Od razu takie wielkie słowa!

— A tak poważnie, często pani to robi?

— Wie pan, ile kosztuje szminka? Niech mi pan wierzy, nie te osoby, które trzeba, nazywamy złodziejami — rzuca bezczelnie.

— Naraża się pani na wielkie kłopoty.

— Ale to właśnie dlatego jest atrakcyjne! — odpowiada i otwiera torbę. Robię wielkie oczy. W torbie jest pełno różnych kosmetyków z sumiennie usuniętymi etykietkami z kodem.

Potrząsam głową.

— Nie rozumiem... Czy pani nie pracuje?

— To nie ma nic wspólnego z pieniędzmi. To niekontrolowany impuls, nagle nachodzi mnie nieprzezwyciężona ochota podwędzenia czegoś.

— Pani jest chora.

— Co najwyżej jestem kleptomanką. — Potem wzrusza ramionami i dodaje: — Pan też powinien spróbować! Ryzyko, adrenalina... To wielka frajda!

— Gdzieś przeczytałem — mówię — że psychologowie uważają kleptomanię za sposób na powetowanie mało satysfakcjonującego życia seksualnego.

To ją rozbawiło.

— Tania psychologia, przyjacielu. Nie tędy droga! — rzuca.

W jej torbie, pośród flakoników i pudełeczek z kosmetykami, widzę stare kieszonkowe wydanie ze zniszczonymi rogami *Miłości w czasach zarazy* Gabriela Garcii Márqueza.

— To moja ulubiona książka! — wyznaję szczerze.

— Ja też ją uwielbiam!

Przez kilka minut przebywamy wreszcie na wspólnym terenie, ja z tą dziwną dziewczyną. Ale ona nie pozwala, żeby ten stan łaski trwał długo.

— A pan jakie ma plany na dziś wieczór?

— Wigilia to wieczór rodzinny. Za godzinę mam pociąg do rodziców, jadę do ich domu w Hamptons!

— Uau, to brzmi atrakcyjnie! — mówi dziewczyna, wydymając wargi. — Położy pan skarpety pod choinką i przygotuje filiżankę ciepłego mleka dla Świętego Mikołaja?

Patrzy na mnie buntowniczym wzrokiem i uśmiecha się figlarnie, zanim rzuci następną zaczepkę:

— Nie chciałby pan rozpiąć koszuli pod szyją? Denerwują mnie ludzie zapięci na ostatni guzik.

Wzdycham i podnoszę wzrok do nieba.

— I to pańskie uczesanie! Takie jakieś przylizane, zbyt sztywne. Nuda!

Mówiąc to, wyciąga rękę i wichrzy mi włosy.

Odsuwam się, ale ona jeszcze nie skończyła.

— A ta pańska kamizelka! Czy nikt panu nie powiedział, że minął już rok tysiąc dziewięćset trzydziesty? Brakuje panu tylko zegarka z dewizką!

Tego już dla mnie za wiele!

— Jeśli się pani tak bardzo nie podobam, po co pani tu ze mną siedzi?

Dziewczyna kończy wino i wstaje.

— Ma pan rację. Uprzedzałam, że to nie jest dobry pomysł.

— No właśnie, niech pani włoży tę swoją pelerynę Batmana i zmyka! Nie znoszę ludzi takich jak pani.

— Och, jeszcze pan nie widział wszystkiego... — rzuca tajemniczo. Zapina pelerynę i wychodzi z kafejki.

Przez oszkloną ścianę widzę, jak zapala papierosa, zaciąga się nim i puszcza do mnie oko, po czym znika.

□

Jeszcze chwilę siedzę przy stole, kończąc kieliszek bordeaux i myśląc o tym, co się właśnie stało. Odpinam koszulę pod szyją, wichrzę włosy, odpinam kamizelkę, w której nagle się duszę. To prawda, teraz oddycha mi się lepiej.

Proszę o rachunek, szukam portfela w kieszeni marynarki. Potem w kieszeni płaszcza.

Dziwne...

Zdenerwowany, wywracam wszystkie kieszenie i w końcu sobie to uświadamiam. Ta okropna dziewczyna ukradła mi portfel!

□

**Upper East Side**
**Trzecia rano**

Ostry dźwięk wyrywa mnie ze snu. Otwieram oczy i patrzę na zegarek. Ktoś wyżywa się na moim dzwonku do drzwi. Chwytam z nocnego stolika okulary i wychodzę z sypialni. Dom jest pusty i zimny. Z powodu kradzieży portfela, którą postanowiłem zgłosić na policji, uciekł mi pociąg na Long Island i musiałem spędzić wieczór samotnie na Manhattanie.

Kto może się tutaj dobijać w środku nocy? Otwieram drzwi. To złodziejka mojego portfela stoi pod daszkiem chroniącym wejściowe drzwi, z butelką alkoholu w ręku.

— Ale jestem seksowny w tej ślicznej piżamce! — nagrawa się ze mnie.

Jej oddech śmierdzi wódką.

— Co pani tu robi? Ma pani niezły tupet, żeby przyłazić tutaj po tym, jak gwizdnęła mi pani portfel!

Dziewczyna odsuwa mnie ręką i pewnie wchodzi do

mieszkania, lekko się zataczając. Do jej włosów przylgnęły drobne płatki śniegu. Gdzież ona chodziła po tym mrozie?

Przechodząc przez salon, wręcza mi portfel, następnie opada ciężko na kanapę.

— Chciałam kupić to pańskie wino, château jakieś tam, ale znalazłam tylko to. — Wyciąga do mnie napoczętą butelkę wódki.

Znikam na piętrze i po chwili wracam z ręcznikiem i kocem. Kiedy kucam, żeby rozpalić ogień w kominku, ona wyciera sobie włosy, zawija się w pled i podchodzi do mnie. Staje obok, wyciąga dłoń ku mojej twarzy i dotyka palcami mojego policzka. Powoli wstaję. W jej oczach widzę dziwny, fascynujący płomień. Obejmuje mnie.

— Niech pani przestanie, jest pani pijana!

— Właśnie, niech pan korzysta! — odpowiada prowokująco.

Staje na palcach i zbliża swoje usta do moich ust. W pokoju panuje półmrok.

W kominku ogień wreszcie rozpala się żywym płomieniem, rozchodzi się z niego światło delikatne i drżące. Czuję zapach jej skóry. Zdjęła swoją pelerynę i widzę, jak jej piersi unoszą się pod bluzką. Mimo podniecającego nastroju nie czuję się swobodnie i po raz ostatni próbuję oponować:

— Pani nie wie, co robi!

— Męczysz mnie tymi swoimi skrupułami! — rzuca w odpowiedzi, namiętnie wpijając się ustami w moje usta i przewracając mnie na kanapę.

Cienie naszych postaci, odbijające się jak chińskie cienie na suficie, stapiają się w jeden.

▫

Kiedy rano otwieram oczy, boli mnie głowa, mam ciężkie powieki i metaliczny smak w ustach. Nikki znikła, nie zostawiając adresu. Wstaję i wlokę się do przeszklonej ściany. Śnieg wciąż pada, Nowy Jork zmienia się w miasto widmo. Otwieram okno. Jest lodowato. Przeciąg rozwiewa popiół w kominku. Czuję straszliwą tęsknotę, czegoś mi potwornie brak. Sztywno podnoszę butelkę wódki.

Jest pusta.

Gdy dochodzę do siebie, spostrzegam na moim lustrze w stylu Ludwika Filipa w salonie napis zrobiony szminką do ust. To lustro to antyk, złocony ręcznie płatkami złota, za który moja matka zapłaciła fortunę na jakiejś aukcji dzieł sztuki. Szukam okularów, ale nie mogę ich znaleźć. Podchodzę bliżej i czytam:

*Jedyne ważne momenty w życiu to te, które człowiek pamięta**.

---

* Według Jeana Renoira.

# Część druga

# Sami przeciw wszystkim

*Kobiety zakochują się dopiero wtedy, kiedy poznają mężczyznę. Z mężczyznami jest dokładnie na odwrót: kiedy wreszcie poznają kobietę, gotowi są ją opuścić.*

James Salter, *American Express*

# 22

## CRIME SCENE — DO NOT CROSS

Długa żółta taśma, zamykająca obszar pozostający pod kontrolą policji, łopotała na wietrze w świetle reflektorów świecących z dachów radiowozów. Z policyjną odznaką w dłoni Santos przebił się przez gapiów i policjantów, żeby dotrzeć do swojego podwładnego.

— Zobaczy pan porucznik, to prawdziwa rzeźnia! — uprzedził go Mazzantini, unosząc plastikową zasłonę, odgradzającą miejsce zbrodni.

Zaraz po wejściu do środka Santos doznał szoku.

Z wywróconymi oczami, wargami zastygłymi w grymasie strachu i z wnętrznościami na wierzchu Drake Decker spoczywał na stole bilardowym. O niecały metr od niego leżały na parkiecie zwłoki jakiegoś masywnego mężczyzny o ciemnej wytatuowanej skórze, któremu poderżnięto gardło długim kawałkiem zbitego szkła.

— A to co za facet? — spytał Santos, klękając nad ciałem.

— Nie mam pojęcia! — rzucił Mazzantini. — Przeszukałem go, ale nie znalazłem ani portfela, ani żadnych dokumentów. Tylko w spodniach nad kostką natrafiłem na ten nóż.

Santos spojrzał na plastikową torebkę, którą podsunął mu podwładny. Spoczywał w niej niewielki nóż z hebanową rękojeścią i ostrym ostrzem.

— Nie zdążył go użyć... — powiedział Mazzantini. — Ale odkryliśmy jeszcze coś.

Santos przyjrzał się nowemu dowodowi: był to nóż bojowy armii amerykańskiej, KA-BAR, z szeroką rękojeścią ozdobioną kółkami ze skóry. Nóż miał stalowe ostrze ponadpiętnastocentymetrowej długości, które zapewne zabiło Drake'a Deckera.

Santos zmarszczył brwi. Biorąc pod uwagę położenie ciał, w pomieszczeniu musiała być jeszcze co najmniej trzecia osoba.

— Mówiłeś, że ktoś zadzwonił pod dziewięćset jedenaście?

— Tak. Czekam właśnie na nagranie rozmowy. To był telefon z komórki. Staramy się ją zlokalizować. Powinniśmy uporać się z tym dość szybko.

— Okay — powiedział Santos i podniósł się z klęczek. — Poproś Cruza, żeby mi zrobił jak najwyraźniejsze zdjęcia tatuażu, który ten facet ma na twarzy. Powiedz mu też, żeby sfotografował ten nóż. Gdy tylko otrzymasz zdjęcia, zrzuć mi je na kompa. Pokażę je Reynoldsowi z trzeciego dystryktu. Mają tam anatomopatologa, który może nam pomóc.

— Tak jest, panie poruczniku, zaraz się tym zajmę.

Wychodząc z baru, Santos spojrzał jeszcze raz na pomieszczenie, w którym roiło się od pracujących w milczeniu techników wydziału kryminalistycznego. W białych kombinezonach i lateksowych rękawiczkach, uzbrojeni w latarki fluorescencyjne, w pędzelki i specjalny proszek, zbierali wszystkie możliwe dowody i umieszczali próbki w zapieczętowanych kopertach.

— Wszędzie jest pełno śladów palców, szefie... — rzucił w jego kierunku Cruz, odpowiedzialny za grupę techniczną.

— Nawet na tym kawałku szkła?

— Tak, i na wyłączniku również. Są świeże i wyraźne. Praca amatora. Jeśli ten facet figuruje w naszej kartotece, za kilka godzin będziemy mieli jego nazwisko.

# 23

Samolot Delta Airlines wylądował na lotnisku Charles'a de Gaulle'a o jedenastej przed południem. Świeciło ostre słońce. Sebastian i Nikki, oboje wyczerpani, przespali prawie całą podróż. Kilka godzin snu pozwoliło im zebrać myśli i spojrzeć na wszystko świeżym okiem.

Wyszli z samolotu przez rękaw i stanęli w kolejce do kontroli paszportowej i celnej.

— Od czego zaczynamy? — spytała Nikki, włączając komórkę.

— Może pojedźmy na stację Barbès. Wypytamy ludzi, spróbujemy odkryć, z której kamery pochodził ten film. To nasz jedyny trop.

Nikki w milczeniu przytaknęła mu, pokazując swój paszport wojskowemu kontrolującemu dokumenty.

Potem minęli ruchomy pas z bagażami i wyszli na teren terminalu. Za ogrodzeniem cisnął się tłum witających, zniecierpliwione rodziny spragnione widoku krewnych, zakochani czekający na swoich partnerów, kierowcy taksówek wystawiający na widok tabliczki z nazwiskiem klienta. Sebastian zmierzał prosto do postoju taksówek, gdy Nikki pociągnęła go za rękaw.

— Popatrz!

Pośród tłumu stał szofer w doskonale skrojonym garniturze z kamizelką, który z poważną miną wyciągał przed siebie tabliczkę z ich nazwiskiem.

Państwo LARABEE

Popatrzyli na siebie zaskoczeni. Nikt nie wiedział o ich przyjeździe do Paryża... Z wyjątkiem tych, którzy porwali Jeremy'ego.

Kiwnęli do siebie głowami na znak zgody i poszli w kierunku szofera. Może to będzie jakiś trop, który doprowadzi ich do syna?

Szofer odezwał się do nich miłym tonem. Miał wyraźny oksfordzki akcent.

— Drodzy państwo, witam w Paryżu. Nazywam się Spencer. Proszę za mną.

— Zaraz, zaraz, co to za historia? Gdzie pan nas prowadzi? — spytał Sebastian zaniepokojony.

Spoglądając na nich ze spokojem, ale też z pewną wyższością, Spencer wyciągnął z wewnętrznej kieszeni marynarki złożony arkusz papieru. Rozwinął go i włożył okulary w szylkretowej oprawie.

— Mam polecenie zająć się państwem Sebastianem i Nikki Larabee. Samolot linii Delta, przylatujący o jedenastej z Nowego Jorku. Czy to państwo?

Przytaknęli zdumieni.

— Kto pana wynajął? — spytała Nikki.

— Tego, proszę pani, nie wiem. Trzeba by zapytać w sekretariacie LuxuryCab. Wszystko, co mogę państwu powiedzieć, to że rezerwacja została potwierdzona dziś rano.

— A gdzie ma pan nas zawieźć?

— Na Montmartre, proszę pana. Do Grand Hôtel de la Butte, które to miejsce jest doskonałym wyborem, jeśli państwo mi pozwolą powiedzieć, w przypadku romantycznej wycieczki.

Sebastian popatrzył na niego wściekły.

Nie przyjechałem tutaj, żeby romansować. Chcę odnaleźć syna! — pomyślał zdenerwowany.

Nikki uspokoiła go gestem ręki. Szofer był prawdopodobnie pionkiem w grze, o której z pewnością w ogóle nie miał pojęcia. Lepiej zaryzykować i pozwolić mu się zawieźć tam, gdzie proponował. Przynajmniej zobaczą, co będzie dalej.

Tak więc zrezygnowani i nieufni, poszli za nim do wynajętego samochodu.

□

Mercedes ruszył autostradą północną. Spencer nastawił radio na stację z muzyką klasyczną i zaczął kiwać głową w rytm *Czterech pór roku* Vivaldiego. Nikki i Sebastian, siedząc na tylnym siedzeniu, patrzyli na tablice z nazwami mijanych miejscowości: Tremblay-en-France, Garges-lès--Gonesse, Le Blanc-Mesnil, Le Stade de France...

Jechali do Paryża po raz pierwszy od siedemnastu lat. Wspomnienia tamtego pobytu tłoczyły im się w głowie, ale niepokój o syna nie pozwalał się w nich zagłębić.

Samochód przejechał pod boulevard périphérique i skręcił w prawo w boulevards des Maréchaux. Wkrótce dojechali na stary Montmartre. Rue Caulaincourt, avenue Junot, drzewa przybrały jesienne barwy, chodniki były pokryte liśćmi w ognistych kolorach.

Spencer skręcił w ślepą uliczkę między dwoma rzędami stojących w cieniu domów. Samochód wjechał przez bramę z kutego żelaza do zarośniętego, wspaniałego ogrodu, prawdziwej wiejskiej wysepki w sercu stolicy. Samochód zatrzymał się pod wielką białą willą, o liniach prostych i eleganckich.

— Drodzy państwo, życzę państwu miłego pobytu — powiedział szofer, wyjąwszy bagaże i postawiwszy je na schodach przed drzwiami.

Nikki i Sebastian ostrożnie weszli do holu obszernego budynku. Z głębi dobiegł do nich swing retro jazzowego tria. Panowała tu przyjemna atmosfera, czuli się tak, jakby weszli do luksusowego, starannie urządzonego rodzinnego pensjonatu. Czyste geometryczne formy mebli przypominały lata dwudzieste i trzydzieste: klubowy fotel, kredens z drewna sykomory, lampa Le Corbusiera, konsola z drewna powleczonego laką wyłożona markieterią z kości słoniowej i macicy perłowej.

W recepcji nikogo nie było. Na lewo od wejścia znajdowało się pomieszczenie wyglądające na prywatny salon, który przechodził w bibliotekę. Panował w nim nastrój zapraszający do oddania się lekturze. Na prawo znajdował się długi mahoniowy kontuar, wyglądający na bar.

Usłyszeli odgłos wysokich obcasów uderzających w posadzkę. Razem odwrócili się i ujrzeli elegancką sylwetkę pani domu, stojącą w drzwiach do jadalni.

— Państwo Larabee, jak sądzę? Czekaliśmy na państwa. Witajcie w Grand Hôtel de la Butte! — odezwała się kobieta nienagannym angielskim. Miała włosy obcięte *à la garçonne*, chłopięcą sylwetkę, prostą sukienkę do kolan. Wyglądała jak bohaterka powieści Francisa Scotta Fitzgeralda.

Weszła za kontuar recepcji i poprosiła ich o dokumenty.

— Zaraz, zaraz... — powiedział Sebastian. — Bardzo przepraszam, ale czy my się znamy?

— Proszę pana, mamy tylko pięć pokoi, a hotel jest pełen. Są państwo ostatnimi gośćmi.

— Czy może wie pani, kto zarezerwował nam tu pokój?

Kobieta podniosła do ust bursztynową lufkę, którą trzymała między palcami środkowym i wskazującym. Zaciągnęła się papierosem i oznajmiła pewnym siebie tonem:

— Przecież sam pan to zrobił, panie Larabee!

— Sam?

Kobieta spojrzała na ekran komputera.

— Mamy tę rezerwację od tygodnia na naszej stronie internetowej.

— Czy rachunek jest zapłacony?

— Jak najbardziej, tego samego dnia, w którym została dokonana rezerwacja, kartą kredytową Mastercard na nazwisko Sebastiana Larabee.

Sebastian niedowierzająco przechylił się nad kontuarem, żeby popatrzeć na ekran komputera. Dane transakcji pokazywały część numerów jego karty płatniczej. Nie było żadnych wątpliwości, że ktoś się pod niego podszył.

Poczuł rosnący gniew. Popatrzył na Nikki. Co to za perwersyjna gra i kto się w nią bawi?

— Czy wszystko w porządku?

— Absolutnie — odpowiedział Sebastian.

— Zapraszam państwa do pokoju numer pięć, na ostatnim piętrze.

▫

W małej hotelowej windzie Nikki nacisnęła guzik ostatniego piętra.

— Jeśli rezerwacja została zrobiona tydzień temu, to znaczy, że porwanie Jeremy'ego zostało zaplanowane jeszcze wcześniej.

— No tak... — zgodził się Sebastian. — Ale dlaczego ktoś zaryzykował kradzież numeru mojej karty kredytowej, żeby zrobić tę rezerwację?

— Może będą chcieli okupu... — rzuciła Nikki na chybił trafił. — Jeśli mogą zajrzeć w twoje rachunki, wiedzą dokładnie, ile masz pieniędzy i ile mogą zażądać.

Dojechawszy na ostatnie piętro, pchnęli drzwi windy.

Znaleźli się w ogromnym apartamencie o wysokim suficie, urządzonym na mansardzie.

— No, mogli wybrać coś gorszego! — rzuciła Nikki, żeby rozładować napięcie.

Ogromne łoże, w łazience wanna na nóżkach, ściany w tonacjach pastelowych. Pokój był urządzony ze smakiem, w stylu angielskiej prowincji, a wystrój przypominał pracownię artysty malarza: parkiet był z naturalnego drewna, w pomieszczeniu znajdowała się antresola, wisiało ogromne owalne lustro, z małego tarasu roztaczał się widok na ogród.

Największe wrażenie robiło jednak światło: promienie słońca, przebijając się przez gałęzie bluszczu i drzew, rozgrzewały pokój. Trudno było im uwierzyć, że znajdują się w hotelu. Wyglądało to raczej tak, jakby jacyś wyrafinowani przyjaciele pożyczyli im swoje tajemne gniazdko na wakacje.

Wyszli na zawieszony nad ogrodem taras, z którego roztaczał się wspaniały widok na Paryż. Do ich uszu docierał śpiew ptaków i szelest wiatru w gałęziach drzew.

Ale żadne z nich nie poddawało się urokowi miasta, rozciągającego się u ich stóp. Zaskakująco łagodny jesienny dzień nie poskramiał ich lęku.

— Co teraz? — spytał Sebastian.

— Nie mam pojęcia. Jeśli nas tutaj ściągnęli, to chyba się z nami skontaktują!

Sprawdzili swoje komórki, zadzwonili do recepcji, a potem przeszukali pokój. Bez rezultatu.

Minęło pół godziny. Oczekiwanie stało się nieznośne.

— Jadę na Barbès! — rzucił Sebastian, chwytając marynarkę.

— Jadę z tobą! Nie ma mowy, żebym siedziała w tym pokoju i czekała!

— Zostań! Sama powiedziałaś, że będą starali się z nami tutaj skontaktować.

— Przecież umówiliśmy się, że nie będziemy się rozstawać! — jęknęła Nikki.

Ale Sebastian już znikł za drzwiami.

# 24

**Nowy Jork**
**Komisariat 87 dystryktu**

Santos wyjął plastikowy kubeczek z maszyny do kawy. Nad Brooklynem słońce jeszcze nie wstało, ale porucznik pił już trzecią kawę. Minęła kolejna nieprzespana noc: napady, kłótnie małżeńskie, kradzieże w sklepach, przesłuchania prostytutki... Od dziesięciu lat mass media przedstawiały Nowy Jork jako miejsce bardzo spokojne i bezpieczne, co z pewnością było prawdą na Manhattanie, ale mniej niż półprawdą na przedmieściach.

Ponieważ było za mało miejsc w celach, więc korytarz, na którym stał dystrybutor z napojami, wyglądał jak centrum schroniska dla uchodźców. Siedzieli tu podejrzani na metalowych ławkach, przypięci do nich kajdankami, świadkowie ściśnięci jak śledzie na połamanych krzesłach, pokrzywdzeni, którzy przyszli złożyć skargi, owinięci kocami. Korytarz oświetlały blade drżące neonówki. Wokół unosił się nieprzyjemny zapach i zewsząd dobiegały krzyki. Wszyscy tutaj byli spięci i zdenerwowani.

Santos opuścił to straszne miejsce i wrócił do swojego biura. Nienawidził tego brudnego, hałaśliwego komisariatu i nie zamierzał tutaj zakończyć kariery. Jego biuro nie różniło się od całej reszty: było ciasne, niewygodne, niewyciszone, z widokiem na brudne podwórko. Wypił łyk lurowatej kawy i ugryzł kawałek czerstwego rogalika, który z trudem przełknął. Resztę wyrzucił do kosza.

Podszedł do telefonu i zadzwonił do laboratorium, które robiło analizy toksykologiczne. Potwierdziło się jego przypuszczenie, że proszek, który odkrył w mieszkaniu Nikki, to jednak kokaina. Pomyślał, że zajmie się tym za chwilę, i korzystając z połączenia, poprosił do telefonu Hansa Tinkera.

Przez lata Santos stworzył wokół siebie imponującą sieć. W różnych oddziałach mglistej galaktyki rozrośniętej policji nowojorskiej wiele osób miało wobec niego dług wdzięczności za udzieloną pomoc. Pomagał kolegom odruchowo, gdy tylko nadarzyła się okazja. Na krótką metę nic z tego nie wynikało, ale prędzej czy później przychodził moment, kiedy mógł to wykorzystać.

— Tinker, słucham!

Hans Tinker był zastępcą dyrektora laboratorium kryminalistycznego i może jego najcenniejszym kontaktem. Dwa lata wcześniej podczas przypadkowej kontroli chłopcy Santosa złapali najstarszego syna Tinkera, będącego wówczas w tak zwanym trudnym wieku, z ogromną ilością marihuany.

Najwyraźniej chłopak nie tylko sam jej używał, lecz także rozprowadzał wśród kolegów. Santos przymknął oczy i umorzył całą sprawę, czym zaskarbił sobie dozgonną wdzięczność Tinkera.

— Cześć, Hans! Czy masz coś nowego w sprawie mojego podwójnego morderstwa?

— Posuwamy się do przodu, ale to nie jest łatwe. Znaleźliśmy na miejscu miliony śladów, a poza tym trzeba zrobić analizy genetyczne.

— Rozumiem, ale jak najszybciej muszę wiedzieć, czyje odciski palców znajdowały się na KA-BAR-ze, na kawałku tego wyostrzonego szkła i na kiju bilardowym.

— Te odciski mam. Wyślę ci raport za dwie godziny.

— Nie, nie trzeba! Napisz mi, o co chodzi, w e-mailu. Chcę jak najszybciej porównać twoje wyniki z tymi na IAFIS.

Mazzantini, z laptopem pod pachą, zastukał w szybę i zajrzał przez uchylone drzwi. Santos dał mu znak, żeby wszedł. Podwładny zaczekał, aż szef skończy rozmawiać przez telefon, po czym oznajmił:

— Mamy coś nowego, panie poruczniku. To ten telefon na dziewięćset jedenaście. Proszę posłuchać.

Otworzył laptop i puścił wideo. Nagranie było krótkie. Słychać było przestraszony męski głos. Mężczyzna nie chciał podać swego nazwiska, ale prosił o jak najszybsze przysłanie karetki na adres Bumerangu.

— *Tam jest mężczyzna w agonii! Jest cały pocięty nożem. Proszę natychmiast przyjechać! Proszę przyjechać jak najszybciej!*

— Dziwne, że mówi tylko o jednym ciele, co? — zauważył Mazzantini.

Santos milczał. Skądś znał ten głos.

— Wiemy, czyj to telefon. Właściciel nazywa się Sebastian Larabee. Bogaty wytwórca skrzypiec, mieszka na Upper East Side. Sprawdziłem jego kartotekę. Czysty jak śnieg. To znaczy prawie: widziałem tam jakiś wyrok za znieważenie policjanta, gdy go złapali za przekroczenie szybkości, ale wtedy był jeszcze studentem. Moim zdaniem on nawet nie wie o tym, że jest notowany.

Twarz Santosa pobielała.

— Wysłać ekipę po niego, szefie?

Santos kiwnął głową przyzwalająco. Wiedział, że Sebastian jest w Paryżu, ale potrzebował czasu na zastanowienie.

— Okay, jedźcie! — rozkazał i zamknął drzwi za Mazzantinim.

Oczy zaszły mu mgłą. Podszedł do okna. To odkrycie go dobiło. Co mógł mieć wspólnego Sebastian Larabee ze sprawą Drake'a Deckera?

Z zamyślenia wyrwał go sygnał komputera, że ma nową pocztę. Usiadł i popatrzył na ekran. To Tinker wysyłał mu odciski.

Technicy z laboratorium dobrze się spisali. Na każdym dowodzie widać było wyraźne, gotowe do użytku odciski palców. Santos wgrał je na swój twardy dysk i połączył się z policyjną kartoteką odcisków palców. Detektywi nowojorskiej policji mieli bezpośredni dostęp do bazy danych FBI, a przede wszystkim do słynnego IAFIS: była to kopalnia złota, w której figurowało ponad siedemdziesiąt milionów osób zatrzymanych czy skazanych na terytorium USA. Najpierw sprawdził odciski na nożu. Algorytm ruszył, z ponaddźwiękową szybkością przeglądając bazę danych.

MATCH NOT FOUND*

Pierwsze pudło.

Potem sprawdził odcisk znajdujący się na długim kawałku poplamionego krwią szkła, broni, którą według niego posłużono się, żeby zabić wytatuowanego. Tym razem mu się powiodło. W ułamku sekundy program dostarczył odpowiedzi. Były to odciski... Sebastiana Larabee. Za jednym zamachem Santos porównał je z tymi znalezionymi na kiju bilardowym. Prawie natychmiast na ekranie pojawiło się zdjęcie młodej kobiety. Drżącymi dłońmi Santos włączył wydruk fiszki:

Nazwisko: Nikovski
Imię: Nikki
Ur. 24 sierpnia 1970 roku w Detroit (Michigan)
Rozwiedziona
Były mąż: Sebastian Larabee

W latach dziewięćdziesiątych Nikki była wielokrotnie zatrzymywana za różne drobne kradzieże, pijaństwo i po-

* Nie znaleziono.

siadanie narkotyków. Nigdy nie siedziała w areszcie, ale zapłaciła wiele kar i odpracowała społecznie wiele godzin. Ostatnie przewinienie miało miejsce w roku 1999. Od tego czasu nie zarejestrowano żadnego jej wykroczenia.

Santos poczuł, że serce zaczyna mu walić w piersi.

W co ta Nikki się wpakowała?!

Z powodu wyczynów z czasów młodości wszystko spadnie na nią. Na szczęście to on pracuje nad tą sprawą i ma wszystkie karty w ręku. Jeśli będzie działał sprytnie, może uda mu się odzyskać kobietę, którą kocha, i pozbyć się raz na zawsze tego Larabee.

Odłożył więc na bok wszystkie dowody mogące obciążyć Nikki, a zajął się tymi, które obciążały Sebastiana: fakt, że zadzwonił pod dziewięćset jedenaście, odciski na narzędziu zbrodni, bilet do Paryża, który oznaczał ucieczkę z miejsca zbrodni.

Było to solidne dossier. Może nawet wystarczające, żeby przekonać sędziego, by wydał międzynarodowy nakaz aresztowania. On, Santos, doleje jeszcze oliwy do ognia, informując o wszystkim troskliwie wybraną prasę: oto znany i powszechnie szanowany specjalista ucieka do Paryża po dokonaniu morderstwa w podrzędnej knajpie — mass media rzucą się na ten kąsek. Larabee to stara szanowana rodzina nowojorska, ale w czasie kryzysu szychy finansowe nie były nietykalne. Wprost przeciwnie! Od ponad roku Ruch Zbuntowanych manifestował pretensje do instytucji finansowych na Wall Street. Wielokrotnie setki manifestantów blokowały

Most Brookliński. Wzburzenie mas rosło i ogarniało cały kraj.

Czasy się zmieniały.

Dzisiejsi potentaci nie będą u władzy jutro.

▫

A poza tym Sebastian nie miał żadnego doświadczenia w ucieczkach.

Jak tylko zostanie wydany na niego nakaz aresztowania, wpadnie w pierwszą lepszą pułapkę...

# 25

**Paryż**
**Osiemnasta dzielnica**

Sebastian wyszedł z hotelu i skierował się avenue Junot w kierunku place Pecqueur. Był koniec października, ale dzień wydawał się prawdziwie letni. Na tarasach kafejek turyści spacerujący po Montmartrze wystawiali twarze i ramiona na promienie słońca.

Sebastian nie cieszył się tą spokojną atmosferą, ponieważ myślał wyłącznie o synu. Przestał go już niepokoić ekskluzywny hotel z jego wiejską i romantyczną atmosferą. Jednak im bardziej otwierało się przed nim nieznane, tym bardziej był przekonany, że on i Nikki narażeni są na wielkie niebezpieczeństwo. Nie umiał sobie wyobrazić, jaka konkretnie mogła to być groźba. Wielokrotnie oglądał się za siebie, sprawdzając, czy nie jest śledzony. Pozornie nie był, ale czy na pewno?

Dotarłszy na plac, zatrzymał się przy bankomacie, żeby

wyjąć trochę gotówki. Jego black card pozwoliła mu wyciągnąć dwa tysiące euro, ale ani grosza więcej. Schował banknoty i poszedł dalej, aż do stacji metra Lamarck-Caulaincourt, którą zauważył, kiedy jechali z lotniska.

Wejście do metra, znajdujące się pod schodami tak typowymi dla Montmartre'u, przypomniało mu film *Amelia*, który obejrzał na DVD z Camille. Kupił karnet biletów i zaczął szukać na planie stacji Barbès-Rochechouart. Stacja znajdowała się na styku dzielnic Dziewiątej, Dziesiątej i Osiemnastej, co oznaczało tylko kilka przystanków metra. Ponieważ się spieszył, nie chciało mu się czekać na windę i zaczął schodzić kręconymi schodami w dół. Była to wycieczka ponad dwadzieścia pięć metrów pod ziemię. Wsiadł w pierwszy pociąg jadący w kierunku Mairie-d'Issy, przejechał dwie stacje, i na Pigalle złapał pociąg linii numer dwa, po czym wysiadł na Barbès-Rochechouart.

Na tej stacji porwano jego syna...

Sebastian dotarł wraz z tłumem podróżujących aż do kas. Stał dłuższą chwilę w kolejce i kiedy nadeszła jego kolej, spytał pracownicę metra, od której dzieliły go szyba i specjalny głośnik, o syna. Pokazał kobiecie zdjęcie Jeremy'ego, a potem film z jego porwania, który przegrał na swoją komórkę.

— Nic nie mogę panu poradzić, proszę się zgłosić na policję! — odrzekła kasjerka.

Sebastian upierał się, ale w kolejce za nim czekało zbyt wielu ludzi, a wokół panował za duży hałas. Kasjerka nie była złośliwa, ale słabo mówiła po angielsku i tak naprawdę nie rozumiała, czego Sebastian od niej chce, poza tym widziała ludzi niecierpliwiących się w kolejce. Dała mu do zrozumienia, że ostatnio poza zwykłymi kradzieżami kieszonkowymi nic szczególnego się tutaj nie działo.

— *No agression, sir! No agression!* — powtarzała.

Sebastian zdał sobie sprawę, że niczego więcej z niej nie wyciągnie, więc podziękował i wyjechał ze stacji na ulicę ruchomymi schodami.

□

Barbès...

Gdy tylko znalazł się na ulicy, odkrył Paryż, którego nie ma na pocztówkach. Nie było tu widać żadnych mężczyzn w beretach z bagietką pod pachą, żadnego sklepu z serami ani tradycyjnej piekarni znajdującej się podobno na każdym rogu. Nie był to również Paryż wieży Eiffla ani Łuku Triumfalnego. Zrobiło się tu nagle miasto wielonarodowościowe, brutalne, kolorowe, które przypominało mu Nowy Jork.

Na chodniku jakiś facet przeszedł zbyt blisko niego, jakiś inny potrącił go i poczuł dotyk czyjejś dłoni.

Kieszonkowcy!

Kiedy cofał się, żeby uniknąć kradzieży, jakiś uliczny sprzedawca podszedł do niego, proponując mu paczkę papierosów.

— Marlboro! Marlboro! Trzy euro! Trzy euro!

Sebastian przyspieszył kroku i przeszedł na drugą stronę ulicy, ale tam było tak samo. Pełno ulicznych sprzedawców.

— Legend! Marlboro! Trzy euro! Trzy euro!

I żadnego policjanta na horyzoncie...

Pod żelaznymi filarami powietrznego metra zauważył kiosk z gazetami. Znów wyjął z kieszeni zdjęcie syna.

— *My name is Sebastian Larabee* — powiedział do sprzedawcy. — *I am American. This is a picture of my son, Jeremy. He was kidnapped here two days ago. Have you heard anything about him?*

Kioskarz pochodzący z Maghrebu prowadził kiosk na skrzyżowaniu Barbès-Rochechouart ponad trzydzieści lat. Prawdziwy dzielnicowy kronikarz, nauczył się angielskiego przez kontakt z turystami i był dość gadatliwy.

— Nie, nic o tym nie słyszałem, proszę pana.

— *Are you sure? Look at the video!* — poprosił Sebastian, podsuwając pod nos komórkę z zarejestrowanym filmikiem.

Kioskarz przetarł szkła okularów brzegiem koszuli i osadził je na nosie.

— Niewiele tu widać! — poskarżył się. — To maleńki ekranik.

— Niech pan popatrzy jeszcze raz, *please*!

Wokół nich przewalały się tłumy ludzi. Atmosfera była napięta i panował hałas. Kilka razy ktoś Sebastiana silnie potrącił. Grupa ulicznych sprzedawców tłoczyła się tuż przy wyjściu z metra, przed kioskiem.

— Marlboro! Marlboro! Trzy euro! Trzy euro! — Powtarzane jak refren wywoływało ból głowy.

— Przykro mi, ale nic mi to nie mówi! — rzekł kioskarz, zwracając Sebastianowi komórkę. — Ale proszę mi zostawić swój numer telefonu. Zapytam Karima, mojego pracownika. Może o czymś słyszał. To on zamyka kiosk w poniedziałki.

W podzięce Sebastian wręczył kioskarzowi pięćdziesiąt euro, ale ten miał swoją dumę.

— Niech pan schowa swoje pieniądze, proszę pana — doradził. — I niech pan tu się nie kręci — dodał, wskazując brodą grupę pokątnych handlarzy kręcących się koło kiosku.

Sebastian wręczył sprzedawcy wizytówkę, na której podkreślił numer swojej komórki i wpisał imię i wiek syna.

— Jeśli porwanie zostało sfilmowane, brygada policji kolejowej na pewno o tym wie.

— Czy tu w pobliżu jest gdzieś komisariat?

Kioskarz wydął usta.

— Jakieś dwieście metrów stąd jest komisariat dzielnicowy Goutte-d'Or, ale to nie jest miejsce najbardziej przyjazne w stolicy...

Sebastian podziękował skinięciem głowy.

Nie zamierzał w tym momencie iść na policję. Miał już wracać do hotelu, gdy coś wpadło mu do głowy.

— Legend! Legend! Trzy euro!

Pod ruchomymi schodami pokątni sprzedawcy wystawali całe dnie bez przerwy. Gdzież byłby lepszy punkt obserwacyjny? Oni musieli znać wszystkie tajemnice stacji. Więcej dowie się od nich niż od policji!

Zdecydowanym krokiem Sebastian wszedł w tłum i wtopił się między regularnych użytkowników metra i zagubionych turystów, szukających Montmartre'u.

— Marlboro! Trzy euro!

Dystrybutorzy nikotyny w ciągłym ruchu rozchylali poły kurtek, prezentując paczki tytoniu gorszej jakości. Nie byli agresywni, ale trudno było się od nich odczepić. Przez to, że było ich tak wielu i przez ich namolność, miało się odruch, żeby jak najszybciej stamtąd uciec, ale Sebastian poszedł za głosem intuicji.

— Marlboro! Trzy euro!

Wyjął z kieszeni zdjęcie Jeremy'ego i wyciągnął je przed siebie. Powoli ten gest przychodził mu coraz łatwiej.

— *Have you seen this boy? Have you seen this boy?*

— Spadaj, frajerze, daj nam pracować!

Sebastian się nie zniechęcał i metodycznie spacerował po chodnikach skrzyżowania Barbès-Rochechouart, pokazując zdjęcie syna każdemu sprzedawcy. Miał już zrezygnować, gdy usłyszał za plecami czyjś szept.

— *This is Jeremy, isn't it?*

# 26

Sebastian się odwrócił.

— *This is Jeremy, isn't it?*

— *Yes! That's my son! Have you seen him?* — spytał z nadzieją w głosie.

Mężczyzna, który stał przed nim, różnił się bardzo od innych pokątnych sprzedawców. Miał na sobie czystą koszulę, marynarkę od garnituru, był starannie ostrzyżony, a jego buty, choć zniszczone, błyszczały od pasty. Mimo ciężkiej ulicznej pracy starał się zachować elegancki wygląd.

— *My name is Youssef* — przedstawił się. — *I'm from Tunisia.*

— *Have you seen my son?*

— *Yes. I think so. Two days ago...*

— *Where?*

Tunezyjczyk rozejrzał się podejrzliwie dokoła.

— Nie mogę teraz z panem rozmawiać — powiedział, wciąż po angielsku.

— Bardzo pana proszę! To dla mnie bardzo ważne!

Youssef rzucił po arabsku wiązankę przekleństw w kierunku dwóch swoich „kolegów", którzy podeszli zbyt blisko.

— Proszę pana... — odparł z wahaniem. — Niech pan zaczeka na mnie w knajpce Fer à cheval. To sto metrów stąd, na ulicy Belhomme, tuż za budynkiem, w którym mieści się Tati. Będę tam za kwadrans.

— Wspaniale, dziękuję panu, bardzo dziękuję!

W Sebastiana wstąpiła nadzieja. Miał rację, że się upierał! Tym razem wreszcie wpadł na jakiś konkretny ślad.

Przeszedł przez ulicę w kierunku boulevard Barbès i minął długą fasadę ogromnego sklepu, którego markowym znakiem było nazwisko właściciela — Tatiego — umieszczone na tle w różowo-białą kratkę. Sklep Tatiego miał zawsze najniższe ceny w okolicy i znajdował się tu od ponad pięćdziesięciu lat. Klienci w poszukiwaniu przecenionych towarów grzebali w plastikowych koszach ustawionych na chodniku przed sklepem. Sukienki, spodnie, koszule, torebki, bielizna, piżamy, piłki, zabawki... Kosze były pełne różności: końcówek serii, wyprzedawanych resztek, towarów zalegających od dawna na półkach sklepowych czy innych „wyjątkowych okazji".

Po drugiej stronie ulicy rozłożyli swoje kramy tym razem sprzedawcy fałszywych torebek od Vuittona i podróbek perfum.

Sebastian szedł ulicą Bervic, która prowadziła do ulicy Belhomme. Okolice Barbès tętniły życiem, wciąż coś się tu działo. Wszędzie przewalały się tłumy głośno rozmawiających ludzi. Jednak atmosfera ta wpływała na Sebastiana deprymująco. Ten nadzwyczajny ruch, permanentna dynamika dzielnicy zbijały go z tropu. Ciągły ruch miał odbicie nawet w architekturze: obok siebie stały kamienne domy wznoszone w czasach barona Haussmanna, zwykłe tanie budowle z wapiennej cegły i budynki komunalne.

W końcu dotarł do kawiarni, o której mówił Youssef. Było to bistro z wąską witryną, wciśnięte między sklepik z tanimi sukniami ślubnymi i afrykańskiego fryzjera. Bar świecił pustkami. Wewnątrz pachniało imbirem, cynamonem i gotowanymi warzywami.

Sebastian usiadł przy stoliku pod oknem i zamówił kawę. Nie wiedział, czy ma dzwonić do Nikki. Bardzo chciał podzielić się z nią swoim odkryciem, ale postanowił zaczekać, żeby nie wzbudzać płonnych nadziei. Wypił jednym haustem swoje espresso, spojrzał na zegarek i zaczął nerwowo skubać paznokcie. Czas mu się dłużył. Koło okna wisiało ogłoszenie proponujące usługi muzułmańskiego maga marabuta.

*Doktor Jean-Claude*
*Egzorcyzmy*
*Zmuszenie do powrotu niewiernych mężów*
*Przywracanie ukochanego na łono rodziny*

Oto, co by mi się przydało, pomyślał ironicznie w chwili, kiedy do kawiarni wszedł Youssef.

— Nie mam zbyt dużo czasu — uprzedził go, siadając naprzeciwko.

— Przede wszystkim dziękuję, że pan przyszedł — powiedział Sebastian, kładąc na stole fotografię przedstawiającą Jeremy'ego. — Czy jest pan pewien, że to mojego syna pan widział?

Youssef przypatrzył się zdjęciu w skupieniu.

— Absolutnie. To ten młody Amerykanin, piętnaście, szesnaście lat, nie więcej, który przedstawiał się jako Jeremy. Widziałem go przedwczoraj wieczorem u Mounira, jednego z naszych „bankierów".

— Macie jakichś „bankierów"?

Youssef wypił łyk zamówionej przez siebie kawy.

— Każdego dnia na tym skrzyżowaniu sprzedaje się setki paczek papierosów z kontrabandy — wyjaśnił. — Pokątny handel tytoniem jest tutaj zorganizowany w ten sam sposób, co handel narkotykami. Hurtownicy kupują towar u chińskich dostawców. Co rano przynoszą towar na miejsce i chowają go, gdzie popadnie: w koszach na śmieci, niewidocznych zakątkach, w schowkach na straganach, w bagażnikach samochodów ustawionych w strategicznych miejscach. Potem my musimy ten towar upłynnić na ulicy.

— A „bankierzy"?

— To oni zbierają utarg.

— Ale co robił Jeremy u tego Mounira?

— Nie wiem, ale nie wyglądało, żeby się tam znalazł wbrew swojej woli.

— Gdzie mieszka Mounir?

— Na rue Caplat.

— Czy to daleko stąd?

— Nie.

— Czy można tam dojść pieszo?

— Tak, ale od razu panu przerwę: Mounir nie jest specjalnie gościnny...

— Niech mnie pan do niego zaprowadzi, bardzo pana proszę! Tylko pod dom, pójdę do niego sam.

— To nie jest dobry pomysł!

Najwyraźniej Tunezyjczyk był bardzo przestraszony. Bał się stracić swoją „pracę"? Czy może narazić się na represje ze strony bandziorów?

Sebastian chciał go uspokoić.

— Youssef, jest pan porządnym człowiekiem. Proszę, niech mnie pan zaprowadzi do Mounira. Muszę odnaleźć syna!

— Okay — skapitulował Youssef.

▫

Wyszli z kawiarni i wrócili na boulevard Barbès przez rue de Sophia. Minęła druga po południu. Słońce stało w zenicie. Bulwar wciąż pulsował życiem. Wszędzie kręciło się pełno ludzi, młodych, starych, tych z dobrych dzielnic i tych ze złych... Niektóre kobiety były zakwefione, inne w minispódniczkach.

— Gdzie nauczył się pan tak mówić po angielsku, Youssefie?

— Na uniwersytecie w Tunisie. Właśnie zrobiłem magisterium z anglistyki, kiedy sześć miesięcy temu musiałem wyjechać z kraju.

— Myślałem, że w Tunezji jest lepsza sytuacja...

Youssef potrząsnął głową przecząco.

— Upadek Ben Alego i jaśminowa rewolucja nie przysporzyły nowych stanowisk pracy jak za dotknięciem czarodziejskiej różdżki — wyjaśnił gorzko. — Sytuacja jest wciąż trudna. Nawet z dyplomem młodzi nie mają wielu perspektyw. Wolałem spróbować szczęścia tutaj, we Francji.

— Ma pan papiery?

Youssef pokręcił głową przecząco.

— Żaden z nas nie ma papierów. Przyjechaliśmy tu wszyscy z Lampedusy zeszłej wiosny. Szukam porządnej pracy, lecz nie jest łatwo bez dokumentów. Nie jestem z tego dumny, ale handel przemyconym towarem to wszystko, co znalazłem do tej pory. Tutaj każdy ratuje się sam, nikt nikomu nie pomoże. Trzeba samemu poszukać sobie miejsca, do wyboru jest kradzież kieszonkowa, handlowanie trawką, kradzionymi komórkami, fałszywymi papierami, sprzedaż papierosów...

— A policja?

Tunezyjczyk roześmiał się drwiąco.

— Dla spokoju sumienia gliniarze robią nalot co dziesięć dni. Jedną noc spędzamy na komisariacie, płacimy mandat i następnego dnia wracamy na chodnik.

▫

Youssef szedł szybko, spieszył się do pracy.

Sebastian ledwo za nim nadążał. Im dalej szli, tym bardziej się niepokoił. Czy to wszystko nie było zbyt piękne, żeby było prawdziwe? Dlaczego jego syn miałby się nagle znaleźć w kwaterze głównej jakiegoś handlarza przemyconymi papierosami o sześć tysięcy kilometrów od Nowego Jorku?

Kiedy dochodzili do stojącego w słońcu placu, jego towarzysz wciągnął go w małą ciemną uliczkę biegnącą w stronę boulevard de la Chapelle.

— Przykro mi... — rzekł, wyciągając z kieszeni nóż.

— Ale...

Tunezyjczyk zagwizdał przez zęby i natychmiast za plecami Sebastiana pojawiło się dwóch mężczyzn.

— Przecież ostrzegałem: tutaj każdy ratuje się sam.

Sebastian otworzył usta, ale w tym momencie dostał silny cios w brzuch. Spróbował oddać, ale Youssef był szybszy: wymierzył mu silnego sierpowego prosto w twarz i Sebastian zwalił się na ziemię.

Wówczas dwaj wspólnicy Araba chwycili go pod pachy i podnieśli. Zaczęła się jatka: Sebastian dostał liczne ciosy łokciem w brzuch, kopali go i bili po twarzy, przeklinając. Sebastian nie potrafił się wyswobodzić, zamknął oczy i przyjmował ciosy, które spadały na niego gdzie popadło. Przeżył tę torturę jak ekspiację, jak przykrą drogę krzyżową. Była to jego via dolorosa...

Dał się wpuścić w pułapkę jak kretyn. Z taką arogancją popisywał się pełnym portfelem, więc dostał to, na co zasłużył. Oczywiście Tunezyjczyk nie widział nigdy jego syna. Musiał usłyszeć to imię, gdy Sebastian wymówił je w rozmowie z kioskarzem. Tam też nieostrożnie wyciągnął swój pełen portfel... Youssef wykorzystał jego łatwowierność, on, Sebastian, zachował się niewybaczalnie głupio. Nie okazał ani kropli zimnej krwi, był bezmyślny! Łatwowierność spowodowała, że dostał się prosto w paszczę lwa. Ten portfel pełen banknotów, elegancki garnitur, ten wygląd głupiego amerykańskiego turysty, słowem: zachował się jak największy frajer.

Kiedy już go porządnie pobili i ograbili, Youssef dał znak wspólnikom. Ci puścili swoją zdobycz, po czym uciekli.

□

Z pękniętym łukiem brwiowym, napuchniętymi wargami i powiekami Sebastian powoli dochodził do siebie. Spróbował otworzyć jedno oko. Rozróżniał jakby z daleka dochodzący do niego hałas tłumu, a dalej widział nieprzerwany sznur samochodów na bulwarze. Z trudnością się podniósł.

Rękawem marynarki wytarł strużki krwi, które płynęły mu z nosa i ust.

Ograbiono go ze wszystkiego. Znikł portfel, pieniądze, telefon, paszport, pasek, buty. Nawet stary zegarek, który dostał od dziadka.

Łzy upokorzenia podeszły mu do oczu. Co opowie Nikki? Jak mógł być tak łatwowierny? I mimo wszystko, czy naprawdę miał w sobie jeszcze wystarczająco dużo siły, żeby samodzielnie kontynuować poszukiwania syna?

# 27

Oparta o balustradę Nikki stała na tarasie wychodzącym na ogród hotelowy. Wsłuchując się w szmer wody w fontannie ze starego marmuru, starała się uspokoić. Hotel otoczony gęstym pasem świeżej roślinności wyglądał jak cenny klejnot w zielonym futerale. Dwa rzędy cyprysów przypominały pejzaż Toskanii. Winorośl w jesiennych barwach wspinała się po murze, obok wielkiego krzaka jaśminu, którego białe kwiaty wydzielały odurzający zapach, dochodzący aż do pokoju.

Nikki, zmęczona własną niemocą, po wyjściu Sebastiana krążyła po apartamencie jak tygrysica w klatce. W innych okolicznościach skorzystałaby z tego spokojnego, romantycznego miejsca, ale niepokój o syna powodował, że cała była spięta i zdenerwowana.

Nie potrafiła się odprężyć. Wróciła do pokoju i postanowiła wziąć kąpiel.

Woda powoli napełniała wannę, w pokoju zaczęła unosić

się lekka para. Nikki podeszła do starego adapteru, stojącego na półce z bielonego drewna. Był to przedpotopowy model walizkowy, typowy dla lat sześćdziesiątych, z odpinaną pokrywą, w której mieścił się głośnik. Na pozostałych półkach stała kolekcja starych płyt winylowych, około pięćdziesięciu longplayów. Nikki przejrzała szybko okładki. Wszystkie albumy były kultowe. *Highway 61* Boba Dylana, *Ziggy Stardust* Davida Bowie, *The Dark Side of the Moon* Pink Floydów, *The Velvet Underground & Nico*...

Wybrała w końcu *Aftermath*, jeden z najlepszych albumów z czasów, kiedy Stonesi byli jeszcze Stonesami. Położyła płytę na krążek i nastawiła igłę. W powietrzu zawibrowały pierwsze dźwięki, riffy marimby i basy piosenki *Under my Thumb*. Jak mówiono, Mick Jagger napisał tę piosenkę, żeby rozliczyć się z modelką Chrissie Shrimpton, z którą wówczas się spotykał. Feministki tamtych czasów potępiły słowa piosenki, w której autor kolejno porównywał dziewczynę do podrygującego psa, a potem do syjamskiego kota.

Dla Nikki słowa tej piosenki znaczyły o wiele więcej. Mówiła ona o poszukiwaniu dominacji w związku, o żądzy zemsty, gdy miłość zmienia się w nienawiść.

Stanęła przed wielkim owalnym lustrem w oprawie z kutego żelaza i całkowicie się rozebrała. Przyjrzała się sobie krytycznie.

Promień słońca, wpadający przez okno, padł na jej szyję. Zamknęła na kilka sekund oczy i wystawiła na słońce twarz. Czuła, jak jej skóra ożywia się pod wpływem ciepła. Z upływem lat kontury jej sylwetki zaokrągliły się, ale dzięki intensywnie uprawianemu sportowi ciało pozostało zgrabne. Piersi trzymały się wysoko, talię miała szczupłą, długie nogi, łydki sprężyste.

Ta chwila była tak przyjemna, że Nikki wróciła pewność siebie.

Masz wszelkie szanse podczas wyborów Miss Cougar, pani Robinson...

Zakręciła kran i wślizgnęła się do gorącej wody. Tak jak robiła kiedyś, wzięła głęboki oddech i wsunęła głowę pod wodę. Dawniej mogła wytrzymać w ten sposób prawie dwie minuty. Czas się wówczas zatrzymywał, a ona porządkowała myśli.

Dziesięć sekund...

Pragnienie zachowania młodości za wszelką cenę psuło jej życie. Przez lata chciała się upewnić, że wciąż ma władzę nad mężczyznami, przy czym była przekonana, że zawdzięcza ją wyłącznie swojemu wyglądowi. Podobała się mężczyznom, ponieważ była „towarem". Zawsze najpierw widzieli jej ciało, nigdy jej uroku, nigdy jej inteligencji ani poczucia humoru czy kultury...

Dwadzieścia sekund...

Ale młodość powoli mijała. Mimo tytułów w pismach kobiecych: *Czterdziestka to nowa trzydziestka*, było jasne, że to nieprawda. Świat pragnął świeżej krwi, młodości, coraz to młodszych ciał. Czuła, że na ulicy ogląda się za nią dużo mniej mężczyzn niż kiedyś. Miesiąc temu, w którymś z butików w Greenwich, pochlebiło jej zainteresowanie sprzedawcy, młodego uroczego dobrze zbudowanego faceta, dopiero później zrozumiała, że on nie podrywał jej, tylko Camille...

Trzydzieści sekund...

Trudno jej było się do tego przyznać, ale wzruszyła się na widok Sebastiana. Był tak jak dawniej trudny w pożyciu, ograniczony, niesprawiedliwy i uparty, ale fakt, że miała go przy sobie podczas tych trudnych przejść, poprawiał jej samopoczucie.

Czterdzieści sekund...

Kiedy byli mężem i żoną, zawsze miała wobec niego kompleks niższości. Była przekonana, że ich miłość opierała się na nieporozumieniu — że wcześniej czy później Sebastian zda sobie sprawę ze swojej pomyłki i zobaczy żonę taką, jaką ona jest naprawdę — i cały czas bała się, że on ją opuści.

Pięćdziesiąt sekund...

Rozstanie wydawało jej się nieuchronne, więc robiła wszystko, żeby to sprowokować: wdawała się w romanse, nakręcała destrukcyjną i absurdalną spiralę, która w końcu spowodowała rozpad ich związku, potwierdzając najgorsze obawy Nikki, ale przynosząc jej również paradoksalnie ulgę: teraz, gdy go naprawdę straciła, nie musiała już się bać tej perspektywy.

Minuta...

Czas upływał, a życie uciekało jej między palcami. Za dwa lub trzy lata Jeremy pojedzie na studia do Kalifornii i ona zostanie sama. Sama. Sama. Sama. Wciąż ta panika wywoływana strachem, że zostanie porzucona. Skąd brał się w niej ten lęk? Coś wydarzyło się w jej dzieciństwie? Może wcześniej? Wolała o tym nie myśleć.

Minuta dziesięć sekund...

Przeszedł ją dreszcz i poczuła kłucie w dole brzucha. Zaczynała odczuwać brak tlenu. Refren piosenki Rolling Stonesów dochodził do niej zdeformowany, ozdobiony riffem Jimiego Hendrixa!

Moja komórka!

Gwałtownie wysunęła głowę z wody i złapała za telefon. Dzwonił Santos. Od wczorajszego wieczoru zostawiał jej bez przerwy wiadomości, raz wściekłe zarzuty, raz wyznania miłosne. Ponieważ wszystko to, co się działo, wprowadzało ją w stan paniki, wolała mu nie odpowiadać.

Zawahała się. Ostatnimi czasy Santos był dość męczącym przyjacielem, ale był to również dobry policjant. A jeśli odkrył coś na temat zniknięcia Jeremy'ego?

▫

— Tak? — rzuciła zadyszana do mikrofonu.

— Nikki? No, nareszcie! Wieki całe staram się do ciebie dodzwonić! Co ty wyprawiasz, do cholery?!

— Lorenzo, byłam bardzo zajęta.

— Co robisz w Paryżu?

— A skąd ty wiesz, gdzie jestem?

— Poszedłem do ciebie i znalazłem bilety lotnicze.

— Jakim prawem...

— Masz szczęście, że to byłem ja, a nie jakiś mój kolega! — zdenerwował się Santos. — Bo znalazłem także kokainę w łazience!

Załamana Nikki ostrożnie milczała. Jego atak spowodował, że się wycofała.

— Obudź się, moja droga! Mamy twoje odciski palców i odciski twojego męża na miejscu krwawej zbrodni. Tkwisz po szyję w gównie!

— Nie mamy z tym nic wspólnego! — rzuciła Nikki. — Drake Decker był już martwy, gdy tam dotarliśmy. A ten drugi to zabójstwo w obronie własnej.

— Ale co ty robiłaś w tej melinie?!

— Szukałam mojego syna! Posłuchaj, wyjaśnię ci wszystko przy najbliższej okazji. Nie wiesz nic o Jeremym?

— Nie, ale tylko ja mogę ci pomóc!

— W jaki sposób?

— Postaram się spowolnić śledztwo w sprawie zabójstwa Deckera, pod warunkiem że najszybciej jak możesz wrócisz do Nowego Jorku.

— ...

— Zgoda, Nikki?

— Zgoda, Lorenzo.

— I nie daj się omamić temu twojemu Sebastianowi! — powiedział groźnie Lorenzo.

Nikki się nie odezwała. Lorenzo zrobił wysiłek.

— Tęsknię za tobą, kochanie! — dodał łagodniej. — Zrobię wszystko, żeby cię ochronić. Kocham cię.

Przez kilka sekund czekał, żeby usłyszeć „ja również” z ust Nikki, ale ona nie była w stanie spełnić jego nadziei.

Sygnał w telefonie uprzedził ją, że dzwoni do niej ktoś jeszcze. Skorzystała z tego, żeby zakończyć rozmowę.

— Muszę kończyć. Ktoś dzwoni. Wkrótce się odezwę.

Nie pozwoliła Santosowi zaprotestować i przełączyła się na drugą rozmowę.

— Słucham?

— Pani Larabee?

— Przy telefonie.

— Tutaj Kompania Paryskich Statków Spacerowych — usłyszała po angielsku. — Dzwonimy do pani, żeby potwierdzić rezerwację.

— Jaką rezerwację?

— Rezerwację na dzisiejszy wieczór, kolacja formuła „Excellence" o dwudziestej trzydzieści na pokładzie naszego statku *L'Amiral*.

— Ee... Czy są państwo pewni, że to nie pomyłka?

— Rezerwacja zrobiona tydzień temu na nazwisko Larabee... — sprecyzowała hostessa. — Mam rozumieć, że pani ją odwołuje?

— Nie, nie, potwierdzam! — zapewniła Nikki. — Mówi pani, dwudziesta trzydzieści? Gdzie dokładnie to się zaczyna?

— Pont de l'Alma w ósmej dzielnicy. Oczekujemy strojów wizytowych.

— Doskonale! — potwierdziła Nikki, notując w pamięci wszystkie wskazówki. Odłożyła słuchawkę. Ogarnęła ją konsternacja, chaos, zaskoczenie... Co miało znaczyć to nowe zaproszenie? Czy to na pont de l'Alma przewidziano spotkanie z porywaczami? A może uwolnią Jeremy'ego?

Nikki zamknęła oczy i znów zanurzyła głowę.

Gdyby tylko mogła zresetować swój mózg, tak jak resetuje się komputer... Przycisk Reset.

Ctrl-Alt-Delete.

Umysł jej przepełniały negatywne myśli, bez przerwy widziała okropne sceny z sennego koszmaru. Powoli oswoiła strach, gdyż koncentrowała się tak, jak nauczyła się podczas seansów medytacji. Rozluźniła mięśnie. Pozostawanie w stanie bezdechu wyraźnie w tym pomagało. Ciepła woda była ochronnym kokonem. Z powodu braku tlenu, niczym przez filtr, nie docierały do jej świadomości żadne destrukcyjne fale.

W końcu w jej mózgu został jeden obraz. Było to wspomnienie od bardzo dawna spychane na samo dno podświadomości. Kapsuła uwięziona w czasie, stary zniszczony film zrobiony ręką amatora, który przeniósł ją siedemnaście lat wcześniej.

□

Do chwili drugiego spotkania z Sebastianem.

Wiosną 1996 roku.

W Paryżu...

## *Nikki*
## *Siedemnaście lat wcześniej...*

**Ogród Tuileries**
**Paryż**
**Wiosna 1996**

— Uwaga, dziewczęta, ostatnie ujęcie! Wszyscy na miejsca! Kręcimy!

Przed Luwrem grupa modelek po raz dziesiąty wykonuje wyrafinowane ruchy przewidziane przez reżysera. Na tę reklamę wielki dom mody przeznaczył bardzo duży budżet: słynny realizator, wspaniałe stroje, skomplikowane dekoracje, mnóstwo statystów, a wszystko to jest tłem dla gwiazdy, którą marka wybrała sobie na główną reprezentantkę.

Nazywam się Nikki Nikovski, mam dwadzieścia pięć lat i jestem jedną z tych dziewcząt. Nie żadną pierwszoplanową supermodelką, nie. Tylko jedną z tych anonimowych postaci, pojawiających się w czwartym rzędzie. Połowa lat dziewięćdziesiątych. Niewielkiej grupie top modelek — Claudii, Cindy czy Naomi — udało się dostać na szczyt i zarabiać wielkie pieniądze. Ale ja nie żyję na tej samej planecie co one. Zresztą moja agentka, Joyce Cooper, oznajmiła mi to bez ogródek: „Ciesz się, że w ogóle zabieramy cię do Paryża!" — powiedziała.

Moje życie to nie żadna z tych bajek, które wbijają do głowy czytelniczkom kolorowe pisma. Żaden słynny fotograf z agencji Elite nie wpadł na mnie jako czternastolatkę, gdy znalazł się „przypadkiem" na plaży czy w supermarkecie w tej dziurze w Michigan, w której mieszkałam. Nie, zaczęłam pracę modelki dość późno, miałam już dwadzieścia lat, kiedy przyjechałam do Nowego Jorku. Nigdy nie widzieliście mnie na okładce „Elle" ani „Vogue'a", a jeśli pojawiam się na wybiegu, to dla kreatorów o mniej znanych nazwiskach.

Jak długo jeszcze moje ciało będzie się nadawało do tej pracy?

Bolą mnie stopy i plecy. Mam wrażenie, że moje kości tego nie wytrzymają, jeśli dłużej będę je narażała na ten wysiłek, ale skupiam się ze wszystkich sił, żeby nic po sobie nie dać poznać. Nauczyłam się utrzymywać bez drżenia uśmiech, ustawiać się tak, żeby zaprezentować z najlepszej strony nogi i biust, chodzić w specjalny sposób i każdemu ruchowi nadawać wdzięk nimfy.

Jednak tego wieczoru nimfa jest wykończona. Przyleciałam tu rano, odlatuję jutro. Nie są to wakacje! Ostatnie miesiące były trudne. Z portfolio pod pachą przez całą zimę biegałam po castingach. Podmiejskim pociągiem jechałam na Manhattan o szóstej rano na zdjęcia w zimnych pomieszczeniach do filmów reklamowych o niskim budżecie, zamawianych przez gorsze firmy. Codziennie uświadamiam sobie coraz dobitniej fakt, że nie jestem już taka młoda. Nie mam w sobie tej iskry, która wyniosłaby mnie na miejsce, na którym znalazły się Christy Turlington czy Kate Moss. A przede wszystkim starzeję się. Już się starzeję.

— Cięcie! — krzyczy realizator. — Okay, dziewczęta, jesteście wolne! Możecie iść się bawić! Paryż jest wasz!

Akurat!

Produkcja zorganizowała garderoby pod namiotami. Późne popołudniowe światło jest piękne, ale jednocześnie robi się cholernie zimno. Kiedy zmywam makijaż, stojąc w przeciągu, woła mnie stażystka pracująca dla Joyce Cooper:

— Przykro mi, Nikki, ale nie było już miejsc w Royal Opéra. Musieliśmy zmienić ci hotel.

Podaje mi karteczkę, na której wypisany jest adres jakiegoś hoteliku w trzynastej dzielnicy.

— Co to za żarty?! Nie znalazłyście przypadkiem czegoś jeszcze dalej? Dlaczego nie wysyłasz mnie na przedmieścia?

Dziewczyna rozkłada bezradnie ręce.

— Przykro mi, ale są ferie, nigdzie nie ma wolnych miejsc.

Wzdycham, zmieniam pantofle i ubranie. Wokół panuje nerwowa atmosfera, dziewczęta są podekscytowane, bo wieczorem w ogrodach hotelu Ritz szykuje się jakiś bankiet. Mają na nim być Karl Lagerfeld i John Galliano.

Gdy docieram na miejsce, okazuje się, że moje nazwisko nie figuruje na magicznej liście zaproszonych gości.

— Chcesz pójść z nami na drinka, Nikki? — pyta jeden z fotografów. Koło niego stoi kolega, kamerzysta, który od rana taksuje mnie wzrokiem głodnego rekina.

Ani przez moment nie mam ochoty gdziekolwiek iść z tymi dwoma frajerami, ale im nie odmówię. Za bardzo boję się samotności. Za bardzo zależy mi na tym, żeby czuć się atrakcyjną, nawet dla ludzi, którymi pogardzam.

Idę z nimi do jakiegoś baru na rue d'Alger. Wypijamy po kilka „kamikadze", dziwnego koktajlu na bazie wódki, cointreau i limonki. Alkohol rozgrzewa mnie, rozluźniam się i szybko kręci mi się w głowie.

Śmieję się, żartuję, jestem w tym dobra, a przecież nienawidzę tych perwersyjnych fotografów, amatorów świeżego mięsa. Znam ich technikę: upijają dziewczyny, dają im trochę koki, bez przerwy nagabują, korzystają z tego, że dziewczęta są zmęczone, samotne, zagubione... *You're awesome! So sexy! So glamorous!* Widzą we mnie łatwy łup, a ja nie robię nic, żeby wyprowadzić ich z błędu. To mnie napędza: ten płomień, który rozpalam w męskich oczach, nawet takich frajerów jak ci. Jak wampirzyca karmię się ich pożądaniem.

Od dawna nie widzę ani wdzięku, ani błysku świata mody. Wyczerpanie, zmęczenie, niezdrowe współzawodnictwo. Zrozumiałam, że jestem tylko obrazem, „jednorazówką", produktem, którego data przydatności zbliża się do końca.

Faceci przysuwają się do mnie, dotykają, ich gesty stają się coraz śmielsze. Przez chwilę naprawdę myślą, że załatwili sobie wieczór we trójkę.

Zapada noc. Patrzę na zapalające się stopniowo światła miasta, dopóki moi rycerze nie stają się zbyt nachalni. W ostatnim przebłysku rozsądku zrywam się ze stołka. Wychodzę z baru, ciągnąc za sobą ciężką walizkę. Gonią mnie ich wyzwiska: dziwka, prowokatorka... No nic, normalka.

▫

Na rue Rivoli złapanie taksówki graniczy z cudem. Wchodzę do metra. Stacja Palais-Royal. Rzucam okiem na wiszący na ścianie plan, wybieram pociąg i wsiadam do wagonu linii numer siedem: Pont-Neuf, Châtelet, Jussieu, Les Gobelins...

Kiedy dojeżdżam do place d'Italie, jest już ciemna noc. Miałam nadzieję, że mój hotel jest tuż-tuż, ale okazuje się, że czeka mnie jeszcze długi marsz. Zaczyna padać. Pytam kogoś o drogę, ale zostaję potraktowana nieprzyjemnie, ponieważ nie mówię po francusku. Dziwny kraj... Wchodzę w rue Bobillot, ciągnąc za sobą walizkę, której kółka się zablokowały. Coraz bardziej pada.

Dzisiejszego wieczoru czuję się zwiędnięta i osłabiona. Samotna jak nigdy. Po ciele spływają mi krople deszczu i wszystko we mnie powoli pęka. Myślę o przyszłości. Czy w ogóle mam jakąkolwiek przyszłość? Jestem bez grosza. Przez pięć lat wykonywania tego zawodu nie odłożyłam ani dolara. To przede wszystkim wina systemu, który jest tak ustawiony, żeby nas uzależniać od siebie. Agencje modelek są wyspecjalizowane w tej grze i często pracuję tylko na zwrot ich prowizji i kosztów podróży.

Po chwili potykam się o brzeg chodnika i łamię obcas. I tak z pantoflami w ręce, bez godności, docieram wreszcie do Butte-aux-Cailles.

Nigdy nie słyszałam o tej dzielnicy, która dominuje geograficznie nad Paryżem. W latach, które wspominam, miejsce owo jest jeszcze jakby wioską z innej epoki. Nie ma tutaj szerokich alei ani haussmannowskich kamienic, są za to brukowane uliczki z domkami jak z prowincji. Wydaje mi się, że tak jak Alicja znalazłam się po drugiej stronie lustra.

Mój hotel, który stoi przy rue des Cinq-Diamants, mieści się w starym budynku o podniszczonej fasadzie. Wykończona i cała mokra, wkraczam do recepcji w brudnym holu i wręczam właścicielce wydruk mojej rezerwacji.

— Pokój dwadzieścia jeden, proszę pani. Pani kuzyn jest już tam od godziny — oznajmia kobieta, nie dając mi żadnego klucza.

— *My cousin? What are you talking about?*

Znam tylko kilka słów po francusku, ona w ogóle nie mówi po angielsku, mimo że wisząca w recepcji informacja głosi coś innego. Po pięciu minutach wymiany niezrozumiałych zdań orientuję się, że jakiś Amerykanin zajął mój pokój godzinę wcześniej, przedstawiając się jako mój kuzyn. Proszę o inny pokój, ona odpowiada, że ma komplet. Żądam, żeby zadzwoniła po policję, ona odpowiada, że mężczyzna już zapłacił za pokój.

Co to za historia?

Wściekła, zostawiając walizkę na dole, wbiegam po schodach na drugie piętro i pukam nerwowo do drzwi pokoju numer dwadzieścia jeden.

Cisza.

Niezbita z tropu, wychodzę na zewnątrz i okrążam hotel brukowaną ślepą uliczką. Znajduję okno pokoju, w którym siedzi mój uzurpator, i rzucam w nie pantoflem. Nie trafiam, ale mam jeszcze jeden but. Tym razem pantofel odbija się od szyby. Kilka sekund potem okno otwiera się i mężczyzna wychyla głowę.

— To pani robi ten straszny hałas? — pyta z pretensją.

Nie do wiary. To... Sebastian Larabee, ten sztywny lutnik z Manhattanu. Ciężko mi powstrzymać złość.

— Co pan robi w moim pokoju?

— Próbowałem zasnąć, niech pani sobie wyobrazi! To znaczy... zanim pani zaczęła rozrabiać.

— Proszę natychmiast opuścić ten pokój!

— To raczej nie nastąpi — odpowiada flegmatycznie.

— Poważnie, jak pan się tu znalazł?

— Przyjechałem, żeby się z panią spotkać.

— Żeby się ze mną spotkać? A w jakiej sprawie? I w ogóle, jak pan mnie znalazł?

— Wytropiłem panią.

Wzdycham. No cóż, wariat. Niechybnie sfiksował na moim punkcie. Nie pierwszy raz natykam się na wariata. A przecież ten wyglądał tak normalnie, miło i łagodnie...

Staram się przybrać obojętny wyraz twarzy.

— Czego pan ode mnie oczekuje?

— Przeprosin.

— Ach, tak? A za co?

— Po pierwsze za to, że trzy miesiące temu ukradła mi pani portfel.

— Ale przecież go panu zwróciłam! To było dla zabawy. Chciałam dowiedzieć się, gdzie pan mieszka.

— Wystarczyło mnie zapytać. Może nawet bym panią do siebie zaprosił!

— Tak, ale to byłoby mniej zabawne.

Światło latarni odbija się od mokrego bruku. Sebastian Larabee patrzy na mnie i szeroko się uśmiecha.

— Następnie za to, że pani znikła i nie zostawiła nawet swojego adresu.

Potrząsam głową.

— To dopiero!

— Mam wrażenie, że przecież spędziliśmy razem noc!

— No i co z tego? Sypiam z każdym — mówię, żeby go sprowokować.

— A więc dzisiejszą noc spędzi pani na dworze! — oznajmia Sebastian Larabee, zamykając okno.

Na dworze jest ciemno i zimno. Jestem bardzo zmęczona, ale i zaskoczona. W każdym razie nie mam zamiaru dać się tak traktować przez tego chama.

— Dobrze, sam pan chciał!

Na rogu uliczki stoi plastikowy pojemnik na śmieci. Mimo zmęczenia wchodzę nań i następnie przechodzę po rynnie. Opieram się o doniczkę z kwiatami i chwilę odpoczywam na wysokości pierwszego piętra. Patrzę w górę i widzę, jak twarz Sebastiana za szybą bieleje. Oczy ma szeroko otwarte i patrzy na mnie w panice.

— Skręci sobie pani kark! — wrzeszczy, otwierając gwałtownym ruchem okno.

Zaskoczona, odruchowo się cofam i tracę równowagę. Czuję, że zaraz spadnę, i w ostatnim odruchu samoobrony chwytam wyciągniętą w moim kierunku dłoń.

— Jest pani nieodpowiedzialna! — krzyczy Sebastian, wciągając mnie przez okno do środka.

Gdy jestem już bezpieczna, chwytam go za kołnierz i zaczynam uderzać w pierś pięściami.

— To ja jestem nieodpowiedzialna, ty wariacie?! Przez pana o mało co się nie zabiłam!

Zdumiony moją napaścią, Sebastian jakoś mi się wyrywa. Ja, wściekła, chwytam jego otwartą walizkę stojącą w nogach łóżka, biorę zamach, żeby wyrzucić ją przez okno, i w tym momencie czuję jego ramiona wokół siebie.

— Niech się pani uspokoi! — słyszę błagalny głos.

Widzę jego twarz o kilka centymetrów od mojej twarzy. Jego spojrzenie jest szczere i uczciwe. Emanuje z niego coś, co wzbudza zaufanie. Przy tym bardzo ładnie pachnie, jakąś wodą kolońską. Tak musiał pachnieć Cary Grant.

Nagle czuję się podekscytowana. Gryzę go w wargę, pcham na materac i ściągam z niego koszulę.

□

Następny ranek.

Zrywa mnie z łóżka dzwonek telefonu. Noc była krótka. Zaspana, łapię słuchawkę i opieram się o poduszkę.

Słyszę jakieś rebusy po angielsku artykułowane przez właścicielkę hotelu.

Mrugam. Przez koronkowe zasłony do maleńkiego pokoju wślizguje się łagodne światło. Kiedy dochodzę do siebie, wyciągniętą nogą uchylam drzwi od łazienki.

Pusta...

Czyżby Sebastian Larabee zostawił mnie tu samą?

Proszę właścicielkę o wolniejsze mówienie.

— *Your cousin is waiting for you at the coffee shop just around the corner.*

Mój „kuzyn" czeka na mnie w kawiarni na rogu ulicy.

A niech sobie czeka.

Zrywam się z łóżka, biorę szybki prysznic i ubieram się. Schodzę po schodach, chwytam swoją walizkę, która od wczoraj stoi w holu. Mijam właścicielkę hotelu stojącą za kontuarem recepcji. Kawiarnia jest o sto metrów w lewo. Ja idę na prawo do stacji metra. Pokonuję ledwo dwadzieścia metrów, kiedy łapie mnie recepcjonistka.

— *I think your cousin kept your passport...* — mówi obojętnie.

▫

Kawiarnia pod nazwą Le Feu verre, oszczędzona najwyraźniej przez pęd do nowoczesności, wygląda, jakby została tu teleportowana prosto z lat pięćdziesiątych: kontuar baru jest z cynku, stoły przykryte obrusami w biało-czerwoną kratkę, kanapy pod ścianą z moleskinu, a same stoły z taniej płyty laminatowej. Na ścianie wisi czarna tablica z wczorajszymi daniami dnia: kiełbasa z zielonym pieprzem, nóżki wieprzowe, *andouillette* z Troyes.

Kiedy wściekła przekraczam próg kawiarenki, widzę od razu Sebastiana, który siedzi w głębi. Staję przed nim i grożę:

— Natychmiast proszę mi oddać paszport, bo...

— Dzień dobry, Nikki. Ja też mam nadzieję, że dobrze spałaś — mówi, wręczając mi dokument. — Proszę cię, usiądź na chwilę. Pozwoliłem sobie zamówić za ciebie.

Jestem głodna jak wilk, więc kapituluję na widok sutego śniadania: kawa z mlekiem, rogaliki, sucharki, konfitury. Upijam łyk kawy i rozkładam serwetkę. W środku widzę paczuszkę obwiązaną wstążeczką.

— Co to takiego?

— Prezent.

Wznoszę oczy do nieba.

— Nie musi mi pan robić prezentów tylko dlatego, że spędziliśmy razem dwie noce... Jak się pan nazywa, bo zapomniałam?

— Otwórz. Mam nadzieję, że ci się spodoba. Nie musisz się bać, to nie pierścionek zaręczynowy.

Wzdycham i rozdzieram papier. To książka. Specjalne wydanie *Miłości w czasach zarazy*. Ilustrowane, wspaniale oprawione i z osobistą dedykacją Gabriela Garcii Márqueza.

Potrząsam głową, ale jestem wzruszona. Mam gęsią skórkę. Po raz pierwszy mężczyzna ofiarowuje mi książkę. Czuję, że zbiera mi się na płacz, ale się powstrzymuję. Ten gest wzrusza mnie bardziej, niż bym chciała.

— O co ci chodzi? — pytam i odsuwam książkę od siebie. — To musiało kosztować fortunę. Nie mogę tego przyjąć.

— Dlaczego?

— Przecież się nie znamy.

— Możemy się poznać.

Odwracam głowę. Para starszych ludzi przechodzi przez ulicę, nie wiadomo, które z nich które wspiera.

— Co właściwie masz na myśli?

Sebastian, młodzieńczy, nieustraszony, otwarcie oznajmia:

— Od czterech miesięcy budzę się z widokiem twojej twarzy. Myślę o tobie cały czas. Wszystko inne przestało się liczyć...

Patrzę na niego, nie wiedząc, co o tym myśleć... Widzę od razu, że nie bajeruje, on naprawdę w to wierzy. Dlaczego jest taki naiwny? Taki rozczulający?

Wstaję, żeby odejść, ale on mnie przytrzymuje.

— Daj mi dwadzieścia cztery godziny na przekonanie cię.

— Na przekonanie mnie do czego?

— Że jesteśmy dla siebie stworzeni.

Siadam i biorę go za rękę.

— Posłuchaj, Sebastianie, jesteś bardzo miły i jesteś wspaniałym kochankiem. Pochlebia mi, że ci się spodobałam, i uważam, że twoja wyprawa, aby mnie odnaleźć, jest sama w sobie bardzo romantyczna...

— Ale?

— Ale bądźmy realistami, nie mamy żadnych szans, żeby wspólnie coś zbudować. Nie wierzę w bajki o Kopciuszku, który poślubia księcia i...

— Byłabyś bardzo sexy jako Kopciuszek.

— Mówię poważnie! Nie mamy ze sobą nic wspólnego: ty jesteś typowym WASP-em, intelektualistą, twoi rodzice są milionerami, mieszkasz w apartamencie, który ma trzysta metrów kwadratowych, i spotykasz się ze śmietanką towarzyską Upper East Side...

— No i co z tego? — przerywa mi.

— Co z tego? Nie wiem, co we mnie widzisz, ale z pewnością jestem inna, niż sobie wyobrażasz. Naprawdę nie ma we mnie nic, co mogłoby ci się spodobać.

— Czy trochę nie przesadzasz?

— Nie, wcale nie. Jestem zmienna, niewierna i egoistyczna. Nie zmienisz mnie nagle w miłą spokojną kobietę, która będzie się o ciebie troszczyła i spełniała twoje oczekiwania. A poza tym nigdy się w tobie nie zakocham.

— Daj mi dwadzieścia cztery godziny — powtarza Sebastian. — Dwadzieścia cztery godziny, tylko ty, ja i Paryż.

Potakuję głową.

— Nie mów mi potem, że cię nie uprzedzałam.

Uśmiecha się jak dziecko. Jestem przekonana, że szybko mu się znudzi ta zabawa.

Jeszcze nie wiem, że spotkałam prawdziwą miłość. Tę jedyną, autentyczną, płomienną. Tę, która daje ci wszystko, a potem wszystko odbiera. Tę, która rozświetla życie, zanim je zniszczy na zawsze.

# 28

Zdyszany i spocony Sebastian wpadł do holu Grand Hôtelu na oczach zdumionej hostessy. Z zakrwawionym nosem, boso i w podartej marynarce nie pasował do eleganckiego westybulu.

— Co się stało, panie Larabee?

— Nic, miałem mały... wypadek.

Zaniepokojona kobieta chwyciła za telefon.

— Zadzwonię po lekarza.

— Nie potrzeba.

— Jest pan pewien?

— Zapewniam panią, że mam się doskonale — odezwał się Sebastian tonem bardziej zdecydowanym.

— Jak pan sobie życzy. Pójdę po gazę i środek dezynfekujący. Jeśli będzie pan potrzebował czegoś więcej, proszę mi dać znać.

— Dziękuję pani.

Mimo zadyszki i bólu brzucha Sebastian wolał wejść po schodach niż czekać na windę.

Kiedy pchnął drzwi do pokoju, zobaczył, że nikogo nie ma. Muzyka Rolling Stonesów rozbrzmiewała na cały regulator, ale Nikki gdzieś znikła. Wszedł do łazienki i znalazł byłą żonę zanurzoną pod wodą, z zamkniętymi oczami.

Z przerażeniem, chwyciwszy ją za włosy, wyciągnął na powierzchnię. Zaskoczona, krzyknęła.

— Co ty wyrabiasz, dzikusie? Chcesz mi wyrwać włosy?! — rzuciła, zasłaniając nagie piersi.

— Myślałem, że się utopiłaś! Co ty wyrabiasz?! W twoim wieku udajesz syrenę?!

Rzucając mu ponure spojrzenie, Nikki zauważyła jego poranioną twarz.

— Biłeś się z kimś? — spytała zaniepokojona.

— Chyba prawdziwsze będzie stwierdzenie, że to mnie pobito! — odrzekł zagniewany.

— Odwróć się, żebym mogła wyjść z wanny. I nie podglądaj!

— Wiesz, że już widziałem cię nagą.

— Tak, w innym życiu.

Odwracając się, Sebastian podał Nikki szlafrok. Włożyła go i obwiązała głowę ręcznikiem.

— Usiądź, przemyję ci twarz.

Gdy obmywała mu rany wodą z mydłem, opowiedział jej swoją nieprzyjemną przygodę niedaleko stacji metra Barbès. Ona z kolei poinformowała go o dwóch telefonach, które odebrała: o tym od Santosa i o tym drugim, tajemniczym, od Kompanii Paryskich Statków Spacerowych.

— Aj! — krzyknął, kiedy przemywała go środkiem dezynfekującym.

— Przestań się pieścić! Nienawidzę tego!

— Ale to piecze!

— Taa... To lekko piecze, jak się ma trzy lub cztery lata, ale ty, wydaje mi się, jesteś już dorosły.

W pośpiechu zastanawiał się, co by jej odpowiedzieć, kiedy usłyszeli pukanie.

— Posłaniec — rzucił jakiś głos przez drzwi.

Nikki zrobiła krok, żeby wyjść z łazienki, ale Sebastian przytrzymał ją za rękaw szlafroka.

— Chyba nie zamierzasz otworzyć drzwi w takim stroju?

— Co: „w takim stroju”?

— Przecież jesteś prawie naga!

Nikki wzniosła oczy do nieba.

— Zdecydowanie nic się nie zmieniłaś! — powiedział i poszedł, żeby otworzyć drzwi.

— Ty również! — krzyknęła, trzaskając drzwiami łazienki.

Na korytarzu stał boy hotelowy w czerwonej czapce i marynarce ze złotymi guzikami. Dość wątłej budowy, prawie znikł pod stertą pakunków pochodzących najwyraźniej od luksusowych firm, gdyż widniały na nich napisy: Yves Saint Laurent, Christian Dior, Ermenegildo Zegna, Jimmy Choo...

— Właśnie to panu dostarczono, proszę pana.

— To jakaś pomyłka, nic nie kupowaliśmy.

— Będę nalegał, proszę pana, ta dostawa jest na pańskie nazwisko.

Sebastian popatrzył na boya powątpiewająco i odsunął się, wpuszczając go do środka. Kiedy chłopak wychodził, Sebastian zaczął grzebać w kieszeniach, szukając drobnych na napiwek, ale przypomniał sobie, że go właśnie okradziono. Z pomocą przyszła mu Nikki, wręczając chłopakowi banknot pięciodolarowy, po czym zamknęła za nim drzwi.

— Widzę, że byłeś na zakupach, kochanie? — zażartowała na widok pakunków.

Zaciekawiony Sebastian pomógł jej odpakowywać paczki leżące na łóżku. Było tam w sumie sześć wielkich toreb z wieczorowymi strojami: znaleźli garnitur, suknię i parę pantofli na wysokich obcasach...

— Tego nie rozumiem.

— Wieczorowy strój damski, wieczorowy strój męski — zauważyła Nikki, przypominając sobie słowa hostessy z Kompanii Paryskich Statków Spacerowych o wymaganym stroju wieczorowym.

— Ale dlaczego chcą, żebyśmy mieli na sobie właśnie te ubrania?

— Może jest w nich zamontowany podsłuch? Jakiś mikrofon, nadajnik, dzięki któremu mogliby wiedzieć, gdzie się znajdujemy...

Zastanowił się nad tym. To nie było głupie. Nawet bardzo możliwe. Wziął do ręki marynarkę, która leżała na wierzchu, i zaczął ją obmacywać, ale uznał, że to bez sensu, bo w obecnych czasach podobne urządzenie musiało być mikroskopijne. A zresztą dlaczego starać się tego pozbyć, jeśli chodziło im o nawiązanie kontaktu z porywaczami syna?

— Myślę, że pozostaje nam się przebrać — rzuciła Nikki.

Sebastian przytaknął.

Najpierw wszedł pod prysznic. Stał dłuższą chwilę pod strumieniem gorącej wody, potem dokładnie się namydlił, żeby zmyć z siebie to poniżenie z Barbès.

Potem zaczął wkładać nowe ubrania. Od razu poczuł się w nich świetnie. Biała koszula, w idealnym rozmiarze i doskonale skrojona, garnitur — klasyczny, lecz szykowny, odpowiedni krawat, buty doskonałej jakości, ale nie ekscentryczne. Sam nie wybrałby stroju lepiej.

Kiedy wrócił do pokoju, zapadł już wieczór. W półmroku spostrzegł sylwetkę Nikki, w długiej czerwonej sukni z wielkim dekoltem na plecach, obrzeżonym perłami.

— Mógłbyś mi pomóc?

W milczeniu stanął za jej plecami i tak jak robił to przez całe lata, postarał się zawiązać wokół dyskretnego klejnotu cienkie ramiączka. Dotyk palców Sebastiana na ramionach spowodował, że Nikki poczuła dreszcz. Sebastian jak zahipnotyzowany z trudem starał się oderwać wzrok od bladej aksamitnej skóry swojej byłej żony. Nagle dotknął dłonią jej łopatki pieszczotliwym gestem. Spojrzał w owalne lustro, w którym wyglądali jak kochająca się para na okładce eleganckiego pisma.

Nikki otworzyła usta, żeby coś powiedzieć, ale nagły powiew wiatru trzasnął oknem. Czar prysł.

Zmieszana, wyrwała się Sebastianowi i zaczęła wkładać pantofle. Sebastian włożył ręce do kieszeni, żeby ukryć zakłopotanie. W prawej była jakaś metka. Wyciągnął ją z zamiarem wrzucenia do kosza, ale w ostatniej chwili coś zauważył.

— Spójrz! — powiedział.

To nie była metka.

Ale kartka papieru złożona we czworo.

Kwit z przechowalni ze stemplem.

Gare du Nord.

# 29

Dziewiętnastka.

Dzielnica mało znana paryżanom, zwana też dzielnicą amerykańską, kiedyś były w niej kamieniołomy, w których wydobywano gips i skałę krzemową. Nazwa wzięła się z legendy: jakoby stąd pochodził kamień, z którego zbudowano Statuę Wolności i Biały Dom. To nie była prawda, ale legenda piękna.

Podczas trzydziestu lat, zwanych Trente Glorieuses, większa część przedmieść została zburzona i zaczęto tu budować „nowocześnie". Wielkie prostokątne smutne budynki i brzydkie wieżowce szpeciły teraz północ dawnego okręgu Belleville. Wciśnięta między park Buttes-Chaumont i obwodnicę paryską brukowana rue de Mouzaïa była ostatnią pamiątką po dawno minionych czasach. Miała ponad trzysta metrów długości i zdobiły ją starodawne latarnie i wille z ogródkami.

Pod numerem dwadzieścia trzy bis przy tej ulicy w małym

domku z cegły o czerwonej fasadzie zadzwonił już po raz trzeci w ciągu ostatnich dziesięciu minut telefon, na próżno.

A przecież Constance Lagrange nigdzie nie wyszła. Była tam, rozciągnięta w fotelu typu Ballon stojącym w salonie. Ale wypita w nocy połowa butelki whisky kompletnie odcięła ją od świata.

Trzy miesiące wcześniej, w dzień swoich trzydziestych siódmych urodzin, Constance otrzymała trzy wiadomości: dwie dobre i jedną złą.

Kiedy tego ranka, dwudziestego piątego lipca, zjawiła się w pracy, jej szef, komendant Sorbier, oznajmił, że została awansowana do stopnia kapitana policji w prestiżowej służbie do ścigania zbiegłych przestępców BNRF.

W południe zadzwonił do niej urzędnik z banku, zajmujący się jej kontem, który ją powiadomił, że jej podanie o kredyt zostało zaakceptowane i może wreszcie kupić wymarzony dom przy rue de Mouzaïa, w dzielnicy, którą tak lubiła.

Constance pomyślała, że zdecydowanie jest to jej szczęśliwy dzień. Ale późnym popołudniem, podczas wizyty u lekarza, dowiedziała się, że tomografia komputerowa, którą zrobiła, wykazała guz mózgu. Glejak wielopostaciowy, rak o czwartym, najwyższym stopniu złośliwości, typ nieoperacyjny. Dawano jej cztery miesiące życia.

□

Telefon zawibrował znowu.

Tym razem dzwonek przebił się przez jej niezdrowy sen, pełen ponurych obrazów komórek rakowych. Constance otworzyła oczy i wytarła krople potu z czoła. Przez kilka dobrych minut leżała bez ruchu, męczona przez mdłości, czekając na następny dzwonek, żeby sięgnąć po aparat leżący na podłodze. Popatrzyła na numer wyświetlający się na ekranie. Był to numer jej byłego szefa, Sorbiera. Odebrała, ale nie odezwała się, pozwalając mu mówić.

— Co pani wyrabia, Lagrange? — objechał ją. — Staram się dodzwonić od pół godziny!

— Przypominam, że złożyłam wymówienie, szefie — odrzekła, przecierając oczy.

— Co się dzieje? Czy pani piła? Na odległość czuć od pani alkohol!

— Niech się pan nie wygłupia... Przecież rozmawiamy przez telefon.

— Nieważne! Jest pani kompletnie zalana, czuję to aż tutaj!

— Dobrze, czego pan chce? — spytała, z trudem się podnosząc.

— Mamy zatrzymać ściganych międzynarodowym listem gończym, wydanym przez władze amerykańskie. Natychmiast musimy zamknąć dwoje obywateli amerykańskich. Chodzi o jakiegoś lutnika i jego byłą żonę. Sprawa poważna: narkotyki, podwójne morderstwo, ucieczka z miejsca zbrodni...

— Dlaczego sędzia nie zlecił tego centralnemu oddziałowi policji kryminalnej?

— Nie mam bladego pojęcia i to mnie w ogóle nie interesuje. Wszystko, co wiem, to że robota spada na nas.

Constance potrząsnęła głową.

— Na pana. Ja nie jestem już waszym pracownikiem.

— Dobrze, dość tego, Lagrange — zdenerwował się kapitan. — Wkurza mnie pani tym swoim wymówieniem. Problemy osobiste? Dobrze, dałem pani dwa tygodnie, ale proszę przestać się wygłupiać!

Constance westchnęła. Przez sekundę się zawahała: może mu powiedzieć? O tym, że rak zżera jej mózg, że będzie jeszcze żyła góra kilka tygodni, że bardzo boi się zbliżającej się śmierci. Ale zrezygnowała z tego. Sorbier był jej mentorem, jednym z ostatnich wielkich policjantów ze starej szkoły, jednym z tych, których się podziwia. Nie chciała, by zaczął się nad nią użalać albo gryzł się z jej powodu. Sama zresztą nie miała najmniejszej ochoty rozszlochać się na jego piersi.

— Niech pan wyśle kogoś innego. Może porucznika Botsarisa?

— Nie ma mowy! Wie pani, że jeśli w grę wchodzą Stany, sprawa jest zawsze bardzo delikatna. Nie chcę problemów z ambasadą. Proszę ich znaleźć i zamknąć jeszcze dziś, rozumie pani?

— Powiedziałam, że się nie zgadzam!

Sorbier udał, że nie usłyszał protestu Constance.

— Zleciłem sprawę Botsarisowi, ale chciałbym, żeby to odbywało się pod pani nadzorem. Przesyłam pani kopię listu gończego na telefon.

— Och, niech się pan wreszcie odpieprzy! — krzyknęła Constance i rozłączyła się.

□

Powlokła się do łazienki i zwymiotowała żółcią. Od kiedy nic nie jadła? Na pewno ponad dobę. Poprzedniego wieczoru starała się utopić rozpacz w alkoholu, niczego nie zjadła, żeby już po pierwszych łykach poczuć się pijana. Wpadła w ciąg alkoholowy, który wysłał ją na piętnaście godzin do świata marzeń sennych.

Salon był skąpany w jesiennym świetle późnego popołudnia. Constance wprowadziła się do tego domu trzy tygodnie wcześniej, ale w ogóle się nie rozpakowała. Kartonowe pudła, posklejane taśmą, stały tu i tam w pustych pokojach.

Bo po co się rozpakowywać w jej sytuacji?

W jednej z szaf znalazła zaczętą paczkę herbatników Granola. Usiadła na taborecie małego baru kuchennego i z trudem zmusiła się do zjedzenia kilku ciastek.

Jak zabić czas w oczekiwaniu na to, że czas nas zabije?

Czyje to były słowa? Sartre'a? Beauvoir? Aragona? Nie mogła sobie przypomnieć. Zresztą właśnie one pchnęły ją do umówienia się na wizytę lekarską. Najpierw było kilka sygnałów: torsje, bóle głowy, ale pokażcie mi tego, komu nigdy nic nie dolega. Nie prowadziła najzdrowszego trybu życia i dlatego w ogóle się nie zdenerwowała. Stopniowo zaczęła tracić pamięć, nie mogła sobie przypomnieć tego czy tamtego, zaczęło to nawet przeszkadzać jej w pracy. Stała się również impulsywna, traciła panowanie nad sobą. Potem pojawiły się zawroty głowy, i to zdecydowało, że poszła do specjalisty.

Diagnoza była szybka i brutalna.

Na drewnianym blacie leżała gruba teczka z dokumentami ze szpitala. Surowa historia jej choroby. Constance otworzyła teczkę po raz nie wiadomo który i popatrzyła ze strachem na zdjęcia rentgenowskie swojego mózgu. Na tomografii widać było wyraźnie kontury ogromnego guza i strefy zaatakowane przez chorobę, która umiejscowiła się w lewej części płatu czołowego. Przyczyny pojawienia się tej choroby były niejasne i nikt nie potrafił powiedzieć, dlaczego mechanizm podziału komórek nagle stał się chaotyczny i zasiał taki zamęt w jej czaszce.

□

Blada Constance schowała zdjęcie z powrotem do teczki, włożyła skórzaną kurtkę i wyszła do ogrodu.

Było jeszcze zupełnie ciepło. Lekki świeży wietrzyk poruszał liśćmi drzew. Constance podsunęła w górę suwak kurtki, usiadła na krześle i oparła nogi na starym stole z poszarzałego drewna tekowego. Zwinęła sobie papierosa, patrząc na kolorową fasadę domu. Nad gankiem wisiała markiza z kutego żelaza i dzięki temu budynek wyglądał jak domek lalki.

Constance poczuła, jak do oczu podchodzą jej łzy. Tak bardzo podobał jej się ten ogród z drzewami figowym i morelowym, z żywopłotem z bzu, z forsycjami i glicyniami! Już od pierwszej wizyty z agentem nieruchomości, zanim jeszcze weszła do wnętrza domu, wiedziała, że tutaj właśnie chciałaby mieszkać... i może kiedyś wychować dziecko. To będzie jej kryjówka, miejsce z dala od zanieczyszczonego miejskiego powietrza, od betonu i w ogóle od szaleństwa ludzi.

Zgnębiona niesprawiedliwością życia, rozszlochała się. Mimo że od dłuższego czasu wmawiała sobie, że śmierć tak czy inaczej jest nieuniknioną częścią życia, trzęsła się ze strachu przed nią.

Kurwa, za wcześnie!

Jeszcze nie teraz!

Zachłysnęła się dymem z papierosa.

Umrze sama, jak bezdomny pies. Nie ma nikogo, kto potrzyma ją za rękę.

Sytuacja wydawała się jej surrealistyczna. Nawet nie zatrzymano jej w szpitalu. Oznajmiono jej tylko: „To już koniec. Nie ma żadnego ratunku. Ani chemii, ani radioterapii". Pozostają tylko leki przeciwbólowe i jeśli ona sobie życzy, to może pójść do szpitala. Ona odpowiedziała, że jest gotowa walczyć, ale dano jej do zrozumienia, że jest z góry skazana na przegraną. „To kwestia kilku tygodni, proszę pani".

Diagnoza bez odwołania.

Żadnych perspektyw wyzdrowienia.

▫

Któregoś ranka, dwa tygodnie wcześniej, obudziła się na pół sparaliżowana. Widziała słabo i obraz był zamazany, gardło miała ściśnięte. Zrozumiała, że nie może już pracować, i złożyła wymówienie.

Tamtego dnia naprawdę zrozumiała, co to znaczy strach. Odtąd było z nią raz lepiej, raz gorzej. Czasem czuła się zupełnie odrętwiała i nie umiała skoordynować ruchów.

Innym razem paraliż był słabszy, dając jej poczucie zdrowienia, o którym wiedziała, że jest złudne.

Komórka zawibrowała, informując o poczcie, która nadeszła. Sorbier nie zamierzał zostawić jej w spokoju. Starał się przesłać dokumenty dotyczące tej dwójki Amerykanów. Prawie wbrew sobie Constance otworzyła załączniki i zaczęła czytać dokumenty. Zbieg nazywał się Sebastian Larabee. Jego była żona — Nikki Nikovski. Przez kwadrans Constance studiowała sprawozdanie z ich ucieczki, a potem nagle oderwała oczy od telefonu, jakby złapana na gorącym uczynku. Czy nie miała do roboty czegoś ważniejszego? Czy nie lepiej było wykorzystać tę resztę czasu, która jej pozostała, żeby uporządkować rzeczy, ostatni raz spotkać się z rodziną czy pomedytować nad sensem życia?

*Bullshit!*

Jak wielu policjantów, była uzależniona od swojej pracy. Zasadniczo jej choroba nic w tym nie zmieniła. Potrzebowała ostatniej dawki adrenaliny. A przede wszystkim szukała ucieczki od strachu, który coraz silniej obejmował ją swoimi mackami.

Zdusiła papierosa i zdecydowanym krokiem weszła z powrotem do domu. Wyjęła z szuflady służbową broń, której jeszcze nie zwróciła, sig-sauera, w który wyposażona była policja francuska. Pogładziła kolbę z polimeru półautomatycznego pistoletu i wróciło do niej znajome uczucie spokoju. Wsunęła broń do kabury, chwyciła jeszcze dodatkowy magazynek i wyszła na ulicę.

□

Oddała już służbowy samochód, ale miała jeszcze dwudrzwiowego peugeota RCZ. Była to mała rakieta o sportowym kształcie i dachu z podwójnym garbem, która pochłonęła większą część spadku po babce. Siadając za kierownicą, Constance zawahała się po raz ostatni. Czy była w stanie poprowadzić to ostatnie śledztwo? Czy wytrzyma, czy też padnie sto metrów dalej, otępiała i sparaliżowana? Zamknęła oczy na kilka sekund i głęboko odetchnęła. Potem nacisnęła pedał gazu i zabrzmiał dwustukonny silnik. Jej ostatnie wątpliwości się rozwiały.

# 30

Ruch był płynny.

Za kierownicą swojego dwudrzwiowego samochodu Constance Lagrange jechała w kierunku Montmartre'u.

Przed chwilą rozmawiała przez telefon z Botsarisem. Porucznik nie czekał na nią z rozpoczęciem śledztwa. Według niego karta kredytowa Sebastiana Larabee została użyta wczesnym popołudniem w bankomacie na place Pecqueur.

Constance dobrze znała ten ocieniony skwer między avenue Junot a Lapin Agile, o dwa kroki od turystycznego Montmartre'u.

Dziwne miejsce na kryjówkę, pomyślała, wyprzedzając jakiś skuter.

Gdzie mogli się ukryć ci Amerykanie? Czy w grę wchodziła jakaś melina? Squat? Chyba raczej jakiś hotel...

Zadzwoniła do Botsarisa, żeby się upewnić, że dał ogłoszenie o poszukiwaniu amerykańskiej pary w korporacjach taksówkowych i wypożyczalniach samochodów. Oczywiście już to uczynił, ale jak na razie nie było żadnych konkretnych rezultatów, informacje nadchodziły bardzo powoli.

— Czekam także na film z kamer przemysłowych z Roissy! — rzuciła i rozłączyła się, po czym wpisała do GPS-u w swoim iPhonie dane place Pecqueur, żeby zdobyć listę hoteli znajdujących się w pobliżu. Było ich zbyt dużo, żeby zająć się każdym indywidualnie.

Postanowiła spróbować na chybił trafił. Le Relais Montmartre, znajdujący się przy rue Constance.

Ulica nosząca to samo imię co ona.

Wierzyła w znaki, w zbiegi okoliczności, w synchronizację działań i w szczęście.

To by jednak było zbyt piękne, pomyślała, stając w drugim rzędzie zaparkowanych przed hotelem samochodów.

Faktycznie nadzieja okazała się płonna. Dziesięć minut później wyszła z hotelu z niczym. Z rozpędu odwiedziła wszystkie hotele aż do Timhotelu na place Goudeau, gdyż wydawało jej się, że to miejsce może przypaść do gustu Amerykanom. Znów klęska. Zbyt oczywiste.

Kiedy szykowała się do wyjścia, odebrała telefon od Botsarisa.

— Posłuchaj, szofer z LuxuryCab mówi, że zabrał państwa Larabee dziś rano z lotniska i zawiózł do Grand Hôtel de la Butte! To niedaleko place Pecqueur! Pasuje!

— Nie ciesz się zbytnio, Botsaris.

— Czy wysłać ekipę na miejsce, pani kapitan?

— Nie, zostaw to na razie mnie. Najpierw pójdę się czegoś dowiedzieć. Zawiadomię cię, co się dzieje.

Constance zawróciła rue Durantin i dotarła do rue Lepic, a potem do avenue Junot. Wjechała w małą ślepą uliczkę, na której znajdował się hotel. Brama z kutego żelaza była otwarta, wyjeżdżali ogrodnicy. Constance skorzystała z okazji i wjechała na teren posesji incognito. Dwudrzwiowy RCZ posuwał się ścieżką, która przecinała ogród, i zaparkował przed wielką białą budowlą.

Wbiegając po schodkach, Constance przeszukała kieszenie, żeby znaleźć swoją odznakę policyjną, przepustkę, która otwierała wszystkie drzwi.

— Kapitan Lagrange, BNRF! — przedstawiła się.

Recepcjonistka nie była zbyt rozmowna. Constance musiała uciec się do gróźb, żeby w końcu uzyskać kilka informacji. Tak, Sebastian Larabee i jego żona faktycznie przebywali u niej w hotelu, ale godzinę temu wyszli.

— Pani utrzymuje, że zarezerwowali ten pokój tydzień temu?

— Absolutnie! Zrobili to na naszej stronie internetowej.

Constance poprosiła, żeby jej pokazano ich pokój. Kiedy prowadzono ją do apartamentu, pomyślała, że te okoliczności nie pasują do tego, co przeczytała w dokumentach śledczych. Wcześniejsza rezerwacja nasuwała możliwość premedytacji w działaniach, a tymczasem szczegóły amerykańskiego śledztwa sugerowały, że Larabee opuścili Nowy Jork pospiesznie.

Wchodząc do apartamentu na najwyższym piętrze, policjantka aż zachłysnęła się wspaniałą, wyszukaną dekoracją. Żaden mężczyzna nigdy nie zafundował jej weekendu w podobnym miejscu...

Jednak szybko profesjonalizm wziął górę nad jej kobiecą naturą. W łazience znalazła koszulę i marynarkę splamione krwią, a w salonie walizkę i torby z największych markowych sklepów.

Coraz bardziej dziwne...

Wygląda na to, że czują się tak, jakby byli w podróży poślubnej, a nie jakby uciekali na koniec świata, pomyślała.

— Jak byli ubrani, gdy wychodzili?

— Nie pamiętam — odpowiedziała recepcjonistka.

— Żartuje sobie pani ze mnie?

— Mieli na sobie stroje wieczorowe.

— I nie ma pani pojęcia, dokąd poszli?

— Nie wiem.

Constance przetarła powieki. Była pewna, że kobieta kłamie. Potrzeba by więcej czasu, żeby jej rozwiązać język, a właśnie czasu brakowało.

Pozostała metoda Brudnego Harry'ego... Przecież od zawsze marzyła, żeby ją zastosować. A więc teraz albo nigdy.

Wyciągnęła sig-sauera z kabury, złapała kobietę za szyję i przyłożyła jej lufę do skroni.

— Dokąd poszli?! — ryknęła.

Przestraszona recepcjonistka zamknęła oczy. Szczęki jej drżały.

— Poprosili mnie... Poprosili mnie o plan Paryża — wyjąkała.

— Dokąd zamierzali pojechać?

— Chcieli się dostać na gare du Nord. A potem chyba na pont de l'Alma.

— Na pont de l'Alma?

— Nie jestem pewna... Mówili coś o kolacji na statku... Myślę, że mieli jakąś rezerwację na dzisiejszy wieczór.

Constance zwolniła uścisk i wyszła z recepcji. Na schodach zadzwoniła do Botsarisa. Ta historia z kolacją na statku spacerowym kursującym po Sekwanie wydała jej się zaskakująca. Jednakże na pewno nie należy pozwolić Amerykanom wsiąść do pociągu. Z gare du Nord łatwo było dostać się do Anglii, Belgii i Holandii.

Usłyszała sekretarkę automatyczną w telefonie kolegi i nagrała wiadomość:

— Zadzwoń do kolegów z północnego rejonu Paryża i daj im rysopis tych Larabee, nakaż zwiększyć kontrolę pociągów wyjeżdżających za granicę. Dowiedz się też, która kompania statków spacerowych mieści się przy pont de l'Alma, oraz sprawdź, czy mają rezerwację dla pary Amerykanów. I pospiesz się!

Kiedy wróciła do samochodu, zauważyła, że właścicielka hotelu obserwuje ją przez okno w pokoju Larabee. Najwyraźniej odzyskała pewność siebie, bo krzyknęła z wściekłością w kierunku Constance:

— Proszę nie myśleć, że ujdzie to pani płazem! Powiadomię o zajściu pani szefów i złożę na panią skargę. To pani ostatnie śledztwo, pani kapitan!

Wiem o tym, pomyślała Constance, siadając za kierownicą.

# 31

Wciąż być w ruchu.

Nie zatrzymywać się, nie przystawać, nie wahać się.

Nikki na wysokich obcasach i w wieczorowej sukni nie pasowała do nerwowej atmosfery panującej na gare du Nord.

Już przy wejściu na dworzec wpadli w gęsty tłum. Mieli wrażenie, że fala ludzka ich unosi. Od razu poczuli puls dworca i popłynęli z tłumem. Wydawało im się, że zostali pożarci, a następnie strawieni przez wielki burczący brzuch.

Z kwitem z przechowalni w dłoni Sebastian rozglądał się zagubiony. SNCF, RATP, Eurostar, Thalys... Gare du Nord był wieloramienną platformą, która obsługiwała malowniczy tłum: ludzi pracujących, którzy wracali po pracy do domów na przedmieściu, zagubionych turystów, spieszących się biznesmenów, bandy wyrostków, śpiących przed witrynami sklepów bezdomnych, patrole policji...

Mnóstwo czasu stracili na poszukiwanie automatycznych szafek przechowalni, które znaleźli w końcu na pierwszym poziomie podziemia, między peronem a wypożyczalnią samochodów. Był to ponury lokal, bez okien, słabo oświetlony. Długi labirynt, w którym pachniało niewietrzoną szatnią szkolną.

Chodząc pomiędzy szarymi szafkami, sprawdzali wciąż trzy numery na kwicie. Pierwszy oznaczał rząd, drugi — numer szafki, wreszcie trzeci — kombinację konieczną do otworzenia stalowego zamka.

— To tu! — wykrzyknęła Nikki.

Sebastian wybrał pięć cyfr na metalowej klawiaturze. Pociągnął za drzwiczki i z przestrachem zajrzał do środka.

▫

W szafce był plecak z bladoniebieskiego płótna z napisem *Chuck Taylor*.

— To Jeremy'ego! Poznaję go! — wybuchnęła Nikki.

Otworzyła torbę, która okazała się pusta w środku. Wywróciła plecak na drugą stronę, bez rezultatu.

— W środku chyba jest kieszeń...

Nikki kiwnęła głową. Spiesząc się, nie zauważyła nylonowej podszewki przyszytej z tyłu plecaka. To ostatnia szansa. Drżącymi palcami pociągnęła za suwak i zobaczyła...

— Klucz...

Przypatrzyła się błyszczącemu przedmiotowi i podała go Sebastianowi. Był to metalowy klucz z wywierconymi dziurkami. Co mógł otwierać?

Nagle poczuli się zniechęceni, ktoś najwyraźniej bawił się z nimi, posyłał dalej i dalej, za każdym razem mieli nadzieję, że wreszcie trafią na ślad syna, i za każdym razem nadzieja okazywała się płonna. Gdy zbliżali się do celu, cel się oddalał.

Ale załamanie trwało krótko. Pierwsza otrząsnęła się Nikki.

— Nie ma co tutaj tracić czasu — rzuciła, spoglądając na zegar na ścianie. — Jeśli spóźnimy się na statek, odpłynie bez nas.

# 32

Od trzech kwadransów Constance Lagrange biegała po gare du Nord w towarzystwie grupy strażników kolejowych. Wzmożono straż na stacji, ale Larabee znikli. Może po prostu zrezygnowali z podróży na widok tylu policjantów.

Chyba że nie mieli zamiaru wyjeżdżać.

Zawibrowała komórka Constance. To był Botsaris.

— Wiem, dokąd poszli — rzucił do słuchawki jej podwładny. — Mają rezerwację na dwudziestą trzydzieści. Kompania Paryskich Statków Spacerowych.

— Drwisz sobie ze mnie?

— Nie pozwoliłbym sobie, pani kapitan.

— Przecież to bez sensu! Gdybyś był zbiegiem, czy wybrałbyś się na kolację na statku pływającym po Sekwanie?

— No, raczej nie!

— Zaczekaj, nie rozłączaj się!

Constance przeprosiła chłopców ze straży kolejowej, zalecając im wzmożoną uwagę, i poszła w kierunku parkingu.

— Botsaris? — podjęła rozmowę.

— Słucham, pani kapitan!

— Czekam na ciebie na pont de l'Alma.

— Mam przyjść z ekipą?

— Nie, zgarniemy ich sami. Tylko ty i ja.

Constance zapięła pasek i spojrzała na zegar na tablicy rozdzielczej samochodu.

— Czy zdążymy ich złapać, zanim odpłyną?

— Mogę zażądać od kompanii, żeby poczekali.

— Nie, jeśli zauważą, że statek ma opóźnienie, mogą się przestraszyć i nam uciec.

— Uprzedzić na wszelki wypadek brygadę rzeczną?

— Nie uprzedzaj nikogo, tylko czekaj tam na mnie, zrozumiałeś?

# 33

Taksówka pojechała avenue Montaigne i wysadziła Nikki i Sebastiana tuż przed pont de l'Alma. Zapadła już noc, ale było jeszcze dość ciepło. Po przygodach na boulevard Barbès i na gare du Nord Sebastian poczuł prawdziwą ulgę na widok bardziej uspokajającego Paryża, czyli znanej mu części miasta, tej znad brzegów Sekwany, z oświetloną wieżą Eiffla.

Dotarli pieszo na nabrzeże na prawym brzegu Sekwany, które prowadziło ku pont des Invalides. Port de la Conférence, osłonięty kasztanowcami, był główną przystanią floty rzecznej Kompanii Paryskich Statków Spacerowych.

Najpierw spostrzegli statki wyrzucające na nabrzeże wielkie grupy turystów udające się w kierunku autobusów wycieczkowych. Szybko je minęli i doszli do miejsca zarezerwowanego dla statków-restauracji.

— Wydaje mi się, że to tutaj! — rzuciła Nikki, pokazując palcem wielki oszklony statek z piętrowym pokładem.

Podeszli do przystani, gdzie stał zacumowany *L'Amiral*, i podali nazwiska hostessie, która przywitała ich i wręczyła składany kartonik.

— Odpływamy od razu! — dodała, prowadząc ich do stolika.

Pokład był cały oszklony i stało na nim około stu stolików. Panował romantyczny nastrój. Światła przyćmione, sufit z dyskretnymi lampeczkami, parkiet ciemny, na stolikach lampki ze światełkami migoczącymi niby płomienie świeczek — zrobiono wszystko, żeby stworzyć intymny nastrój, nawet krzesła zostały ustawione w taki sposób, że zmuszały partnerów do siedzenia obok siebie. Nikki i Sebastian, których miejsca znajdowały się tuż przy oknie, przez chwilę poczuli się zakłopotani tą nagłą bliskością. Sebastian spuścił oczy i zaczął przeglądać menu, które obiecywało „dania pełne inwencji o subtelnych smakach, doskonale dobrane przez naszego szefa kuchni, skomponowane z najświeższych produktów".

Akurat!

— Witamy państwa! — powiedziała kelnerka, z ogromną fryzurą afro, zawiniętą w chustkę.

Otworzyła butelkę clairette de die, umieszczoną w kubełku z lodem, i nalała im dwa kieliszki, po czym stanęła, gotowa przyjąć zamówienie.

Sebastian z wyższością przebiegł wzrokiem menu. Co za, można powiedzieć, groteskowa sytuacja! Nikki przez grzeczność udała, że wczytuje się w spis potraw, i wybrała dla nich dwojga. Kelnerka wprowadziła zamówienie do elektronicznego terminalu i życzyła im przyjemnego wieczoru.

Statek był pełen Amerykanów, Azjatów i Francuzów przybyłych z prowincji. Niektórzy pewnie fetowali swój miodowy miesiąc, inni rocznicę ślubu, wszyscy byli szczęśliwi, że się tu znaleźli. Przed nimi siedziała jakaś para z Bostonu z dwojgiem dzieci, wymieniająca jakieś żarciki zrozumiałe tylko dla nich. Z tyłu jacyś Japończycy szeptali sobie na ucho wyznania miłosne.

— Umieram z pragnienia! — cicho powiedziała Nikki i wypiła jednym haustem kieliszek musującego wina, po czym nalała sobie drugi.

— To nie szampan, co prawda, ale zupełnie niezłe wino.

Nagle zawarczały turbiny. Lekki zapach ropy uniósł się nad wodą i statek wypłynął spod pont de l'Alma, ciągnąc za sobą sznur białych ptaków.

Nikki przysunęła się do szklanej szyby i zaczęła wyglądać na zewnątrz. Był wczesny wieczór i na Sekwanie panował duży ruch: obok siebie sunęły barki towarowe, szybkie motorówki, łodzie brygady rzecznej czy strażaków. Przed ogrodami Trocadéro statek minął mały port, którego brzegi przysłaniały platany i topole. Czasami właściciele jachtów, którzy jedli kolację na pokładzie, podnosili kieliszki w kierunku ich statku, z którego oddawano im przywitanie tym samym gestem.

— Proszę państwa, oto przystawka: pasztet z gęsich wątróbek z Landes z konfiturą z prowansalskich fig.

Sebastian, z początku nieprzekonany, w kilku kęsach przełknął całe danie. Nie miał prawie nic w ustach od czasu, gdy zjadł okropną marynowaną surową rybę kupioną poprzedniego dnia pod szkołą Jeremy'ego. Nikki również nie pogardziła pasztetem. Grzanki były nieco zbyt chłodne, a porcja sałatki maleńka, lecz wszystko szybko znikło w jej ustach i uciszyło burczenie w brzuchu. Jednym haustem wypiła cały kieliszek bordeaux.

— Mimo wszystko uważaj z piciem — powiedział zaniepokojony Sebastian, zauważywszy, że Nikki jest przy czwartym kieliszku tego wieczoru.

— Jak zwykle psujesz dobry nastrój...

— Czy mam ci przypomnieć, że szukamy naszego syna i że mamy do rozwiązania skomplikowaną zagadkę?

Nikki wzniosła oczy do nieba, ale jednak wyjęła z torby kluczyk, który odebrali w przechowalni bagażu. Obejrzeli ten kluczyk bardzo dokładnie. Nie znaleźli niczego, co zwróciłoby ich uwagę. Na obrączce wytłoczony był napis *ABUS Security*. Był to jedyny i niewielki ślad, którym dysponowali.

Sebastian westchnął głęboko. Ta gra go męczyła. Cały czas żył w stresie, a kolejne zagadki, które napotykali na swojej drodze, uniemożliwiały mu nabranie dystansu do całej sprawy. W kilka godzin dostał prawie paranoi: przyglądał się każdemu kelnerowi, każdemu pasażerowi jak potencjalnemu porywaczowi i wszystko wydawało mu się podejrzane.

— Spróbuję coś ustalić! — rzuciła Nikki, wyjmując komórkę.

Sebastianowi ukradziono komórkę, ale ona wciąż miała swoją. Włączyła przeglądarkę internetową i wpisała słowa „ABUS Security" w Google. Już pierwsze strony odsyłały ją wszystkie do tego samego serwisu. ABUS było niemiecką marką specjalizującą się w ochronie, produkującą między innymi kłódki, urządzenia zabezpieczające przed kradzieżą, zamki i systemy monitoringu.

Ale jaki może być związek między tym kluczem a ich wycieczką po Sekwanie?

— Proszę o uśmiech! *Smile for the camera! Lächeln für die Kamera!* 笑ってください!

Oficjalny fotograf kompanii podchodził do każdego stolika, unieśmiertelniając pary wszystkich narodowości.

Sebastian oczywiście nie życzył sobie zdjęcia, ale paparazzi poliglota się upierał.

— *You make such a beautiful couple!*

Westchnął więc i żeby nie robić skandalu, zgodził się na zdjęcie z byłą żoną i przybrał nerwowy uśmieszek.

— *Cheese!* — poprosił fotograf.

Odpierdol się, pomyślał Sebastian.

— *Thank you! Be back soon!* — obiecał fotograf, podczas gdy kelnerka zbierała nakrycia.

Przepływali pod metalową konstrukcją na kolumnach napowietrznego metra Bir-Hakeim, której kontury odbijały się na tle nocnego nieba.

Na statku powoli atmosfera się ocieplała. Wewnętrzny długi drewniany kontuar otaczał podwyższone podium do tańca, na którym skrzypek, pianista i sobowtór Michaela Bublé wykonywali teraz kilka standardowych piosenek: *Les Feuilles mortes, Fly Me to the Moon, Mon amant de Saint-Jean, The Good Life...*

Pasażerowie nucili melodie pod nosem, a *L'Amiral* tymczasem podpływał do brzegów l'Île aux Cygnes. Przy każdym stoliku zamontowano mały ekran pełniący rolę przewodnika turystycznego, na którym pojawiały się kolejno informacje i anegdoty związane z każdym obiektem historycznym mijanym przez statek. Nikki wyregulowała napisy, żeby pojawiła się wersja angielska.

> Na brzegu L'Île aux Cygnes znajduje się słynna replika nowojorskiej Statuy Wolności. Czterokrotnie mniejsza od swojej kuzynki, spogląda w stronę Stanów Zjednoczonych, symbolizując przyjaźń Francji z Ameryką.

Gdy przypłynęli do sztucznej wyspy, statek zatrzymał się na kilka chwil, żeby pasażerowie mogli zrobić zdjęcia, po czym zawrócił i popłynął wzdłuż lewego brzegu Sekwany.

Sebastian nalał sobie wina.

— To nie jest Gruaud-Larose, ale całkiem niezłe! — powiedział do Nikki.

Uśmiechnęła się do niego, rozbawiona. Sebastian mimo wszystko poddał się miłemu nastrojowi panującemu na statku i pięknym widokom.

Statek sunął powoli pod mostami Suffren i Bourdonnais. Łuki obu mostów tworzyły szeroki pałąk wiszący nad wodą. Karuzele i promenady zajmowały całą przestrzeń nabrzeża aż do wieży Eiffla. Nawet ludzie bardziej zblazowani od Sebastiana nie mogli nie uznać tego miejsca za prawdziwie bajkowe. Jedzenie było średnie, wokalista bardziej niż średni, ale magia Paryża zwyciężała wszystko.

Sebastian wypił łyk bordeaux, patrząc na rodzinę z Bostonu, która siedziała przy stoliku przed nimi. Była to para mniej więcej w ich wieku, mogli mieć około czterdziestu, czterdziestu pięciu lat. Ich dzieci, może piętnastoletnie, przypominały mu Camille i Jeremy'ego. Słuchając tych ludzi mimo woli, Sebastian zorientował się, że ojciec był lekarzem, a matka uczyła muzyki w konserwatorium. Cała czwórka wyglądała na kochającą się rodzinę: wciąż się obejmowali, klepali po ramionach, wymieniali swoje żarty, tak samo zachwycali się zabytkami.

To moglibyśmy być my, pomyślał Sebastian ze smutkiem. Dlaczego jednym udaje się osiągnąć taki poziom porozumienia, a droga innych najeżona jest konfliktami? Czy ich rozstanie spowodowały tylko zachowanie i charakter Nikki, czy może on też był winien tej katastrofy?

Nikki napotkała błyszczący wzrok Sebastiana i domyśliła się, o czym on myśli.

— To moglibyśmy być my, prawda?

— Tak, my, gdybyśmy się nie rozwiedli...

— To nie różnice między nami były problemem, to sposób, w jaki do nich podeszliśmy. Nie umieliśmy znaleźć porozumienia w sprawie wychowania dzieci, ty nie chciałeś, żebyśmy razem decydowali o ich przyszłości, no i ta nienawiść, którą nagle do mnie zapałałeś...

— Zaczekaj, nie odwracaj ról, bardzo cię proszę! Czy mam ci przypomnieć, dlaczego się w końcu rozstaliśmy?

Nikki skamieniała, widząc, że Sebastian chce wrócić do tej starej bolesnej historii.

— Zapomniałaś pójść po dzieci do szkoły, bo byłaś w łóżku z kochankiem na drugim końcu Brooklynu!

— Przestań! — rozkazała.

— Nie, nie przestanę! — Sebastian podniósł głos. — Bo to prawda! Camille i Jeremy, nie mogąc się ciebie doczekać, wrócili do domu pieszo. Pamiętasz, co się zdarzyło potem?

— To naprawdę nielojalne...

— Camille była dwa dni nieprzytomna, bo potrąciła ją taksówka! — Sebastian w złości nie przestał jej upokarzać. — A kiedy zobaczyłem cię wreszcie w szpitalu, cuchnęłaś alkoholem! To prawdziwy cud, że Camille wyszła z tego bez szwanku! Przez ciebie była o krok od śmierci, i tego nigdy ci nie wybaczę!

Nikki wstała gwałtownie. Musiała przerwać tę rozmowę, to było więcej, niż mogła znieść.

Wciąż trzęsąc się ze złości, Sebastian nie zrobił żadnego gestu, żeby ją zatrzymać. Patrzył, jak odchodzi i schodami wyjeżdża na górny pokład.

# 34

Coupé RCZ zjechało rampą prowadzącą do port de la Conférence.

Constance zaparkowała obok samochodu Botsarisa, który miał na karoserii emblemat policji. Młody porucznik stał oparty o maskę, paląc papierosa.

— Nie mogłeś znaleźć nic bardziej zwracającego uwagę? — spytała Constance. — Trzeba było jeszcze doczepić reflektory i włączyć syrenę!

— Niech pani kapitan się nie denerwuje, zaczekałem, aż statek odpłynie, i dopiero wtedy tu podjechałem.

Constance spojrzała na zegarek. Była dwudziesta pięćdziesiąt pięć.

— Jesteś pewien, że oni są na tym statku?

— Tak. Hostessy zapewniły mnie, że rezerwacja została wykorzystana.

— Może wysłali jakichś wspólników na swoje miejsce. Czy mamy pewność, że to oni?

Botsaris przyzwyczaił się do tego, że jego szefowa była bardzo wymagająca. Wyjął z kurtki dwa zdjęcia. Dwie migawki z filmu zrobionego przez kamerę przemysłową. Wręczył je Lagrange.

Constance zmrużyła oczy. To byli naprawdę Larabee. Ona w wieczorowej sukni, on w ciemnym garniturze. Wyglądali jak dwoje modeli.

— Piękna kobieta, prawda? — zauważył Botsaris, wskazując na Nikki.

Zamyślona Constance nie odpowiedziała. Coś jej tutaj nie pasowało, i bardzo chciała jak najszybciej się zorientować, co to może być.

— Dowiedziałem się już wszystkiego! — oznajmił porucznik. — Wycieczka trwa prawie dwie godziny, ale statek zatrzymuje się na chwilę mniej więcej w połowie. Jeśli wszystko dobrze pójdzie, złapiemy ich za pół godziny.

Constance zamknęła oczy i pomasowała powieki. Do tej pory wszystko szło po ich myśli, ale teraz głowę zaczynała jej rozrywać nagła migrena.

— Czy dobrze się pani czuje?

Otworzyła oczy i kiwnęła głową.

— W biurze wszyscy się o panią martwimy — przyznał podwładny.

— Przecież mówię ci, że nic mi nie jest! — burknęła, podkradając mu papierosa.

Ale oboje wiedzieli, że kłamała.

# 35

Na górnym pokładzie pod gołym niebem, z którego roztaczał się widok na całą Sekwanę, wiał wiatr.

Nikki, zamknięta w sobie, paliła papierosa. Opierając się o burtę, patrzyła na widoczny w oddali majestatyczny pont Alexandre-III, przerzucony przez Sekwanę ogromny łuk, zdobiony pozłacanymi posągami.

Po chwili dołączył do niej Sebastian. Czuła jego obecność za plecami, ale wiedziała, że nie przyszedł z przeprosinami.

— Wiem, że wypadek Camille to moja wina — powiedziała, nie odwracając się. — Ale nie zapominaj o całym kontekście tamtej sytuacji. Między nami było coraz gorzej, kłóciliśmy się właściwie bez przerwy, a ty zupełnie przestałeś zwracać na mnie uwagę...

— Nic cię nie usprawiedliwia! — przerwał.

— A ciebie? Swoje zachowanie wtedy uważasz za usprawiedliwione?! — wybuchła.

Ich podniesione głosy ściągnęły spojrzenia innych pasażerów stojących na górnym pokładzie. Kłótnia jakiejś pary to ciekawy spektakl...

Nikki ciągnęła dalej agresywnie:

— Po rozwodzie całkiem wyrzuciłeś mnie ze swojego życia, mimo że jako para mieliśmy jeszcze szansę, może nie jako para kochanków, ale przynajmniej jako para rodziców.

— Przestań z tym swoim pseudopsychologicznym bełkotem! Albo się jest parą, albo się nią nie jest.

— Nie zgadzam się. Mogliśmy zostać przyjaciółmi. Wielu ludziom to się udaje.

— Przyjaciółmi? Chyba sobie ze mnie żartujesz!

Nikki odwróciła się i popatrzyła na Sebastiana. W jego spojrzeniu widać było zmęczenie, złość, ale widać było również resztkę miłości.

— Nasza historia miała przecież wiele bardzo pięknych momentów — powiedziała Nikki z naciskiem.

— I bardzo wiele bolesnych — odrzekł.

— Ale przyznaj, że nie zachowałeś się jak ktoś dorosły i odpowiedzialny w momencie rozwodu.

— I kto mi to mówi! — rzucił sucho Sebastian.

Nikki ruszyła do ataku.

— Mam wrażenie, że ty sobie nie zdajesz sprawy z konsekwencji swojego zachowania! Rozdzieliłeś nasze bliźniaki! Odebrałeś mi córkę i odciąłeś się od syna! To podłe!

— Sama się na to zgodziłaś, Nikki!

— Bo zostałam do tego zmuszona! Nie miałam innego

wyjścia! Dzięki swoim milionom i armii adwokatów mogłeś mi odebrać oboje dzieci!

Zamilkła, ale po chwili zdecydowała się mu powiedzieć to, o czym do tej pory nie chciała rozmawiać.

— Tak naprawdę nigdy nie chciałeś wziąć do siebie Jeremy'ego, prawda? — spytała cicho.

Sebastian milczał.

— Dlaczego odrzucasz własnego syna? — ciągnęła, a do oczu podeszły jej łzy. — To dobry chłopak, wrażliwy, delikatny. Wciąż czeka na jakąś pochwałę albo po prostu dobre słowo od ciebie, ale ty jakbyś go nie znał...

Sebastian słuchał tych wyrzutów, zdając sobie sprawę z ich słuszności. Ale Nikki chciała zrozumieć jego postępowanie.

— Dlaczego nigdy nie chciałeś go bliżej poznać?

Zawahał się przez moment, ale w końcu postanowił powiedzieć prawdę.

— Bo to jest dla mnie zbyt trudne.

— Co jest dla ciebie zbyt trudne?

— On jest za bardzo podobny do ciebie. Ma twój wyraz twarzy, śmieje się tak jak ty, tak samo patrzy i mówi. Kiedy patrzę na niego, widzę ciebie. To jest ponad moje siły — przyznał, odwracając oczy.

Nikki nie spodziewała się takiego wyznania. Zaskoczona, wymamrotała:

— Twoja osobista wygoda jest dla ciebie ważniejsza niż miłość do syna?

— Przecież zajmuję się Camille — przypomniał. — Ona jest dojrzała, inteligentna i dobrze wychowana.

— Chcesz znać prawdę, Sebastianie? — spytała Nikki ze łzami w oczach. — Camille to ładunek wybuchowy z nieodbezpieczonym zapalnikiem. Do tej pory udawało ci się nad nią zapanować, ale to już nie potrwa długo. A kiedy ona się zbuntuje, pożałujesz.

Sebastian przypomniał sobie pigułki antykoncepcyjne znalezione w pokoju córki. Zmiękł i objął Nikki ramionami.

— Masz rację, Nikki. Proszę cię, nie kłóćmy się. Bądźmy razem w tych trudnych chwilach. Zmienię swoje zachowanie w stosunku do Jeremy'ego, a ty będziesz mogła widywać Camille, gdy tylko będziesz chciała. Obiecuję ci, że wszystko się zmieni.

— Nie, to za późno! Zło już się stało. Teraz nie da się tego naprawić.

— Nie ma rzeczy nie do naprawienia — powiedział z siłą w głosie.

Kiedy statek przepływał pod łukami pont des Arts i Pont-Neuf, stali przez chwilę objęci.

A potem odsunęli się od siebie.

□

Statek płynął wzdłuż wybrzeży tam, gdzie na quai Saint-Michel stali bukiniści. Minęli l'Île de la Cité, Conciergerie i widoczną z drugiej strony gotycką sylwetkę katedry Notre Dame. Nieco dalej widzieli zarysy eleganckich domów l'Île Saint-Louis, bo noc była jasna.

— Spróbujmy w końcu rozwiązać tajemnicę tego kluczyka — zaproponowała Nikki, zgniótłszy trzeciego papierosa. — Musieliśmy czegoś nie zauważyć. Ten scenariusz musi mieć jakiś sens. Ten klucz na pewno coś otwiera.

Przeszli po górnym pokładzie w jedną stronę, potem w drugą, starając się dostrzec jakąś kłódkę albo zamek. Nic nie znaleźli. Wiatr był bardzo silny i zrobiło się chłodno. Ponieważ Nikki drżała z zimna, Sebastian zarzucił jej na ramiona swoją marynarkę. Najpierw odmówiła, ale on nalegał i wreszcie ustąpiła.

— Spójrz! — krzyknął nagle, pokazując jej rząd metalowych szafek na kamizelki ratunkowe. Było ich sześć, każda z kłódką. Nerwowo zaczęli wsuwać kluczyk do każdej z nich. Niestety, żadna nie ustąpiła.

Cholera!

Nikki, zniechęcona, wyjęła kolejnego papierosa, którego palili na spółkę w milczeniu, oparci o balustradę. Na nabrzeżach ludzka rzeka odgrywała scenki rodzajowe: tu jakaś rodzina wesoło piknikowała, tam obściskiwali się zakochani, para starszych ludzi tańczyła na brzegu, zupełnie jak z filmu Woody'ego Allena. Trochę dalej wałęsali się bezdomni. Kilka bezczelnych chichoczących smarkul pokazywało środkowy palec pasażerom statku, jakiś punk palił długiego skręta. Wszędzie widać było alkohol: litrowe butelki wina, puszki z piwem, flaszki wódki.

— Wracajmy, zmarzłam! — poprosiła Nikki.

Zeszli na wewnętrzny pokład.

W salonie zabawa trwała na całego. Pasażerowie, którzy z początku byli onieśmieleni, teraz śpiewali na głos do wtóru solistce. Jakiś amerykański turysta nawet oświadczył się narzeczonej, klękając przed nią.

Nikki z Sebastianem odnaleźli swój stolik. Najwyraźniej przegapili moment serwowania głównego dania i na talerzu Sebastiana leżał kawałek polędwicy wołowej w zastygłym sosie béarnaise. Na Nikki czekały dwie duże krewetki, walcząc o przewodnictwo z placuszkiem ryżowym. Zaczęli skubać chłodne już dania, gdy podszedł do nich skrzypek i zagrał pierwsze takty piosenki *L'Hymne à l'amour*. Tym razem Sebastian przegonił go bez skrupułów.

— Nalej mi jeszcze wina! — poprosiła Nikki.

— Przestań pić, upijesz się. Zresztą butelka już jest pusta.

— No i co z tego, a może mam ochotę się upić? To moja sprawa! Mój sposób na odreagowanie tego, co nam się przytrafiło.

Nikki wstała i przebiegła wzrokiem po stolikach w poszukiwaniu pełnej butelki. Znalazła jakąś ledwo zaczętą na stoliku przy barze i ją zabrała.

Nalała sobie kolejny kieliszek pod skonsternowanym wzrokiem byłego męża. Rozgniewany, w końcu odwrócił głowę i zaczął wyglądać przez szybę. Teraz statek podpływał do stalowego pont Charles-de-Gaulle. Był to most bardziej nowoczesny od pozostałych, wyglądał jak gotowe wzbić się w niebo skrzydło samolotu. Wkrótce statek oświetlił brzegi mocnymi reflektorami i ukazał niechcący przykre sceny: pod mostem kilku bezdomnych rozłożyło swoje manele, namioty i koksowniki. Ten spektakl wprawił pasażerów w zażenowanie i zepsuł radosny nastrój. To było jak echo tak zwanego syndromu paryskiego: każdego roku ambasady pomagały wrócić do ojczyzny dziesiątkom zszokowanych turystów, których zaskoczyła różnica między romantyczną wizją miasta, pokazywaną na filmach, a trudną rzeczywistością życia w stolicy. Na statku jednak przykry nastrój szybko minął. Motory warknęły i restauracja na wodzie popłynęła dalej w kierunku szklanych wież wielkiej biblioteki, po czym na poziomie Bercy zawróciła i ruszyła w kierunku prawego brzegu Sekwany, ku historycznemu centrum miasta, temu z kartek pocztowych i folderów turystycznych. Muzyka stała się bardziej natrętna i nieprzyjemny nastrój kompletnie wyparował.

□

Kolejny łyk wina.

Najwyraźniej alkohol, mącąc trochę zdolność postrzegania Nikki, wyostrzał jej wrażliwość. Była przekonana, że przegapiła coś ważnego, coś oczywistego. Nie starała się już nawet skoncentrować. To nie racjonalna analiza pomoże jej odnaleźć Jeremy'ego, ale raczej instynkt macierzyński. W sytuacji, w jakiej się znaleźli, inteligencja emocjonalna jest bardziej skuteczna od logicznego rozumowania.

Nie wysilała się więc już, żeby stłumić swoje uczucia, wprost przeciwnie, pozwoliła im wypłynąć na wierzch. Zaczęła płakać, przed oczami przelatywały jej obrazy z przeszłości, mieszając się z teraźniejszością. Musi znaleźć sposób, żeby je zatrzymać w dowolnym momencie, nie dać się ponieść emocjom, ale użyć ich konstruktywnie, żeby odczytać wskazówki do działania.

Nerwowo spojrzała na wodę. Wszystko jej się mieszało. Wspomnienia goniły jedno za drugim, deformowały się i stapiały w obcą treść.

Muzyka stała się bardzo głośna. Ludzie wokół niej wybijali rytm dłońmi. Na parkiecie personel zaczął organizować wspólną zabawę. Kelnerzy i kelnerki wyrzucali nogi w takt jakiejś rosyjskiej melodii.

*Kalinka, kalinka, kalinka maja...*

Nikki wypiła kolejny łyk wina. Mimo gorąca panującego na dolnym pokładzie, miała dreszcze. Migające światła i ten głośny refren spowodowały, że rozbolała ją głowa.

*Kalinka, kalinka, kalinka maja...*

Statek wracał do przystani. Nikki ujrzała przez szybę maszkarony i balkony zdobiące Pont-Neuf, potem sylwetkę pont des Arts, która pojawiła się na horyzoncie. Nikki popatrzyła na kraty konstrukcji tego małego mostka. Błyszczały tysiącem świateł. Zmrużyła oczy i zauważyła dziesiątki, setki, tysiące kłódek, przyczepionych do nich na całej długości mostu.

— Wiem, co otwiera ten klucz! — wykrzyknęła.

Wskazała Sebastianowi na ekran przewodnika wideo na stoliku. Pochyleni nad małym ekranem przeczytali anegdotę dotyczącą tego obiektu:

> Tak jak most Pietra w Weronie i most Łużkowa w Moskwie, pont des Arts stał się od kilku lat ulubionym miejscem zakochanych, którzy przyjeżdżają tutaj zawiesić swoją „kłódkę miłości", jako symbol niezniszczalnego uczucia.
> Teraz jest to już rytuał: zakochana para zawiesza swoją kłódkę na kracie, wyrzuca przez ramię klucz do Sekwany i przypieczętowuje swój związek pocałunkiem.

— Musimy natychmiast wysiąść!

Spytali kierownika sali, kiedy jest następny postój, i ten powiedział im, że za niecałe pięć minut, przy pont de l'Alma.

Podekscytowani, podeszli do balustrady, gotowi wejść na pomost, gdy tylko statek przybije do brzegu.

*L'Amiral* przepłynął przed fasadą Luwru i przystankiem Champs-Élysées, po czym zatrzymał się na poziomie pont de l'Alma.

Kiedy spieszyli do wyjścia, Nikki pociągnęła Sebastiana za rękaw.

— Uwaga! Gliny!

Sebastian popatrzył na nabrzeże. Jakaś kobieta w skórzanej kurtce i młody facet o sportowej sylwetce przygotowywali się do wejścia na pokład.

— Tak myślisz?

— To policjanci, mówię ci! Popatrz!

Z daleka zauważyli peugeota 307 z kolorowym emblematem francuskiej policji.

Sebastian napotkał spojrzenie policjantki. Policjanci zrozumieli, że zostali odkryci, i rzucili się biegiem w kierunku kładki.

Nikki i Sebastian zawrócili. W biegu na górny pokład Sebastian chwycił z jakiegoś stolika nóż, którym ktoś musiał kroić zbyt wysmażony befsztyk.

# 36

Kiedy Constance Lagrange napotkała spojrzenie Sebastiana, zorientowała się, że ona i Botsaris zostali zdemaskowani. Wyjęła pistolet i wycelowała go w powietrze, przyciskając ramiona do ciała.

— Tylko nie strzelaj bez potrzeby! — rozkazała Botsarisowi, kiedy weszli do recepcji.

Niektórzy z pasażerów na widok broni zaczęli krzyczeć w panice. Policjanci, przelatując przez salę restauracyjną, przewrócili po drodze kilka stolików. Za zgodą szefowej Botsaris wbiegł pierwszy na schody prowadzące na górny pokład, ale nie mógł otworzyć stalowych drzwi.

— Zablokowali zamek! — wykrzyknął.

Constance się wycofała. Zauważyła drugie wyjście z tyłu statku. Był to trap prowadzący na górę. W trzy sekundy znalazła się na górnej platformie. Z daleka zobaczyła Sebastiana, który przez drzwi wahadłowe dostał się do sterówki i groził nożem kapitanowi, nakazując mu odpłynąć z przystani. Zrobiła kilka kroków do przodu, ale zaczekała, aż poczuje z tyłu obecność Botsarisa, żeby wycelować w uciekiniera.

— Ręce do góry! — krzyknęła w momencie, gdy statek nabierał prędkości.

Na chwilę straciła równowagę, ale oparła się o ramię podwładnego. Zmrużyła oczy. Amerykanin wszedł już do wnętrza sterówki i starał się namówić byłą żonę, żeby zaraz do niego dołączyła.

— Złap się mnie, Nikki!

— Nie, nie dam rady!

— Nie mamy innego wyjścia, kochanie!

Constance zobaczyła, jak Sebastian chwyta żonę za rękę i wciąga ją siłą do umieszczonej u góry małej kabiny.

Jeszcze raz zawołała „Ręce do góry!". Bez rezultatu. Miała go na celowniku, ale się wahała.

Co oni chcieli zrobić? Pont d'Iéna był jeszcze daleko. Statek podpływał do passerelle Debilly, mostu dla pieszych, który łukiem nad Sekwaną łączył avenue de New-York z quai Branly.

Chyba nie zamierzają złapać się przęseł?

Pomost dla pieszych w porównaniu z pozostałymi mostami zawieszony był dość nisko, ale przy pewnej prędkości statku jego wysokość udaremniała podobny manewr lub czyniła go bardzo niebezpiecznym. Constance przypomniały się filmy z dzieciństwa, w których Belmondo dokonywał niezwykłych wyczynów kaskaderskich w Paryżu. Ale Sebastian Larabee to nie Jean Paul Belmondo. To lutnik mieszkający na Upper East Side, który w niedzielę grywa w golfa.

— Mogę mu strzelić w nogi, pani kapitan! — zaproponował Botsaris.

— Nie ma potrzeby. Nigdy nie uda im się tam przedostać. Pomost zawieszony jest zbyt wysoko, a statek płynie dość szybko. Po prostu wpadną do wody. Uprzedź brygadę rzeczną na quai Saint-Bernard. Poproś, żeby nam pomogli ich wyłowić.

Statek zbliżał się nieuchronnie do oświetlonego pomostu. Poza wczepionymi w nabrzeże murowanymi filarami, na których był oparty, pomost był strukturą całkowicie stalową, obudowaną bursztynowym w kolorze drewnem. Tak jak wieża Eiffla należał do prototypów metalowych konstrukcji prowizorycznie postawionych na początku dwudziestego wieku, które przetrwały cały wiek.

Sebastian instynktownie rzucił się do przodu i podskoczył, żeby uczepić się stalowego szkieletu. Nikki zrzuciła szpilki i skoczyła za nim, chwytając go w pasie. Było to jak wyliczona co do sekundy akrobacja cyrkowa. Udana!

Szczęście początkującego...

Constance wskoczyła na dach sterówki, ale było już po wszystkim. Statek minął most i kierował się ku ogrodom Trocadéro.

Zaklęła z wściekłością, patrząc z daleka na dwie sylwetki, które wspinały się na most.

# 37

Trzymając się za ręce, Nikki i Sebastian biegli jak umieli najszybciej po drodze szybkiego ruchu położonej na lewym brzegu Sekwany. Przemknęli między samochodami przejściem, które prowadziło koło musée des Arts premiers i wypadli na rue de l'Université.

— Wyrzuć swoją komórkę i wszystko to, dzięki czemu mogliby wpaść na nasz ślad! — rozkazał Sebastian.

Biegnąc, Nikki wyrzuciła telefon. Kulała. Podczas biegu po barce podarła dolną krawędź sukni i uderzyła prawą stopą o metalową balustradę.

Co robić? Dokąd iść?

Przystanęli, by odpocząć w jakiejś bramie na avenue Rapp. Ścigała ich policja, a więc zostali uznani za przestępców. Cudownym zbiegiem okoliczności udało im się uniknąć aresztowania, ale ile czasu jeszcze będą w stanie uciekać?

Teraz musieli wrócić na pont des Arts, żeby zbadać te tajemnicze kłódki. Nie wolno było im oddalać się od Sekwany, ale musieli bardzo uważać.

Zrezygnowali z metra i z wielkich przelotowych arterii siódmej dzielnicy i szli małymi uliczkami, zawracając na widok jakiegokolwiek munduru i przechodząc na drugą stronę ulicy, gdy tylko zauważyli podejrzane zbiegowisko, więc na miejsce dotarli prawie po godzinie.

□

Mimo jesieni na pont des Arts czuło się zapach lata. Z metalowego pomostu roztaczał się wyjątkowy widok: jednym spojrzeniem można było ogarnąć łukową konstrukcję Pont-Neuf, skwer du Vert-Galant i białe wieże katedry Notre Dame.

Nikki i Sebastian szli powoli mostem. Było jeszcze ciepło, zaskakująco ciepło jak na koniec października. Mnóstwo młodzieży — dziewczyny w krótkich sukienkach, chłopcy w polo czy lekkich marynarkach — stało tu i tam w małych grupach, niektórzy nawet piknikowali na ziemi, dyskutując zawzięcie czy nucąc przy akompaniamencie gitary. Atmosfera była międzynarodowa, a pożywienie zwyczajne: chipsy, sandwicze, pieczone kurczaki, batony czekoladowe.

Niewyobrażalny widok w Stanach Zjednoczonych*, tutaj alkohol pito otwarcie, i to w dużych ilościach. Bardzo młodzi ludzie, niektórym na pewno daleko było do pełnoletniości, wypijali w zawrotnym tempie puszkę piwa za puszką i mnóstwo kieliszków wina. Atmosfera wydawała się przyjemna.

---

* W USA nie sprzedaje się alkoholu niepełnoletnim i nie wolno go spożywać w miejscach publicznych.

Na całej długości mostu po jego obydwu stronach poprzypinane były do balustrady „kłódki miłości". Ile ich mogło być? Dwa, trzy tysiące?

— To niemożliwe... — jęknęła Nikki, wyciągając kluczyk z torebki.

Sebastian ukląkł. Większość kłódek została opisana niezmywalnym flamastrem albo miała napisy wygrawerowane w metalu. Najczęściej były to dwa inicjały lub dwa imiona i data:

T + L - 14 paźdz. 2011
Elliott & Ilena — 21 października

Sebastian uśmiechnął się w myślach. Obietnice wiecznej miłości same w sobie godne szacunku. Spięte klamrą serca kochanków wydawały się nierozerwalnie złączone. Ale na tysiące tych przysiąg ile tak naprawdę wytrzymało próbę czasu?

Teraz Nikki przyklękła, żeby obejrzeć z bliska *love locks*. Wisiały tu w najróżniejszych rozmiarach. Niektóre malowane, inne miały kształt serca i ozdobione były symbolami klasycznych wyznań:

Je t'aime / Ti amo / Te quiero

Inne świadczyły o uczuciach mniej konwencjonalnych:

B+F+A

wręcz „libertyńskich":

John + Kim + Diane + Christine

albo o nostalgii:

Czas mija, a wspomnienia zostają...

albo o zawiści:

Solange Scordelo to stara kurwa.

— Nie traćmy czasu! — zebrał się w sobie Sebastian.

Podzielili pracę między siebie. Sebastian oglądał kłódki i wskazywał Nikki te, które nosiły napis ABUS, a ona próbowała je otworzyć kluczykiem. Zauważyła, że wszystkie daty były stosunkowo świeże, co znaczyło, że aby chronić kratę, merostwo lub prefektura musiały regularnie zdejmować starsze kłódki.

Ale ich akcja wyglądała, niestety, podejrzanie i zwracała uwagę, nie mówiąc już o tym, że była żmudna.

ABUS — ABUS — ABUS — ABUS... Widać, że niemiecka firma, o której nigdy wcześniej nie słyszeli, opanowała rynek kłódek: prawie co druga miała na sobie jej znaczek.

— Nawet gdybyśmy tu siedzieli całą noc, nie uda nam się sprawdzić wszystkich! — jęknął Sebastian w momencie, gdy na most weszło dwóch policjantów.

— Uwaga!

Oboje odruchowo się cofnęli, ale policjanci w mundurach weszli tu chyba tylko po to, żeby zwrócić uwagę bawiącej się młodzieży, że prawo zabrania konsumpcji alkoholu na moście. Młodzi, udając zrozumienie, chowali butelki do toreb, po czym wyjmowali je z powrotem, gdy tylko policja znikała z pola widzenia.

Policjanci wiedzieli o tym, ale nie dysponowali żadnymi prawnymi środkami ani nie dostali odpowiednich instrukcji, żeby wymóc na młodzieży posłuszeństwo. Bardziej chodziło im o to, żeby powstrzymać jakiegoś pijaka przed rzuceniem się do wody. Zaczęli z nim rozmawiać, coś mu tłumaczyć, ale pijak nabluzgał im i zaczął się wyrywać. Jeden z policjantów zdecydował się zadzwonić po posiłki.

— Za dwie minuty będzie tu pełno policji — zaniepokoił się Sebastian. — Zbierajmy się stąd!

— Najpierw musimy znaleźć kłódkę!

— Jesteś uparta jak osioł! Dużo zrobimy, jak nas zamkną!

— Zaczekaj, mam pomysł! Szukaj tylko tych kłódek, które mają jakiś osobisty napis albo malunek, albo dopiętą wstążeczkę.

— Dlaczego?

— Jestem pewna, że musi być jakiś znak.

Zaczęli więc szukać takich kłódek. Niektóre kłódki miały wymalowane barwy klubów piłkarskich: *Viva Barcelona! Viva Messi!*, inne — slogany polityczne: *Yes We Can*, albo preferencje seksualne: wielokolorową chorągiewkę *gay friendly*.

— Chodź, spójrz tutaj!

Na końcu mostu, w połowie wysokości, na wielkiej kłódce błyszczały dwie nalepki. Na jednej widać było skrzypce, a na drugiej słynne hasło *I love New York*, które zdobiło miliony T-shirtów.

Trudno było o bardziej wymowne znaki.

Nikki przekręciła kluczyk. Kłódka się otworzyła.

Nikki chciała obejrzeć ją przy świetle latarni, ale na most już wchodzili policjanci. Sebastian chwycił ją za ramię.

— Spadamy stąd! — rzucił zdecydowanym tonem.

# 38

*Fascynujący świat tatuażu maoryskiego*

Siedzący w swoim biurze bez okna Lorenzo Santos odłożył książkę, w której lekturze był pogrążony przez większą część popołudnia. Dowiedział się mnóstwa interesujących rzeczy, ale żadna z nich nie posunęła śledztwa choć trochę do przodu. Zawiedziony, przetarł oczy i wyszedł na korytarz, żeby kupić sobie coś do picia w automacie.

OUT OF ORDER*

Jeszcze tego brakowało...

Wściekły, walnął pięścią w maszynę. Kartka z zawiadomieniem, że maszyna się popsuła, tylko jeszcze bardziej go wkurzyła.

Czy jest jeszcze coś w tym kraju, co działa, jak należy?

Żeby się uspokoić, postanowił wyjść na podwórko i wrzucić kilka koszy. Brooklyn pogrążał się powoli w wieczornym

---

* Nieczynny.

mroku. Santos spojrzał przez siatkę na zachodzące słońce, które odbijało się od pomarańczowoczerwonego nieba. Wziął piłkę i spróbował zaliczyć pierwszy kosz. Piłka dotknęła metalowej obręczy, zatrzymała się na chwilę i spadła na ziemię.

Coś nie mam dziś szczęścia, pomyślał.

Podobnie było z tym dochodzeniem. Mimo pomocy techników kryminalistycznych niewiele udało się ustalić. W południe dostał co prawda dokładny raport eksperta od analizy krwi. Specjalista komentował bardzo dokładnie zbrodnię, rekonstruując przebieg śmiertelnej bójki. Drake Decker został zabity jako pierwszy, Maorys wyciągnął mu wnętrzności na wierzch, gdyż jego odciski palców znaleziono na nożu bojowym. Maorys zginął jako drugi, zabity przez Sebastiana Larabee kawałkiem stłuczonego szkła. Co do odcisków palców Nikki, to znaleziono je w wielu miejscach, a zwłaszcza na kiju bilardowym, którym wybito oko olbrzymowi, zanim wyzionął ducha.

Ale to wszystko nie tłumaczyło motywów uczestników bijatyki ani nie wyjawiało tożsamości mężczyzny z maoryskim tatuażem. Jego dane nie figurowały w żadnej z policyjnych kartotek. Im bardziej mijał czas, tym bardziej Santos był przekonany, że mimo tego tatuażu mężczyzna nie pochodził z Polinezji. Poprosił o pomoc Keren White, antropolożkę z nowojorskiej policji, która pracowała w trzecim dystrykcie, ale jeszcze nie oddzwoniła. Liczył, że symbolika tego tatuażu coś mu wyjaśni, i dlatego próbował sam go rozgryźć, ale mu się nie udało.

□

Teraz stał i raz za razem celował do kosza. Powoli wracała mu pewność siebie i schodziło z niego napięcie, które wywoływało śledztwo.

Wielokrotnie w swojej karierze wspomagał się intuicją, która odzywała się, kiedy biegał albo grał w kosza. Przy wysiłku fizycznym niektóre elementy śledztwa ukazywały mu się w innym świetle, a te, które pozornie nie miały ze sobą nic wspólnego, nagle się ze sobą łączyły. Może tym razem to również się wydarzy...

Spróbował więc spojrzeć na wszystko pod innym kątem.

A jeśli kluczem do tajemnicy nie była postać Maorysa, tylko Drake'a Deckera?

Co on tak naprawdę wiedział o właścicielu Bumerangu?

Drake był drobnym przestępcą, którego rodzina żyła poza prawem od co najmniej dwóch pokoleń: Cyrius, jego ojciec, odsiadywał dożywocie na Rickers Island, a Memphis, jego młodszy brat, od pięciu lat się ukrywał przed karą wieloletniego więzienia za handel narkotykami. Decker też maczał palce w narkobiznesie i ta jego speluna była w sumie punktem kontaktowym dla różnych mętów, ale miejscowi policjanci przymykali oko na tę stronę jego działalności, bo Drake był cennym informatorem.

Ale jaki może być związek między tym cwaniaczkiem a parą Larabee?

Może Jeremy...

Santos znał syna Nikki. Chłopak go nie lubił, a on odpłacał mu tym samym.

Wrzucił ostatnią piłkę do kosza i wrócił do biura, zdecydowany kontynuować śledztwo w tym kierunku. Wprowadził do komputera oba nazwiska, Drake'a i Jeremy'ego, i nacisnął klawisz „enter". Po kilku sekundach program wypluł rezultat.

Coś ich łączyło!

Było to wydarzenie co najmniej sprzed miesiąca, z pierwszej soboty października. Tego wieczoru Drake został doprowadzony na komisariat wskutek skargi klienta o pobicie i grożenie bronią. Drake został szybko wypuszczony, nie wniesiono oficjalnego oskarżenia.

Co do Jeremy'ego, to był wówczas w komisariacie, zatrzymany za kradzież jakiejś gry wideo z supermarketu.

Kiedy czytało się razem oba raporty policji, okazywało się, że Drake i Jeremy siedzieli przez czternaście minut w tej samej celi.

Czy to było ich pierwsze spotkanie? — zastanowił się Santos, który nagle poczuł pewność, że rozwiązanie problemu tkwiło w odpowiedzi na to pytanie. Coś musiało wówczas zajść między tymi dwoma. Rozmowa? Umowa? Starcie?

Coś w każdym razie na tyle poważnego, że skończyło się trzy tygodnie później rozlewem krwi i dwoma pokiereszowanymi ciałami.

# 39

— Już nie mogę! Wszystko mnie boli! — poskarżyła się Nikki i usiadła na chodniku na rue Mornay.

Sebastian ukląkł przy niej.

— Chyba sobie skręciłam nogę w kostce! — powiedziała, masując stopę.

Sebastian przypatrzył się stawowi. Był napuchnięty i pod skórą zaczął tworzyć się krwiak. Przez dwie godziny ból dał się wytrzymać, ale teraz stał się tak ostry, że bardzo utrudniał chodzenie.

— Odwagi, już prawie jesteśmy na miejscu. Musimy znaleźć kryjówkę, żeby przetrwać noc.

— Czy przynajmniej wiesz, dokąd nas prowadzisz?

Urażony Sebastian spytał Nikki, czy ona ma jakiś plan.

— Nie mam żadnego! — przyznała.

— Więc zaufaj mi!

Podał jej rękę i pomógł wstać, podtrzymał ją i powoli doszli do boulevard Bourdon.

— Czy wciąż idziemy brzegiem rzeki? — zdziwiła się Nikki.

— Prawie — odrzekł Sebastian.

Przeszli przez ulicę i znaleźli się na nabrzeżu z białego kamienia. Nikki wychyliła się nad kamienną balustradą. Długa, ponadpółkilometrowa promenada biegła nad wodą.

— Gdzie właściwie jesteśmy?

— Jesteśmy przy przystani de l'Arsenal. Między kanałem Saint-Martin i Sekwaną.

— A skąd znasz to miejsce?

— Przeczytałem artykuł w magazynie turystycznym w samolocie. Zapamiętałem tę nazwę, bo tak samo nazywa się klub piłki nożnej, któremu kibicuje Camille.

— Może jeszcze stoi tutaj twoja łódź? — spytała Nikki kpiąco.

— Nie, ale możemy coś znaleźć. To znaczy jeśli dasz radę przejść przez tę barierkę.

Nikki popatrzyła na Sebastiana i mimo powagi sytuacji nie mogła powstrzymać uśmiechu. Kiedy oboje byli w takim nastroju, czuła się niezwyciężona. Krata mogła mieć metr pięćdziesiąt wysokości. Wielki napis informował, że wejście do portu jest zamknięte między dwudziestą trzecią a szóstą i że strażnik z psem patroluje teren przez całą noc.

— Jaki to może być pies? Pudel czy pitbul? — spytała żartobliwie, chwytając kratę drzwi.

Z trudnością pokonała bramkę, a Sebastian za nią. Miejsce, zadziwiająco spokojne, liczyło ponad setkę stanowisk z różnymi rodzajami statków: od luksusowych *boat house* do starych łajb. Ich widok przypomniał Nikki kanały w Amsterdamie, które widziała, kiedy pracowała jako modelka.

Szli wzdłuż przystani, przyglądając się uważnie łodziom.

— Dobra, przypominam ci, że nie zamierzamy niczego kupić! — zniecierpliwił się Sebastian. — Chcemy tylko znaleźć miejsce, żeby przez parę godzin się przespać.

— Ta wygląda nieźle, jak myślisz?

— Zbyt luksusowa. Na pewno ma alarm.

— To może ta?

Pokazała palcem mały *tjalk*, holenderską barkę, długą na jakieś dwanaście metrów, wąską i z wyważonym doskonale łukiem dziobu. Sebastian przymrużył oczy. Wszystkie łodzie wokół wydawały się puste. Na szybie okna barki widniał napis „Na sprzedaż". Faktycznie chyba się nadawała... Sebastian wskoczył na pokład i z łatwością, która zdumiała Nikki, silnym kopnięciem wywalił drewniane drzwi sterówki.

— Wygląda, jakbyś robił to całe życie... — orzekła, podchodząc do niego. — Trudno mi uwierzyć, że jeszcze dwa dni temu cyzelowałeś skrzypce w swojej pracowni...

— Sytuacja zmieniła się diametralnie, prawda? Muszę być poszukiwany za morderstwo na dwóch kontynentach, nie mówiąc o ucieczce z miejsca zbrodni, o handlu narkotykami, napadzie na kapitana statku spacerowego...

— Jesteśmy jak Bonnie i Clyde! — roześmiała się Nikki, wchodząc na pokład.

Ze sterówki było przejście do salonu, w którym stały dwie ławki. *Tjalk*, dawna łódź transportowa, został zamieniony w statek spacerowy. Urządzony był skromnie, ale przyjemnie, pod warunkiem że lubiło się styl starego wilka morskiego: flagi korsarskie, makiety statków w butelkach, lampy naftowe, liny...

Z salonu przeszli do sypialni znajdującej się w tylnej kabinie. Nikki sprawdziła, czy pościel nie jest brudna, i padła na łóżko. Bardzo cierpiała z powodu skręconej kostki. Sebastian podsunął jej dwie poduszki jedna na drugiej i pomógł ułożyć na nich nogę, żeby była trochę wyżej.

— Zaraz wracam!

Z przodu barki zauważył małą kuchnię, oddzieloną od reszty zakratowanymi drzwiami. Na szczęście lodówka działała. Wrzucił do plastikowego woreczka cały lód z zamrażarki i wrócił do małego pomieszczenia.

— Ale to zimne! — krzyknęła Nikki, gdy przyłożył lód do spuchniętego miejsca.

— Przestań się pieścić! To zmniejszy opuchliznę.

Prawie natychmiast lód zniwelował też ból. Nikki skorzystała z momentu chwilowej ulgi i sięgnęła do torby po kłódkę.

— Przyjrzyjmy się temu dokładniej...

Metalowy korpusik nie miał w sobie nic szczególnego, z wyjątkiem naklejek i dwóch rzędów liczb, wyciętych jeden pod drugim.

48 54 06
2 20 12

— Och, dość już mam tych wszystkich zagadek à la *Kod Leonarda*! — zdenerwował się Sebastian.

— Może to Dan Brown porwał Jeremy'ego — zażartowała Nikki, żeby rozładować atmosferę.

Taka już była — często uciekała się do żartów w trudnych sytuacjach. Taką miała naturę. Ale Sebastian nie miał dobrego nastroju. Zmroził ją spojrzeniem i powiedział:

— Może to jest numer telefonu?

— Z numerem czterdzieści osiem na początku? Nie sądzę. W każdym razie to nie może dotyczyć ani Stanów, ani Francji.

— Nie wiem, czy się orientujesz, ale są jeszcze inne kraje na świecie.

Zirytowany jej wyskokiem, wyszedł do innej kabiny i pomiędzy zakurzonymi papierami znalazł książkę telefoniczną, którą przyniósł do pokoju.

— Czterdzieści osiem, numer kierunkowy do Polski — wyczytał.

Nikki natychmiast ożywiła się i zaniepokoiła jednocześnie. Polska... Kraj jej pochodzenia...

— Trzeba spróbować tam zadzwonić!

Ale jak mieli to zrobić? Sebastianowi ukradziono telefon, a ona wyrzuciła swój, żeby zmylić pogoń.

— Została moja karta kredytowa. — Zamachała w powietrzu maleńkim plastikowym prostokątem.

Oczy jej błyszczały ze zmęczenia. Sebastian przyłożył dłoń do czoła Nikki. Było rozpalone.

— Spróbujemy zadzwonić jutro rano z jakiejś budki telefonicznej — zdecydował. — Teraz musisz odpocząć.

Wyszedł przez łazienkę, tam znalazł pudełeczko ibuprofenu i dał jedną tabletkę Nikki, która powoli zasypiała, mamrocząc coś pod nosem. Potem włączył maleńki kaloryfer, stojący w nogach łóżka, i zgasił światło. Wyszedł.

□

Lodówka była pusta, z wyjątkiem przeterminowanego jogurtu i dziesięciu butelek piwa Mort Subite. Sebastian otworzył jedną i wyszedł wypić ją na pokładzie.

W porcie panowała cisza. Czuł się, jakby był sam we wszechświecie. Ta enklawa ciszy znajdowała się o kilka kroków od ruchliwego placu Bastylii. Sebastian usiadł na pokładzie i oparł się o drewniany reling. Wyciągnął nogi, wypił łyk piwa i odłożył kłódkę z powrotem do torby Nikki. Zauważył paczkę papierosów, zapalił jednego i skorzystał z okazji, żeby zajrzeć do portfela byłej żony. Jak się spodziewał, znalazł w nim niedawne zdjęcie dzieci. Camille i Jeremy to bliźnięta, jednak mimo że urodzeni tego samego dnia, byli zupełnie różni. Camille należała do klanu Larabee, zaś Jeremy do rodziny Nikovski. Podobieństwo jej do ojca, a jego do matki było uderzające. Camille w niczym nie przypominała swojej matki. Ta ładna dziewczyna buzię miała okrąglejszą, dołki w policzkach, zadarty nos i łagodne rysy. Jeremy odziedziczył po matce cechy polskie. Wysoki i szczupły, był przystojny zimną, jakby niedostępną urodą, miał proste włosy, kształtny wydatny nos i jasne oczy. Z latami coraz bardziej upodabniał się do Nikki, i to Sebastianowi sprawiało przykrość.

Zaciągnął się papierosem, przypominając sobie zarzuty Nikki ze statku. Czy naprawdę egoistycznie stawiał na pierwszym miejscu siebie, a potem dopiero miłość do dzieci? Niewątpliwie nie było tak w stu procentach, ale częściowo Nikki miała rację.

Przez wszystkie ostatnie lata, obrażony na Nikki, że go zdradzała, chciał się na niej zemścić. Powodował nim żal, chciał ją ukarać, kazać jej płacić za klęskę ich związku i za rozstanie. Jednak z pewnością najwięcej krzywdy zrobił dzieciom. Ta decyzja, żeby kompletnie oddzielnie wychowywać i kształcić bliźniaki, była absurdalna i nieodpowiedzialna. Z pewnością czuł to już wcześniej, ale zawsze znalazł jakieś usprawiedliwienie dla siebie.

W świetle księżyca wpatrywał się w zdjęcie syna. Utrzymywali między sobą chłodny dystans, nie umieli się dogadać. Kochał go, oczywiście, ale była to miłość trochę abstrakcyjna, bez ciepła i bez wzajemnego porozumienia.

W wielkiej części to jego wina. Nigdy nie popatrzył na syna serdecznie. Bez przerwy porównywał go z Camille i z tego współzawodnictwa Jeremy nie wychodził zwycięsko. Zbyt szybko przestał ufać synowi. Spisał go na straty. Bezsensownie wyobrażał sobie, że Jeremy mógł go tylko zawieść, tak jak jego matka, do której był tak bardzo podobny.

Ostatnio gdy się widywali, nic ich już nie łączyło. Sebastian wyciągał czasem syna to na wystawę, to na koncert skrzypcowy, ale raczej dlatego, że chciał jeszcze bardziej utwierdzić się w przekonaniu, że chłopak nie interesuje się niczym wartościowym. Było to niesprawiedliwe, bo sam nigdy nie starał się zainteresować go sztuką albo muzyką klasyczną.

Kiedy wraz z Nikki przeszukiwał pokój Jeremy'ego, zaskoczyły go na półkach książki poświęcone filmowi. Pewnie z obawy przed jego sarkastycznymi uwagami syn nigdy nie powiedział mu, że chciałby zapisać się do szkoły filmowej i zostać reżyserem. To prawda, że on jako ojciec nigdy nie dodał mu pewności siebie.

Sebastian skończył piwo, patrząc na kolumnę na placu Bastylii, która błyszczała w nocy.

Odpalił od niedopałka drugiego papierosa i postanowił nie czekać do następnego dnia na zbadanie tropu tego polskiego numeru telefonu. Upewnił się, że Nikki zasnęła, i włożył kłódkę do kieszeni. Potem zeskoczył z pokładu na nabrzeże.

# 40

Czy jest gdzieś jeszcze w Paryżu normalna budka telefoniczna? — zastanawiał się Sebastian, podążając bulwarem nad portem.

Najpierw, kiedy zauważył aluminiowo-szklaną budkę, uwierzył w swoje szczęście, ale trwało to krótko. Wnętrze było zniszczone, słuchawka wyrwana.

Dotarł do placu Bastylii, ale nie został tam długo, bo od razu zauważył, że przed operą stoją dwa autobusy pełne francuskich oddziałów prewencji.

Następna kabina znajdowała się na początku rue du Faubourg-Saint-Antoine, ale ta również nie nadawała się do użytku. Jakiś bezdomny zrobił sobie tam legowisko i spał pod kocami i tekturowymi pudłami.

Sebastian poszedł tą ulicą w kierunku metra. Tuż przed stacją Ledru-Rollin znalazł wreszcie czynną budkę.

Włożył do aparatu kartę kredytową Nikki i wybrał numer wycięty na kłódce.

48 54 06 2 20 12

Dzień dobry. Orange informuje państwa, że nie ma takiego numeru.

Zastanowił się chwilę i przeczytał instrukcję zawieszoną w budce. Jeśli chce zadzwonić za granicę, musi przed numerem kierunkowym danego państwa wstukać dwa zera. Spróbował znowu:

00 48 54 06 2 20 12

Dzień dobry. Orange informuje państwa, że nie ma takiego numeru.

A więc mylili się. Wydawało im się, że rozpoznając kierunkowy numer do Polski, wpadli na właściwy trop, i to ich ucieszyło. A jednak to nie był numer telefonu. To musiało być coś innego.

Ale co?

Wyjmując kartę kredytową z aparatu, Sebastian uległ pokusie zadzwonienia do Camille. W Paryżu była pierwsza w nocy, więc w Nowym Jorku musiała być siódma wieczorem.

Zawahał się.

Po zabójstwie Drake'a i Maorysa na pewno został wysłany za nim list gończy. Telefon córki mógł być na podsłuchu. Ale może nie był na podsłuchu telefon jego matki? Westchnął. Tak czy inaczej policja już wiedziała o tym, że oni są we Francji. Czy taka budka telefoniczna jest łatwa do zlokalizowania? Być może, bo użył karty kredytowej. Nawet z pewnością. Ale to zabierze trochę czasu. Do tej chwili opuszczą już port de l'Arsenal.

Postanowił zaryzykować. Wybrał numer matki w Hamptons. Odebrała po drugim sygnale.

— Gdzie jesteś, Sebastianie? Dziś po południu była tu policja i...

— Nie martw się, mamo!

— Oczywiście, że się martwię! Dlaczego oni mówią, że zabiłeś dwie osoby?

— To skomplikowane...

— Pewnie znów z powodu Nikki, prawda? Wiesz dobrze, że nigdy nie lubiłam tej kobiety! W co ona cię jeszcze wciągnęła?!

— Mamo, porozmawiamy o tym kiedy indziej...

— A Camille? Gdzie ona jest? Policja jej również poszukuje.

Sebastian się przeraził. Ledwo mógł wyartykułować pytanie:

— Camille przecież jest u ciebie, prawda, mamo? Wczoraj po południu wsadziłem ją do pociągu do ciebie.

Serce zaczęło walić mu w piersi. Zanim jeszcze matka otworzyła usta, wiedział już, co mu odpowie:

— Nie, Sebastianie. Camille tu nie ma. Wcale do mnie nie przyjechała.

# Część trzecia

# Tajemnice Paryża

*Już wie, że czas niczego nie leczy. Czas jest tylko oknem, przez które można zobaczyć swoje błędy, bo podobno tylko błędy pamięta się wyraźnie.*

R.J. Ellory *Vendetta*

# 41

Siódma rano.

Zrobiło się chłodniej.

W małym barze u zbiegu rue des Lilas i de Mouzaïa podniosły się metalowe żaluzje. Krzesła jeszcze były założone na stoliki, ekspres do kawy zaczynał się dopiero rozgrzewać, a ciepło jeszcze nie dotarło do wszystkich zakątków sali. Właściciel przybytku, Tony, zdusił ziewnięcie, gdy niósł śniadanie swojej pierwszej klientce.

— Oto śniadanie, pani kapitan!

Constance, która siedziała na kanapie z otwartym laptopem, podziękowała skinieniem głowy. Chcąc się rozgrzać, przyłożyła palce do brzegów filiżanki.

Zawiedziona tym, że jej plan się nie powiódł, przez całą noc siedziała nad sprawą Larabee, słuchając jednym uchem szmerów radia nastawionego na częstotliwość policji. Godzinami analizowała dokumentację w poszukiwaniu jakiegoś znaku, który pozwoliłby jej wrócić na trop Amerykanów.

Nie znalazła nic, ani ona, ani jej koledzy. Chociaż zdjęcia dwojga nowojorczyków zostały rozesłane po całym mieście, nikt ich nigdzie nie zauważył.

Jej szef, Sorbier, wezwał ją wcześnie rano i porządnie objechał. Przyjęła reprymendę spokojnie. Tego, co się stało, nie usprawiedliwiała choroba. Zachowała się niewybaczalnie. Ona, która miała za sobą same sukcesy, zgrzeszyła zbytnią pewnością siebie, nie doceniła przeciwnika, jak naiwna debiutantka. Ciekawy sposób inauguracji służby w stopniu kapitana. Larabee i jego była żona z pewnością mieli szczęście, ale też wykazali się inicjatywą i zimną krwią. Tych cech zdecydowanie jej zabrakło.

Constance była jedyną kobietą w zmniejszonej ekipie śledczych z BNRF. Członkowie tej jednostki często byli porównywani do amerykańskich szeryfów. Była to jednostka elitarna, jedyna w Europie formacja przeznaczona do ścigania ukrywających się kryminalistów.

Constance, która pracowała przedtem w wydziale śledczym, była doświadczoną policjantką. Starała się dostać do tych służb przez całe lata. Wykonywany zawód był jej życiową pasją. Tu zdobyła szlify. Dzięki niej schwytano wielu groźnych przestępców, takich, których czekał wyrok długoletniego więzienia, i takich, którzy w sposób spektakularny z niego uciekli. W większości byli to Francuzi, ale znaleźli się wśród nich również cudzoziemcy, za którymi rozesłano międzynarodowe listy gończe. Constance upiła duży łyk kawy, zjadła kawałek rogalika i zabrała się do pracy. Przegrała pierwszego seta, zgoda, ale zamierzała wygrać drugiego.

Podłączona do Wi-Fi Tony'ego, znalazła kilka dodatkowych informacji w internecie. Pisano tam często o Sebastianie Larabee. Był prawdziwą znakomitością w swoim zawodzie. Kliknęła na link, na którym wyświetlił się portret Sebastiana, zamieszczony dwa lata wcześniej w „New York Timesie". Artykuł nosił tytuł *Mężczyzna o złotych dłoniach*. Pisano tam, że Sebastian był lutnikiem o wyjątkowym uchu, że znał swój zawód nadzwyczaj dobrze i że umiał zrobić wspaniałe skrzypce, które podczas ślepych testów biły na głowę stradivariusy na ich własnym terenie. Larabee wypowiadał się w sposób pasjonujący, zawsze potrafił przytoczyć jakąś anegdotę z historii lutnictwa czy z pełnych namiętności związków, jakie łączyły niektórych skrzypków z ich instrumentami. Do artykułu dołączono sporo zdjęć, między innymi zdjęcie Sebastiana Larabee w jego pracowni, ubranego wyjątkowo szykownie. Patrząc na te zdjęcia, trudno było go sobie wyobrazić w jakiejś brooklińskiej spelunce, podrzynającego gardło dealerowi narkotyków.

□

Constance stłumiła ziewnięcie i zrobiła kilka ruchów rozciągających. Na razie potrafiła utrzymać zmęczenie i paraliż na wodzy. Tak długo jak była zaangażowana w śledztwo, czuła się bezpiecznie, ale musiała się uprzeć, pozostawać cały czas w napięciu, musiała iść do przodu.

Zamknęła oczy, żeby lepiej się skupić. Gdzie Larabee z żoną mogli spędzić noc? Byli ścigani przez policję, koniec więc z komfortem luksusowych hoteli i z obiadami na statkach spacerowych. Wcześniej czy później wpadną. Wcześniej czy później zabraknie im pieniędzy, pomocy, kontaktów. Ucieczka to piekło, zwłaszcza dla tych, którzy nie są zatwardziałymi kryminalistami. Normalnie Constance by się nie niepokoiła. Wystarczyłoby jej spokojnie snuć swoją sieć, jak cierpliwemu pająkowi, i czyhać na pierwsze potknięcie przeciwnika. Intuicja i szczęście to były oczywiście ważne elementy, ale do rozwiązania tego typu spraw dochodziło głównie dzięki cierpliwości i całkowitemu skupieniu się na śledztwie. A więc czas. Czas był najlepszym przyjacielem tych, którzy ścigali uciekinierów. Ale właśnie czasu jej brakowało. Musi złapać ich dziś.

Teoretycznie BRNF mogła prosić o wsparcie inne służby policji i żandarmerii, żeby na przykład zorganizować szybko podsłuch, śledzenie kogoś i mieć natychmiastowy dostęp do wszystkich elementów związanych z dochodzeniem. Jednak sprawy międzynarodowe były trudniejsze. Informacje przekazane przez ojczysty kraj przestępcy często okazywały się niekompletne i napływały bardzo powoli.

Studiując dokumenty, zauważyła, że po stronie amerykańskiej śledztwo w tej sprawie prowadził porucznik Lorenzo Santos z komisariatu w osiemdziesiątym siódmym dystrykcie na Brooklynie. Popatrzyła na zegarek. Była druga w nocy. Za późno, żeby dzwonić do Santosa. Chyba że...

Postanowiła zaryzykować, zadzwoniła do centrali komisariatu i całkiem dobrą angielszczyzną poprosiła o połączenie z numerem wewnętrznym Santosa.

— Santos! — usłyszała w słuchawce piękny głęboki głos.

Ale szczęście!

Ledwo się przedstawiła, gdy Amerykanin poprosił ją, żeby mu powiedziała, co nowego odkryła w tej sprawie. Ten facet okazał się podobny do niej: był myśliwym, który żył tylko dla swojego zawodu. Zmartwił się, gdy powiedziała mu, że państwo Larabee wciąż pozostawali na wolności, i zaczął ją szczegółowo o wszystko wypytywać. Constance skorzystała z tego, żeby przedstawić mu swoją prośbę: chciałaby zbadać ostatnie billingi telefoniczne i wyciąg z konta bankowego Sebastiana Larabee.

— Mam wszystko u siebie — powiedział Santos. — Proszę o oficjalne żądanie na piśmie, wtedy od razu je pani przekażę.

— Potrzebuję ich natychmiast! — sprzeciwiła się.

Żeby ułatwić mu decyzję, podała mu swój adres e-mailowy, ale on rozłączył się, niczego nie obiecując.

Ledwo zdążyła skończyć swój rogalik i zamówić kolejną kawę, gdy sygnał w laptopie zawiadomił ją o nowej poczcie.

Santos nie tracił czasu.

— Masz drukarkę, Tony? — spytała, przegrywając dane do swojego komputera.

# 42

— Nikki, obudź się!

— Mmm...

— Nie budziłem cię, jak najdłużej mogłem, ale teraz musimy już się stąd zwijać...

Sebastian uchylił luk, który chronił kabinę przed światłem dnia.

— Na nabrzeżu jest coraz więcej ludzi — powiedział niecierpliwie. — Znalazłem ci coś, żebyś się przebrała.

Nikki nagle zupełnie się obudziła. Wstała i zrobiła kilka kroków po kabinie.

— Lepiej? — spytał zaniepokojony Sebastian.

Przytaknęła. Opuchlizna z kostki zeszła. Miejsce pozostało jeszcze bolesne, ale teraz ból był do zniesienia.

— Jak to znalazłeś? — spytała na widok ubrań leżących na krześle.

— Podwędziłem z którejś z łodzi. Proszę cię, nie mów, że to nie twój rozmiar i że nie podoba ci się kolor!

Nikki włożyła granatowe dżinsy, sweter z golfem i adidasy. Faktycznie żadna z tych rzeczy nie była w jej rozmiarze. Nie chciała nic mówić, ale nie mogła się powstrzymać:

— Naprawdę myślisz, że noszę rozmiar czterdzieści dwa?

— Nie było wyboru — poskarżył się Sebastian. — Przepraszam cię, powinienem pójść do któregoś z butików na avenue Montaigne.

Chwycił ją za rękę i zeszli z barki.

Było sucho i chłodno. Błękitne niebo przypominało niebo nad Manhattanem.

— Musimy jak najszybciej stąd odejść! Tej nocy użyłem twojej karty kredytowej, żeby zatelefonować. Być może mnie namierzyli.

Kiedy szli rue Saint-Antoine, opowiedział jej o swojej nocnej wycieczce w poszukiwaniu budki telefonicznej, o tym, jak okazało się, że ten niby-polski numer był fałszywym tropem, a przede wszystkim podzielił się wiadomością od matki, iż Camille nigdy do niej nie dotarła.

Gdy Nikki dowiedziała się, że córka również zaginęła, wpadła w panikę. Nie mogła oddychać, musiała się zatrzymać na środku chodnika. Ramię jej zdrętwiało i dłoń zacisnęła się w paroksyzmie bólu. Na jej czole ukazały się kropelki potu, który wkrótce zaczął spływać po szyi. Poczuła wielką gulę w gardle, co utrudniło jej oddychanie i wywołało szybkie kołatanie serca.

— Błagam cię, nie załamuj się właśnie teraz — prosił ją Sebastian. — Oddychaj, staraj się oddychać, Nikki. Uspokój się!

Ale to nic nie dało. Nikki dostała silnego ataku duszności i wyglądało na to, że zaraz straci przytomność. Sebastian rzucił na stół swoją ostatnią kartę.

— Spójrz na mnie, Nikki, uspokój się! Wiem, co oznaczają liczby na kłódce, słyszysz? Odkryłem już, co one oznaczają!

# 43

Nikki potrzebowała odpoczynku, więc mimo grożącego im niebezpieczeństwa usiedli na chwilę w kawiarni przy rue Vieille-du-Temple. Miejsce to, znajdujące się w centrum dzielnicy Marais, mimo wczesnej godziny tętniło życiem.

Sebastian przeliczył monety, które znajdowały się w portfelu Nikki. Poprzedniego wieczoru na gare du Nord wymieniła pięćdziesiąt dolarów, ale zapłacili tym za taksówkę, która zawiozła ich na pont de l'Alma. Zostało im sześć euro, akurat na jedną kawę z mlekiem i grzankę z masłem.

— Masz czym pisać?

Nikki poszukała w torbie i wyjęła wieczne pióro inkrustowane masą perłową. Sebastian rozpoznał swój dawny prezent, ale powstrzymał się od uwag.

Na papierowej serwetce napisał dwa rzędy liczb w taki sposób, w jaki figurowały na kłódce.

48 54 06

2 20 12

— Powinienem wpaść na to wcześniej... — powiedział z żalem. — To było oczywiste!

— Co było oczywiste?

— Stopnie... minuty... sekundy... — wyskandował.

— Dobra, przestań się wygłupiać i wyjaśnij mi, o co chodzi!

— To określone w stopniach, minutach i sekundach położenie geograficzne...

— Przestań się wreszcie wymądrzać!

— Inaczej mówiąc, długość i szerokość geograficzna! — zakończył, pisząc na serwetce:

Szerokość: N 48 54 06

Długość: E 2 20 12

Nikki popatrzyła przez chwilę na liczby i spytała:

— A czemu odpowiada to położenie?

— Tego nie wiem. — Zapał Sebastiana opadł. — Powinniśmy je wprowadzić do GPS-u.

Przez chwilę oboje milczeli.

— Czy czujesz się na siłach ukraść samochód? — spytała nagle Nikki.

Sebastian wzruszył ramionami.

— Myślę, że nie pozostaje nam nic innego.

Wypili kawę do ostatniej kropelki, po czym wstali i skierowali się do drzwi. Kiedy przechodzili przez główną salę, Sebastian spostrzegł pusty stolik, na którym jakiś klient zostawił gazetę. Jego uwagę zwróciło zdjęcie na pierwszej stronie. Rozłożył gazetę przestraszony. Na pierwszej stronie dziennika „Le Parisien" znajdowało się jego zdjęcie! Jakiś filmowiec amator musiał sfilmować scenę „porwania" statku spacerowego. Sebastian patrzył na sylwetkę „przestępcy", jakby to był ktoś inny. Tymczasem to on groził nożem kapitanowi statku. Podpis pod zdjęciem nie pozostawiał żadnych wątpliwości.

TERROR NA ŚRODKU SEKWANY!

Idylliczny wieczór zamienił się w koszmar, gdy para amerykańskich zbiegów wzięła jako zakładnika kapitana statku, na którym jadło kolację dwieście osób. (Zdjęcia i zeznania świadków na stronie trzeciej).

— Kto wie, może kiedyś będziemy z tego żartowali — mruknęła Nikki.

— Obawiam się, że to nastąpi nieprędko. Najpierw musimy odnaleźć nasze dzieci!

□

Szli rue de Rivoli w kierunku place de l'Hôtel-de-Ville.

— Dobrze, od teraz ja kieruję akcją! — rzuciła Nikki.

— Niby dlaczego? Czy jesteś specjalistką od kradzieży samochodów?

— Nie, ale ja też chcę mieć zdjęcie w „Le Parisien".

Stanęli przy przejściu, prowadzącym do merostwa czwartej dzielnicy. Przeczekali kilka świateł. Nikki czatowała na właściwy moment i właściwego kandydata, którym okazał się jakiś pięćdziesięciolatek z lekka wyłysiały i grubawy, siedzący za kierownicą najnowszego niemieckiego samochodu osobowego.

— Ja to załatwię, ale proszę cię, bądź gotów!

Światło zmieniło się na czerwone dla kierowców. Nikki zrobiła obojętny wyraz twarzy, wkroczyła na pasy, zrobiła kilka kroków, po czym nagle odwróciła się i popatrzyła na kierowcę. Jej piękna twarz rozświetliła się wówczas nieoczekiwanie.

— *Hello!* — wykrzyknęła i kiwnęła do niego ręką.

Mężczyzna zmarszczył lekko brwi, odwrócił się, żeby sprawdzić, czy to faktycznie jego woła ta piękna dziewczyna, i wyłączył radio. Nikki podeszła i zatrzymała się przed drzwiczkami.

— *I didn't expect to run into you here!** — powiedziała, patrząc mu w oczy.

Mężczyzna opuścił szybę, przekonany, że chodzi o kogoś innego.

— *I think you have mistaken me for someone else***...*

— *Oh, don't be silly! You mean you don't remember me?****

Światło się zmieniło na zielone.

---

* Ale niespodzianka! Ty tutaj?!

** Chyba pani myli mnie z kimś innym...

*** Żartujesz?! Czyżbyś mnie nie pamiętał?

Mężczyzna się zawahał. Za nim rozległ się klakson. Nie mógł oderwać oczu od dziewczyny, która patrzyła na niego jak na greckiego boga. Od kiedy nikt tak już na niego nie patrzył?

Sebastian obserwował całą scenę z daleka. Wiedział, że Nikki miała do tego talent. Gdziekolwiek weszła, wszyscy patrzyli tylko na nią. Kobiety były o nią zazdrosne, mężczyźni czuli niepokój. Nie musiała nic specjalnego robić, po prostu zjawiała się i już. Jakiś niezauważalny ruch głową, światło w oczach, zapowiedź tej iskry, która łudziła myśliwych, że mają wszelkie szanse na zdobycz.

— Niech pani zaczeka, zaparkuję.

Nikki uśmiechnęła się do niego porozumiewawczo, ale gdy tylko samochód ruszył, dała znak Sebastianowi, żeby włączył się do akcji.

Łatwiej powiedzieć niż zrobić, pomyślał Sebastian, podchodząc do samochodu, który zatrzymał się w małej zatoczce przy place Baudoyer. Mężczyzna wysiadł i zamknął samochód kliknięciem pilota. Sebastian ruszył w jego kierunku i po chwili wpadł na niego z całą siłą.

— Przepraszam pana bardzo! — powiedział, schylając się, żeby podnieść z ziemi kluczyki, które tamtemu wypadły.

Otworzył drzwi przed Nikki, żeby usiadła za kierownicą.

— Wsiadaj! — krzyknęła do niego.

Sebastian stał jak zamurowany, gdyż przestraszył się nagle, że zbyt mocno uderzył mężczyznę, którego jedynym błędem było to, że znalazł się na ich drodze w złym miejscu i w złym momencie.

— Jest mi bardzo przykro... — przeprosił, sprawdzając, czy mężczyzna jest przytomny. — Proszę mi uwierzyć, to siła wyższa, na pewno nie zepsujemy pańskiego samocho...

— Wsiadaj wreszcie! — ryknęła Nikki.

Otworzył drzwi i opadł na siedzenie w ostatniej chwili, a ona zaraz nacisnęła gaz i skręciła w rue des Archives.

□

Kiedy jechali uliczkami czwartej dzielnicy, Sebastian włączył GPS. Szybko zorientował się, jak działa, i wprowadził dane z kłódki.

Szerokość: N 48 54 06
Długość: E 2 20 12

Potem zmienił system format stopnie-minuty-sekundy na format GPS.

Żebym się tylko nie pomylił! — westchnął w myślach, podczas gdy program przetwarzał nowe dane.

Nikki cały czas śledziła drogę, ale też często rzucała okiem na ekran. Nagle punkt przeznaczenia wyświetlił się i zaraz za nim adres: 34 bis, rue Lécuyer w Saint-Ouen!

Nagle ogarnęło ich podniecenie. To miejsce było całkiem blisko. Według nawigacji tylko sześć czy siedem kilometrów stąd!

Nikki przyśpieszyła, gdy minęła place de la République. Ku jakiemu nowemu niebezpieczeństwu zmierzali?

# 44

— Jeszcze jedna podwójna kawa, Tony! — rzuciła Constance.

— Pani kapitan, wypiła pani już trzy kawy!

— No i co z tego?! Nie powinieneś się skarżyć! Ja sama wyrabiam ci połowę obrotu.

— To prawda! — odrzekł właściciel bistra.

— I przynieś mi kawałek chałki.

— Przykro mi, ale mam tylko rogaliki.

— Twoje rogaliki były świeże tydzień temu, więc rusz du...

— Okay, okay, pani kapitan. Nie musi pani być wulgarna. Idę zaraz po bułkę dla pani.

— To w takim razie kup mi też chleb z rodzynkami. I gazetę.

Tony założył kaszkiet i marynarkę. Westchnął.

— Coś jeszcze, pani hrabino?

— Nie mógłbyś podkręcić ogrzewania? Wieje tu chłodem!

Kiedy Tony regulował termostat, Constance ustawiła się za kontuarem ze swoim laptopem.

— Będę pilnowała interesu w czasie twojej nieobecności.

— Da sobie pani kapitan radę, jeśli będzie dużo klientów?

Constance podniosła oczy znad ekranu i popatrzyła po sali.

— Czy widzisz tu jeszcze kogoś oprócz mnie?

Urażony Tony zrobił nadąsaną minę i wyszedł, nie mówiąc nic więcej.

Gdy Constance została sama, zmieniła stację w radiu, żeby posłuchać dziennika na France Info. Pod koniec wiadomości dziennikarka krótko powiedziała coś o zakładniku wziętym poprzedniego wieczoru na barce spacerowej Kompanii Paryskich Statków Spacerowych.

*Wyjątkowo niebezpieczna para uciekinierów jest intensywnie poszukiwana przez policję.*

Faktycznie Constance bardzo się przykładała do tej sprawy. Wydrukowała dokumentację, którą przesłał jej Lorenzo Santos. Teraz zaznaczała i wynotowywała wszystkie rozmowy telefoniczne Sebastiana Larabee i te operacje bankowe, które wydały jej się podejrzane.

To, co powiedziała jej recepcjonistka z Grand Hôtel de la Butte, okazało się prawdą. Sebastian Larabee musiał zarezerwować ten apartament tydzień wcześniej. Ale czy to naprawdę on zrobił ten przelew z banku? Bardzo łatwo było wykraść numery karty kredytowej. Mógł to zrobić każdy z jego otoczenia. Ale w jakim celu? Constance chciała mieć dostęp do wyciągów bankowych i telefonów Nikki Nikovski, ale Santos przekazał jej wyłącznie papiery dotyczące Sebastiana. W pewnym sensie nic dziwnego, bo to przecież Sebastian był przede wszystkim poszukiwany.

Constance uniosła do ust filiżankę, żeby wypić kawę, póki gorąca, ale nagle ją odstawiła. Jedna linijka w wyciągu bankowym Sebastiana przyciągnęła jej uwagę. Był to przekaz PayPal wykonany w zeszłym tygodniu. Dwa i pół tysiąca euro dla Sebastiana. Nerwowo zaczęła przerzucać strony wyciągu bankowego. Santos wykonał pracę do końca: dzięki numerowi transakcji dotarł do źródła pieniędzy. Jakiś francuski bank, oddział BNP z Saint-Ouen, wypłacił pieniądze z konta swojego klienta, antykwariatu Des Fantômes et des Anges.

Constance wpisała tę nazwę w mapę Google. Antykwariat znajdował się pod numerem trzydziestym czwartym bis przy rue Lécuyer w Saint-Ouen, była to firma specjalizująca się w kupnie i sprzedaży książek używanych i rzadkich.

Szybkim ruchem zatrzasnęła laptop, zebrała papiery, włożyła wszystko byle jak do torby i wybiegła z kawiarni.

Trudno, obejdzie się bez słodkiej brioszki...

# 45

Samochód zaczął nawalać na wysokości porte de Clignancourt. Kiedy wjeżdżali na boulevards des Maréchaux, nagle włączyły się światła awaryjne. Nikki nie udało się ich wyłączyć.

— Niemiecka jakość nie jest już taka jak dawniej — zażartował Sebastian, żeby rozładować napiętą atmosferę.

Nikki przyspieszyła i przejechała pod obwodnicą paryską, wjeżdżając na ulice Saint-Ouen. Jechali teraz przez południową część słynnego pchlego targu, ale ten raj amatorów staroci ożywał dopiero w weekend, a o tak wczesnej porze sklepiki z ciuchami i meblami były jeszcze zamknięte. Rzucając okiem na GPS, Nikki wjechała w rue Fabre, która biegła wzdłuż obwodnicy. Gdy mijali sklepy z opuszczonymi żaluzjami upstrzonymi graffiti, nagle w samochodzie włączyła się syrena alarmowa.

— Co się dzieje? — przestraszyła się Nikki.

— Pewnie to auto zostało wyposażone w tracker —

zasugerował Sebastian. — Ja mam taki sam system zabezpieczający w jaguarze. Jeśli ktoś mi go ukradnie, przez nadajnik radiowy mogę na odległość włączyć klakson i światła awaryjne.

— Jeszcze tego nam było trzeba! Wszyscy się na nas gapią!

— Poza tym alarm poda policji położenie samochodu! A to nie jest dobry moment, żeby nas schwytano...

Nikki gwałtownie zahamowała i wysiadła. Zostawili wyjący samochód i prawie kilometr przeszli pieszo, zanim znaleźli się na rue Lécuyer.

□

Ku ich wielkiemu zdziwieniu, numer trzydzieści cztery bis to był... antykwariat! Des Fantômes et des Anges było paryską filią jakiejś amerykańskiej księgarni. Sebastian i Nikki pchnęli drzwi sklepiku z mieszanymi uczuciami.

Gdy tylko przekroczyli próg, poczuli ten charakterystyczny zapach starych książek i przenieśli się do innej epoki: epoki straconego pokolenia i bitników. Gdy patrzyło się z ulicy, antykwariat wydawał się bardzo wąski, ale gdy się weszło do środka, okazywało się, że półki tworzyły wielką bibliotekę, która ciągnęła się na kilkudziesięciu metrach.

Książki były tu wszędzie. Tysiące tomów różnej wielkości zajmowały wszystkie ściany tego dwupiętrowego składu. Ściśnięte na półkach z ciemnego drewna, w stertach sięgających sufitu albo wyłożone na stojakach książki zajmowały wszystkie możliwe miejsca.

Zapach piernika, cynamonu i herbaty wisiał w powietrzu. Panowałaby tu zupełna cisza, gdyby nie dochodzący z daleka jazz. Sebastian podszedł bliżej do półek i przebiegł wzrokiem po autorach: Ernest Hemingway, Scott Fitzgerald, Jack Kerouac, Allen Ginsberg, William Burroughs, ale też Dickens, Dostojewski, Vargas Llosa... Czy była w tym jakaś logika, czy też rządziło tu prawo chaosu? W każdym razie miejsce to miało duszę. Atmosfera przypominała mu trochę jego pracownię lutniczą. Ten sam spokój, to samo wrażenie zawieszenia w czasie, jakby znaleźli się na innej planecie.

— Jest tu kto? — spytała Nikki, wchodząc dalej do sklepu.

W głębi pomieszczenia na parterze wydzielono enklawę poświęconą dziwnym przedmiotom, która była jak wzięta wprost z opowiadań Lovecrafta, Poego czy Conan Doyle'a. Na kilku metrach kwadratowych znajdowały się zielnik, rzeźbione szachy, różne wypchane zwierzęta, mumia i jej maska pośmiertna, erotyczne sztychy i kolekcja skamielin. Wszystko to starało sobie znaleźć miejsce pośród kunsztownie oprawionych dzieł. Nikki podrapała po łebku syjamskiego kota, który przeciągał się w koślawym fotelu. Poddając się nastrojowi panującemu tutaj, dotknęła klawiszy z hebanu i pożółkłej kości słoniowej w starym fortepianie. Czuło się tu jak w innej epoce, bez internetu, tabletów i tanich e-booków. Przypominający muzeum antykwariat nie mógł mieć nic wspólnego z zaginięciem ich syna. Znów się pomylili.

Nagle na piętrze zatrzeszczała podłoga. Nikki i Sebastian jednocześnie popatrzyli do góry. Stary księgarz, trzymając w ręku nożyk do papieru, zszedł po chwiejnych schodach do biblioteki.

— W czym mogę pomóc? — zapytał szorstko.

Był postawny, miał rude włosy i cerę bladą jak ściana, ale emanowało z niego poczucie siły, a jego potężna postura przywodziła na myśl starych aktorów szekspirowskich.

— Musieliśmy się pomylić — przepraszał Sebastian kiepską francuszczyzną.

— Jesteście Amerykanami? — spytał mężczyzna tym swoim zachrypniętym tonem.

Włożył okulary.

— Ależ ja was znam! — wykrzyknął.

Sebastian natychmiast pomyślał o swoim zdjęciu na pierwszej stronie „Le Parisien". Na wszelki wypadek cofnął się i pociągnął dyskretnie Nikki za sobą.

Stary człowiek z kocią zwinnością, która kontrastowała z jego ciężką, wielką postacią, skoczył za kontuar i zaczął szukać czegoś w szufladzie. Wyciągnął zdjęcie i pokazał je Sebastianowi.

— To pan, prawda?

To nie był artykuł z „Le Parisien", ale wyblakłe zdjęcie przedstawiające Sebastiana z Nikki, zrobione w ogrodzie Tuileries na tle widniejącego z tyłu musée d'Orsay. Odwrócił fotografię i przeczytał własne pismo: *Paris, Quai des Tuileries, wiosna 1996*. Zdjęcie wykonane podczas ich pierwszego wspólnego pobytu we Francji. Byli wówczas młodzi, zakochani, uśmiechali się i życie wydawało się wyciągać do nich serdecznie ramiona.

— Gdzie pan znalazł to zdjęcie? — spytała Nikki.

— Niech pani sobie wyobrazi, w tej książce!

— W której książce?

— W książce, którą kilka dni temu kupiłem w internecie — wyjaśnił, kierując się w stronę oszklonej witryny.

Nikki i Sebastian szli krok w krok za nim.

— Zrobiłem bardzo dobry interes — ciągnął księgarz. — Ktoś mi ją zaproponował za mniej niż połowę jej wartości.

Ostrożnie odsunął szybę i wyjął książkę w eleganckiej różowo-czarnej okładce.

— Kolekcjonerskie wydanie *Miłości w czasach zarazy* Gabriela Garcii Márqueza. Podpisane przez autora. Na całym świecie jest tylko trzysta pięćdziesiąt egzemplarzy tej książki.

Sebastian z niedowierzaniem obejrzał książkę. To był prezent, jaki zrobił Nikki po wspólnej nocy spędzonej w maleńkim Hôtel de la Butte-aux-Cailles. Po rozwodzie nie zachował się elegancko, bo kierując się żądzą zemsty, odebrał jej tę książkę, która w sieci była teraz warta kilka tysięcy dolarów. Ale jak dzieło to wylądowało w tym antykwariacie, skoro miał je u siebie, w mieszkaniu na Manhattanie, do tego w sejfie?

— Od kogo pan to kupił?

— Od niejakiego Sebastiana Larabee... — powiedział księgarz, wyciągając notes z kieszeni swetra. — Przynajmniej sprzedawca tak się przedstawił.

— To niemożliwe. Larabee to moje nazwisko, a ja nic panu nie sprzedawałem!

— Jeśli to prawda, to znaczy, że ktoś podszył się pod pana, ale na to ja już nic nie mogę poradzić.

Nikki i Sebastian popatrzyli na siebie z konsternacją. Co za sens miała ta nowa zagadka? W jakim kierunku mają teraz pójść? Nikki chwyciła lupę leżącą na ladzie i przyjrzała się dokładniej zdjęciu. Zachód słońca na purpurowym niebie. Na fasadzie musée d'Orsay widać było dwa wielkie zegary, które wskazywały wpół do siódmej. Czas i miejsce: ogród Tuileries o wpół do siódmej... Może ktoś znów wyznaczał im spotkanie?

Otworzyła usta, żeby podzielić się tą myślą z Sebastianem, kiedy usłyszeli, że ktoś otworzył drzwi księgarni. Spojrzeli na przybysza. Była to blondynka w dżinsach i skórzanej kurtce.

Policjantka, która wczoraj na statku próbowała ich aresztować...

# 46

Des Fantômes et des Anges.

Dziwna nazwa dla antykwariatu, pomyślała Constance, popychając ciężkie kute drzwi. Ledwo postawiła nogę w środku, od razu uderzyła ją liczba książek, które od samego wejścia zakrywały wszystkie ściany, tworząc fascynujący labirynt wiedzy. Podniosła głowę, żeby obejrzeć półki znajdujące się pod sufitem, i zauważyła trzy osoby. Starszy korpulentny mężczyzna w okularach w szylkretowej oprawie, zasłaniających mu pół twarzy, rozmawiał przy ladzie z jakąś parą. Oczy ich się spotkały. Constance ledwo miała czas ich rozpoznać, gdy rzucili się do ucieczki.

To byli Larabee!

Wyjęła broń z kabury i rzuciła się w pościg za nimi. Antykwariat był długi na ponad dwadzieścia metrów. Amerykanie zrzucali po drodze wszystko z półek i przewracali je. Na podłogę leciały meble, witryny, bibeloty, lampy, drabiny, szafy. Constance przeskoczyła nad jakąś kanapą, ale nie udało jej się uniknąć taboretu z masywnego drewna, który Nikki rzuciła w jej kierunku. W ostatniej chwili zasłoniła twarz, żeby uniknąć uderzenia. Taboret walnął ją w ramię tak mocno, że krzycząc z bólu, wypuściła pistolet z dłoni.

— Dziwka! — zaklęła policjantka, podnosząc z podłogi swojego sig-sauera.

W głębi sklepu znajdowały się drzwi wychodzące na małe podwórze, a potem na zaniedbany ogród. Najpierw oboje Larabee, a potem Constance przeskoczyli murek, za którym znajdowała się rue Jules-Vallès. Constance poczuła się pewnie. Teraz zbiegowie znajdowali się na linii strzału.

— Stać! — ryknęła.

Ponieważ para nie zareagowała, policjantka strzeliła w powietrze, żeby ich przestraszyć. Bez rezultatu. Słońce stało już wysoko i oślepiło Constance. Przysłoniła oczy dłonią i zobaczyła, jak para znika za rogiem. Rzuciła się za nimi biegiem, zdecydowana złapać ich za wszelką cenę.

Z odbezpieczoną bronią w ręku i bez tchu wpadła do garażu Pellissier, który znajdował się na rogu rue Paul-Bert. Hangar otwarty na ulicę stanowił parking dla około dziesięciu tuk-tuków, tych trójkołowych motorowerów, popularnych w Indiach i w Tajlandii, które ostatnio rozmnożyły się w stolicy jako spacerowa rozrywka zarówno dla turystów, jak i dla niektórych paryżan. Egzotyczne pojazdy, ustawione jeden obok drugiego, czekały na przegląd, na napełnienie baków benzyną lub na naprawę.

— Natychmiast wyjdźcie na zewnątrz! — wrzasnęła Constance, idąc powoli do przodu z palcem na spuście.

Im głębiej wchodziła do środka hangaru, tym robiło się ciemniej. Wkrótce znalazła się w kompletnych ciemnościach. Potknęła się o skrzynkę z narzędziami i prawie straciła równowagę. Nagle usłyszała motor, odwróciła się, wycelowała w motorower, ale pojazd jechał prosto na nią. Rzuciła się w bok, na ziemię, ale szybko się podniosła. Kobieta prowadząca tuk-tuka wcisnęła pedał gazu do dechy! Tym razem Constance zrezygnowała z ustnych gróźb i strzeliła prosto w przednią szybę, która rozprysła się na drobne kawałki, ale tuk-tuk się nie zatrzymał. Przez mniej więcej dwadzieścia metrów biegła za rozpędzonym pojazdem, ale ten pościg z góry skazany był na porażkę.

Jasna cholera!

Zaparkowała swój samochód przed antykwariatem. Rzuciła się w jego kierunku, wślizgnęła się na skórzane siedzenie i ruszyła z kopyta. Przez krótką chwilę jechała pod prąd, żeby szybko dotrzeć do rue Paul-Bert.

Ani śladu po Amerykanach.

Uspokój się! — upomniała samą siebie w myślach.

Z jedną dłonią zaciśniętą kurczowo na kierownicy, a drugą na dźwigni skrzyni biegów wjechała do tunelu biegnącego prostopadle do obwodnicy, pod nią. Coupé wyłoniło się z niego z wielką prędkością, wjeżdżając z impetem w ulice osiemnastej dzielnicy.

Rozpędzając się na długiej prostej rue Binet, Constance zauważyła z ulgą tuk-tuka daleko przed sobą. Kiedy wjechała na boulevard Ornano, wiedziała, że najtrudniejsze miała za sobą. Siedziała za kierownicą prawdziwej rakiety, podczas gdy motorower posuwał się z prawdziwie ślimaczą prędkością. Nie było wątpliwości, jak skończy się ten pościg!

Zacisnęła dłonie na kierownicy i skoncentrowała się na prowadzeniu. Nie było dużego ruchu, bulwar zbudowany był z rozmachem wielkich haussmannowskich arterii. Constance przyspieszyła, żeby zrównać się z tuk-tukiem. Pojazd przypominał skuter, z tyłu miał siedzenie zasłonięte daszkiem. Nikki siedziała z przodu, podczas gdy Sebastian trzymał się daszku kariolki.

Nie wolno ci stracić zimnej krwi! — nakazała sobie w myślach policjantka.

Zaczęła wyprzedzać trycykl, żeby mu zajechać drogę, ale Nikki nagle skręciła na pas dla autobusów.

Constance zaklęła pod nosem, wracając na swój pas. Szybko nadrobiła dystans, który dzielił ją od tuk-tuka, ale Larabee przejechali przez czerwone światło na skrzyżowaniu przy place Albert-Kahn. Żeby jej nie uciekli, kilkakrotnie wymusiła pierwszeństwo, powodując gwałtowne hamowanie kilku aut i koncert klaksonów.

Dogoniła tuk-tuka na rue Hemel. Była to wąska jednokierunkowa uliczka, przedzielona w wielu miejscach robotami drogowymi. Barierki, kraty, tymczasowe światła, betonowe kloce rozdzielające jezdnię, rusztowania chronione siatkami — wszystko się sprzysięgło przeciwko jej pogoni.

Stojąc w sznurze samochodów, Constance była wściekła, że nie ma syreny ani koguta policyjnego. Zablokowała klakson i przy jego akompaniamencie wjechała na chodnik, żeby uwolnić się z korka. Robotnicy pracujący w tym miejscu rzucili za nią wiązankę przekleństw, ale to nie powstrzymało jej od slalomu pomiędzy wolno posuwającymi się do przodu autami. Naciskała pedał gazu swojego RCZ bez ustanku, żeby tylko jak najszybciej wydostać się z tego wąskiego gardła. Chciała zadzwonić do Botsarisa po posiłki, ale zrezygnowała. Ostra jazda wymagała od niej najwyższego skupienia.

Tuk-tuk prześlizgiwał się tymczasem zgrabnie między samochodami, ale nie miał wystarczającego zrywu, brakowało mu przyspieszenia, więc trudno było mu umknąć szybkiemu peugeotowi. Constance znów zrównała się z nimi. Myślała już, że ich zaraz dopadnie, kiedy zauważyła, że Sebastian zrywa daszek z płótna i metalu.

Nie zamierza chyba... pomyślała ze strachem i w tym samym momencie Larabee rzucił tym daszkiem trycykla w jej przednią szybę.

Uważaj! — zdążyła pomyśleć Constance.

Zobaczyła młodą kobietę pchającą wózek, która wchodziła na pasy. W ostatniej chwili wcisnęła hamulec i szarpnęła kierownicą, żeby jej nie przejechać, co ledwo się udało. Samochód zarzuciło na chodnik i oderwał się zderzak z jednej strony. Zmusiło to Constance do rozpaczliwego manewru i zatrzymania się. Wyszła na jezdnię, zdjęła daszek trycykla, który utkwił za wycieraczkami i kopniakiem urwała drugą część zderzaka, by pojechać dalej.

Ci Larabee coraz bardziej ją wkurzali...

Ale ich zuchwałość ją dopingowała. Był to rodzaj zabawy w kotka i myszkę, w której wydawało się jasne, że to ona wygra: trycykl rozwijał prędkość góra trzydziestu kilometrów na godzinę, nie mógł jej uciekać bez końca. Z nogą na pedale gazu zrównała się z nimi ponownie. Kiedy oba pojazdy wjeżdżały w rue Custine, samochód Constance potrącił tył trycykla dokładnie w chwili, gdy turystyczna ciuchcia kursująca po Montmartrze zbliżała się z ich prawej strony. Nikki straciła kontrolę nad pojazdem i uderzyła w jeden z wagoników. Constance zahamowała i wyskoczyła z samochodu.

Wyjęła pistolet z kieszeni kurtki, chwyciła go obiema rękami i wycelowała w trycykl.

— Wychodzić na ulicę z rękami podniesionymi do góry! — ryknęła.

▫

Tym razem ich miała.

# 47

— Szybko! — rozkazała Constance.

Trzymała sig-sauera w wyciągniętych rękach, celując w Sebastiana Larabee i jego byłą żonę.

Rozejrzała się szybko dokoła. Na pierwszy rzut oka wyglądało, że w turystycznej ciuchci nie ma dzieci. Zderzenie było spektakularne, ale nic się nikomu nie stało. Turysta japoński skarżył się na stłuczone ramię, jakaś kobieta trzymała się za kolano, nastolatek masował sobie szyję.

Ludzie byli tylko trochę poturbowani, ale za to wszyscy wystraszeni.

Więcej strachu niż szkody, pomyślała Constance, wciąż rozglądając się w koło.

Powoli zdumienie i lęk ludzi ustępowały. Ponieważ wszyscy byli szanującymi się wyznawcami kultury cyfrowej, więc wyjęli komórki i zaczęli dzwonić do rodzin, znajomych albo po prostu filmować całe zdarzenie.

To było na rękę Constance. Za niecałą minutę miały przyjechać posiłki, na które czekała.

Ruszyła w kierunku swoich więźniów, wyjmując kajdanki z kieszeni dżinsów. Tym razem nie da im uciec. Jeśli tylko zrobią jakiś podejrzany ruch, natychmiast strzeli im w nogi.

Otworzyła usta, żeby jeszcze raz oznajmić, że ich aresztuje, ale nagle poczuła, że nie może ruszyć ustami. Ręce zaczęły jej się trząść i nogi się pod nią ugięły.

Nie... — zdążyła pomyśleć.

Stres pościgu wywołał nowy atak choroby.

Spróbowała przełknąć ślinę i oparła się o drzwi samochodu, żeby nie upaść. Nie mogła oddychać, pierś przygniatał jej niewidoczny ciężar, wielkie krople potu spływały po twarzy. Nie wypuszczając broni z ręki, wytarła spocone czoło rękawem kurtki i kolosalnym wysiłkiem woli postarała się nie upaść. W tym momencie dopadły ją mdłości, w uszach zaczęło jej szumieć i wszystko wokół było zamazane.

Zrobiła kolejny wysiłek, żeby nie upuścić broni, ale świat wokół niej zawirował.

Nagle zapadła ciemność. Zemdlała.

# 48

**South Brooklyn**
**Dzielnica Red Hook**
**Szósta rano**

Lorenzo Santos zaparkował przy chodniku przed ceglaną fasadą domu Nikki. Zgasił silnik i z kieszeni marynarki wyjął papierosa. Włożył go między wargi, zapalił i zamknął oczy, zaciągając się. Gorzki smak tytoniu zapiekł go w gardle, przynosząc krótką chwilę spokoju. Zdenerwowany, zaciągnął się po raz drugi, ze wzrokiem wbitym w sztormową zapalniczkę z białego złota, którą dostał od Nikki. Zważył w dłoni elegancki prostokątny przedmiot ozdobiony jego inicjałami i spoczywający w ładnym pokrowcu ze skóry aligatora. Zapatrzony przed siebie, pstryknął kilkakrotnie zapalniczką, wsłuchując się w metalowe klikanie, które przykrywka wydawała z siebie za każdym spadnięciem.

Co się z nim działo?

Znów nie spał całą noc, ponownie spędzoną w pracy,

nękany przez obraz kobiety, którą kochał i wyobrażał sobie w ramionach innego. Nie miał od niej żadnej wiadomości od ponad doby i był tym wykończony. Zżerało go uczucie niszczące wszystko, co stało na jego drodze. Choroba miłości, która doprowadzała go do szaleństwa. Czuł, jakby się smażył na wolnym ogniu. Wiedział, że ta miłość była toksyczna, że wpływ tej kobiety na jego karierę i życie mógł skończyć się dla niego fatalnie, ale wpadł w pułapkę i siedział w niej po szyję, niezdolny uczynić żadnego ruchu, żeby się uwolnić.

Zaciągnął się papierosem aż do filtra, wyrzucił niedopałek przez okno, po czym wysiadł ze swojego forda crown i wszedł na teren starej fabryki przerobionej na luksusowe apartamenty.

Wszedł po schodach aż na przedostatnie piętro i otworzył drzwi przeciwpożarowe kluczami, które zabrał stąd podczas swojej ostatniej wizyty.

Tej nocy olśniło go: jeśli miał zachować choć jedną szansę, żeby Nikki do niego wróciła, będzie musiał odnaleźć jej syna. Musi mu się udać tam, gdzie, jak widać, nie daje rady Sebastian Larabee. Gdyby udało mu się uratować Jeremy'ego, Nikki będzie mu dozgonnie wdzięczna.

Świt jeszcze nie wstał. Santos wszedł do salonu i zapalił światło. W mieszkaniu było lodowato. Żeby się rozgrzać, przygotował sobie kawę, zapalił kolejnego papierosa i wszedł na piętro. Przez kwadrans przeszukiwał z góry na dół pokój chłopaka w poszukiwaniu jakichkolwiek wskazówek, ale nie znalazł nic, co by mu się mogło przydać, z wyjątkiem komórki, którą smarkacz zostawił na biurku. Nie zauważył jej za pierwszym razem, ale teraz go to uderzyło. Znał dobrze chorobliwe przywiązanie dzieciaków do swoich smartfonów, więc zdziwił się, że Jeremy go zapomniał zabrać. Dziwna sprawa. Wziął do ręki telefon i wykorzystał brak hasła, żeby ponawigować sobie przez parę minut między aplikacjami różnych gier, zanim znalazł coś bardziej interesującego: program, który zmieniał telefon w dyktafon. Zaciekawiony, przejrzał archiwa i znalazł serię ponumerowanych plików, zatytułowanych tym samym imieniem i nazwiskiem.

DrMarionCrane1
DrMarionCrane2
(...)
DrMarionCrane10

Zmarszczył brwi. Skądś znał to nazwisko. Włączył pierwsze nagranie i od razu sobie przypomniał. Kiedy Jeremy stanął przed sądem, sędzia nakazał chłopcu odbycie sesji terapeutycznej z psychologiem klinicznym. Marion Crane była psychoterapeutką, która się nim zajęła. A dzieciak nagrywał ich spotkania!

Ale w jakim celu? Czy robił to potajemnie, czy też było to częścią terapii?

W gruncie rzeczy nieważne, pomyślał Santos, wzruszając ramionami. Odsłuchał bez zahamowań nagrania, w których nastolatek odkrywał swoje życie rodzinne.

Doktor Crane: *Czy chcesz mi opowiedzieć o rodzicach, Jeremy?*

Jeremy: *Moja mama jest genialna! Zawsze jest w dobrym humorze, jest optymistką, wzbudza zaufanie. Nawet jeśli ma kłopoty, stara się przy mnie tego nie okazywać. Żartuje, jest dowcipna, do wszystkiego podchodzi z humorem. Kiedy byliśmy dziećmi, przebierała mnie i moją siostrę za postacie z bajek i bawiła się z nami w teatr!*

Doktor Crane: *A więc jest wyrozumiała? Możesz z nią rozmawiać o swoich problemach?*

Jeremy: *Tak, jest cool. To artystka, szanuje wolność innych. Pozwala mi wychodzić wieczorem, ma do mnie zaufanie. Zna wszystkich moich najlepszych kumpli. Gram jej swoje kompozycje na gitarze. Rozumie moją pasję do kina...*

Doktor Crane: *Mama ma kogoś w tym momencie?*

Jeremy: *Tak, jakiegoś gliniarza. Młodszy od niej... Nazywa się Santos. Kawał głupka!*

Doktor Crane: *Zdaje się, że nie bardzo go lubisz!*

Jeremy: *Spostrzegawcza z pani osoba...*

Doktor Crane: *Dlaczego tak mówisz?*

Jeremy: *Bo w porównaniu z moim ojcem to zero. Zresztą ten związek nie przetrwa.*

Doktor Crane: *Skąd możesz to wiedzieć?*

Jeremy: *Bo matka zmienia facetów co pół roku. Musi pani wiedzieć, pani doktor, że moja mama jest pięk-*

*na. Naprawdę piękna. Ma w sobie magnetyzm, który doprowadza facetów do szału. Gdziekolwiek się pojawi, mężczyźni widzą tylko ją, kiedy na nią patrzą, mają w oczach iskierki myśliwego. Nie wiem, dlaczego tak wariują. Wyglądają jak ten wilk w kreskówkach Texa Avery'ego: język wywalony, wychodzące z orbit oczy, wie pani, o co mi chodzi...*

Doktor Crane: *I to cię krępuje?*

Jeremy: *To krępuje przede wszystkim ją samą. To znaczy ona tak mówi. Ja myślę, że to jest bardziej skomplikowane. Nie trzeba być psychologiem, by zobaczyć, że ona tego potrzebuje, aby czuć się pewnie. Myślę, że również z tego powodu ojciec od niej odszedł...*

Doktor Crane: *Porozmawiajmy teraz o twoim ojcu.*

Jeremy: *To bardzo proste: ojciec jest przeciwieństwem matki. Poważny, sztywny, rozsądny. Lubi porządek, wszystko planuje. Trochę się z nim człowiek nudzi, to pewne...*

Doktor Crane: *A ty dogadujesz się z nim?*

Jeremy: *Nie za bardzo. Przede wszystkim nie widujemy się zbyt często, to z powodu rozwodu. A poza tym myślę, że spodziewał się, że będę miał lepsze wyniki w nauce. Że będę taki jak Camille. On jest bardzo wykształcony. Zna się na wszystkim: na polityce, historii, ekonomii... Zresztą moja siostra nazywa go chodzącą Wikipedią.*

Doktor Crane: *Czy jest ci przykro, że zawiodłeś jego oczekiwania?*

Jeremy: *Nie, nie za bardzo... No, może trochę.*

Doktor Crane: *Interesujesz się tym, co on robi? Jego pracą?*

Jeremy: *Mój ojciec jest uważany za jednego z najlepszych lutników na świecie. Skrzypce, które robi w swojej pracowni, brzmią jak stradivariusy, a to mówi samo za siebie. Zarabia dużo forsy, ale myślę, że nie zależy mu ani na pieniądzach, ani na skrzypcach.*

Doktor Crane: *Nie rozumiem.*

Jeremy: *Myślę, że mojemu ojcu na niczym nie zależy. Myślę, że jedyną historią, która się dla niego liczyła w życiu, było małżeństwo z moją matką. Matka wniosła w jego życie fantazję, której mu brakuje. Od czasu, kiedy się rozstali, wrócił do swojego czarno-białego świata...*

Doktor Crane: *A przecież ma partnerkę, spotyka się z jakąś kobietą?*

Jeremy: *Taa... Z Natalią. To baletnica. Skóra i kości. Widują się od czasu do czasu, ale nie mieszkają razem, i nie myślę, żeby się to miało zmienić.*

Doktor Crane: *Kiedy ostatni raz czułeś się dobrze w towarzystwie swojego ojca?*

Jeremy: *Nie wiem...*

Doktor Crane: *Postaraj się sobie przypomnieć.*

Jeremy: *Może tamtego lata w moje siódme urodziny... Wybraliśmy się całą rodziną na zwiedzanie parków narodowych. Byliśmy w Yosemite, w Yellowstone, nad Wielkim Kanionem... To była prawdziwa wyprawa. Przejechaliśmy prawie całą Amerykę. To były ostatnie wakacje przed rozwodem.*

Doktor Crane: *Utkwiło ci może coś w pamięci z tej wyprawy?*

Jeremy: *Taa... Któregoś ranka poszliśmy z ojcem na ryby, tylko my dwaj, i tata opowiedział mi, jak spotkał mamę. Dlaczego się w niej zakochał, jak pojechał do niej do Paryża i jak bardzo się starał, żeby się w nim zakochała. Pamiętam, że powiedział mi takie zdanie:* Kiedy kogoś naprawdę kochasz, żadna forteca nie będzie dla ciebie niezdobyta! *To pięknie brzmi, ale nie myślę, żeby to była prawda.*

Doktor Crane: *Możemy porozmawiać o rozwodzie rodziców? Bardzo to przeżyłeś, prawda? Widziałam twoje wyniki szkolne, miałeś trudności z czytaniem, stwierdzono u ciebie dysleksję...*

Jeremy: *No, rozwód był trudnym okresem. Nie mogłem uwierzyć, że naprawdę się rozstają. Myślałem, że z czasem się opamiętają i wrócą do siebie, ale okazało się, że to nie działa w taki sposób. Im bardziej mija czas, tym bardziej ludzie się od siebie oddalają i tym trudniej jest im z powrotem nawiązać bliski kontakt.*

Doktor Crane: *Twoi rodzice się rozwiedli, bo przestali być razem szczęśliwi.*

Jeremy: *To nieprawda! Myśli pani, że teraz jest im lepiej? Matka faszeruje się lekarstwami, a ojciec jest smutny przez cały czas. Tylko moja matka potrafiła go rozweselić. Na prawie wszystkich zdjęciach sprzed rozwodu oboje są roześmiani. Za każdym razem, kiedy oglądam te fotografie, chce mi się płakać. Przedtem byliśmy prawdziwą rodziną... Byliśmy sobie bliscy. Nie mogło nas dosięgnąć żadne nieszczęście...*

Doktor Crane: *Wiesz, to się często zdarza.*

Jeremy: *Co się często zdarza?*

Doktor Crane: *To, że dzieci rozwiedzionych rodziców idealizują związek, jaki oni tworzyli.*

Jeremy: ...

Doktor Crane: *Nie jesteś bogiem miłości, Jeremy. Nie możesz spowodować, żeby rodzice z powrotem się zeszli. Musisz zapomnieć o przeszłości i zaakceptować rzeczywistość taką, jaka jest.*

Jeremy: ...

Doktor Crane: *Rozumiesz, co mówię? Nie wolno ci ingerować w życie rodziców. Nie uda ci się spowodować, żeby z powrotem się zeszli.*

Jeremy: *Jeśli ja tego nie zrobię, to kto?*

Pytanie chłopca pozostało bez odpowiedzi. W tym momencie zadzwoniła komórka Santosa, wyciągając go gwałtownie z zamyślenia, w jakie wprowadziło go nagranie sesji terapeutycznej Jeremy'ego. Popatrzył na ekran. Numer nowojorskiej policji.

— Santos — zameldował się.

— Keren White, mam nadzieję, że pana nie budzę, poruczniku...

Anatomopatolog z trzeciego dystryktu. Nareszcie...

— Mam dla pana dobre nowiny — zaczęła.

Policjant poczuł przypływ adrenaliny. Opuścił już pokój chłopca i schodził po schodach na parter.

— Naprawdę?

— Myślę, że zidentyfikowałam pochodzenie tatuażu pańskiego trupa.

— Jest pani w komisariacie? Zaraz przyjeżdżam! — powiedział, zamykając za sobą drzwi loftu.

# 49

Kiedy Constance odzyskała przytomność, z zaskoczeniem zobaczyła, że leży we własnym łóżku.

Nie miała na sobie ani butów, ani kurtki, ani pasa z bronią. Ktoś zaciągnął zasłony w oknach, ale drzwi sypialni były uchylone. Nadstawiając ucha, usłyszała jakieś szepty w salonie. Kto mógł przywieźć ją do domu? Botsaris? Pogotowie? Strażacy?

Z trudnością przełknęła ślinę. Język miała sztywny, w ustach smak papieru, czuła się połamana i oddychała z trudnością. Pulsujący tępy ból rozrywał jej prawą skroń. Popatrzyła na budzik: południe. Ponad dwie godziny była nieprzytomna...

Chciała wstać, ale cała prawa strona ciała była zdrętwiała, czuła w niej ból i mrowienie. Nagle spostrzegła, że jest przypięta do łóżka kajdankami!

Oburzona, zaczęła się szarpać, ale to tylko ściągnęło do sypialni jej „porywaczy".

— *Calm down!** — powiedziała Nikki, wchodząc do pokoju ze szklanką wody w dłoni.

— *What the fuck are you doing in my house?!*** — ryknęła Constance.

— Nie mieliśmy dokąd pójść!

Constance wyprostowała się na poduszce, starając się złapać oddech.

— Skąd wiedzieliście, gdzie mieszkam?!

— Znaleźliśmy w pani portfelu formularz z poczty z prośbą o przesyłanie korespondencji na nowy adres. Chyba niedawno się pani przeprowadziła. Zresztą do bardzo ładnego domu...

Policjantka popatrzyła na Amerykankę wyzywająco. Były mniej więcej w tym samym wieku. Miały takie same twarze, szczupłe, kościste, takie samo jasne spojrzenie, takie same worki pod oczami, które zdradzały stres i zmęczenie.

— Słuchajcie, nie za bardzo rozumiem, co chcecie osiągnąć. Jeśli w najbliższym czasie nie zawiadomię kolegów, przyjadą od razu tutaj. Otoczą dom i...

— Nie wydaje mi się! — przerwał jej Sebastian, wchodząc do pokoju.

Constance z irytacją zauważyła, że trzyma pod pachą jej dokumentację szpitalną.

— Nie miał pan prawa grzebać w moich rzeczach osobistych! — jęknęła.

---

* Uspokój się!

** Co, u diabła, u mnie robicie?!

— Przykro mi z powodu pani choroby, ale jestem prawie pewien, że to nie była oficjalna misja! — odpowiedział Sebastian spokojnie.

— Akurat!

— Naprawdę? Od kiedy to policjanci ścigają ludzi własnymi samochodami?

Constance milczała. Sebastian wbił nóż głębiej.

— Od kiedy to kapitan policji poluje samotnie, nie korzystając ze wsparcia ekipy dochodzeniowej?

— Mamy ostatnio problemy z personelem... — odpowiedziała Constance bez przekonania.

— Ach! Zapomniałbym. Znalazłem również kopię wypowiedzenia w pani komputerze.

Constance przyjęła cios w milczeniu. Miała sucho w gardle i mimo irytacji z wdzięcznością przyjęła szklankę wody, którą wręczyła jej Nikki. Wolną ręką potarła powieki, zmartwiona, że traci kontrolę nad sytuacją.

— Potrzebujemy pani pomocy! — oświadczyła Nikki.

— Mojej pomocy? Czego ode mnie oczekujecie? Że pomogę wam wrócić do Stanów?

— Nie — przerwał jej Sebastian. — Że pomoże nam pani odnaleźć nasze dzieci.

□

Trzeba było Nikki i Sebastianowi ponad godziny, żeby zdać Constance dokładne sprawozdanie z wydarzeń, które w ciągu ostatnich kilku dni wywróciły ich życie do góry nogami. Siedząc wszyscy troje przy kuchennym stole, wypili dwa czajniczki herbaty gyokuro i zjedli całą paczkę herbatników Saint-Michel.

Constance, którą pochłonęła ich opowieść, robiła notatki. Zapisała ponad dziesięć stron zeszytu.

Mimo że Sebastian przykuł jej nogę kajdankami do krzesła, czuła, że sytuacja przechyla się na jej korzyść. Ci Amerykanie nie tylko wplątali się w aferę, przez którą mogli trafić za kratki na resztę życia, lecz także byli zrozpaczeni zaginięciem swoich dzieci.

Kiedy Nikki skończyła opowiadać, policjantka wzięła głęboki oddech. Historia rodziny Larabee była nieprawdopodobnie skomplikowana, ale ich cierpienie było szczere i odczuwalne. Pomasowała sobie kark i zauważyła, że migrena częściowo ustąpiła, mdłości znikły i że powoli odzyskuje siły. To perspektywa nowego śledztwa tak na nią podziałała...

— Jeśli naprawdę chcecie, żebym wam pomogła, przede wszystkim musicie mnie uwolnić! — rzuciła rozkazująco. — Potem muszę obejrzeć dokładnie to wideo z porwania waszego syna.

Sebastian posłusznie rozpiął kobiecie kajdanki, a Nikki włączyła komputer Constance i weszła do własnej skrzynki e-mailowej, żeby przegrać wideo ze stacji metra na twardy dysk policjantki.

— Oto, co nam przysłano! — oznajmiła, pokazując Constance nagranie.

Constance obejrzała czterdzieści sekund filmu pierwszy raz, potem puściła go jeszcze raz, zatrzymując w najważniejszych momentach.

Nikki z Sebastianem nie patrzyli na ekran, ale na twarz policjantki, w której pokładali obecnie ostatnią nadzieję.

Skupiona Constance puściła nagranie jeszcze raz, po czym oświadczyła pewnym głosem.

— To wszystko jest nieprawda!

— Jak to?! — zdziwił się Sebastian.

Constance wyjaśniła swoją myśl: Ten film zmontowano i z pewnością nie został nakręcony na stacji Barbès.

— Ale przecież... — zaprotestowała Nikki.

Constance podniosła dłoń, żeby jej przerwać.

— Kiedy przyjechałam do Paryża po raz pierwszy, przez cztery lata wynajmowałam służbówkę na rue Ambroise-Paré, naprzeciwko szpitala Lariboisière. Przynajmniej dwa razy dziennie wsiadałam wówczas do metra na stacji Barbès-Rochechouart.

— I co z tego?

Constance nacisnęła klawisz Pauza, żeby zatrzymać obraz na ekranie.

— Przez Barbès przejeżdżają dwie linie — wyjaśniła. — Linia numer dwa, której stacja w tym miejscu znajduje się na górze, i numer cztery, której stacja jest pod ziemią. — Piórem wskazała punkty na ekranie, kontynuując wykład. — Na tym filmie stacja najwyraźniej znajduje się pod ziemią. Może więc chodzić tylko o linię numer cztery...

— Zgadza się — powiedział Sebastian.

— A tymczasem stacja linii numer cztery jest znana z tego, że jest nachylona, a poza tym jej peron jako jedyny biegnie po wyjątkowo dużym łuku...

— A tutaj tak nie jest — stwierdziła Nikki.

Sebastian przysunął twarz do ekranu. Mimo że wycieczka na stację Barbès pozostawiła mu bolesne wspomnienia ze spotkania z przemytnikiem papierosów, nie przypominał sobie w ogóle kształtu stacji.

Constance otworzyła swoją pocztę.

— Wiem, jaki jest najlepszy sposób, żeby sprawdzić, gdzie to wideo zostało nakręcone — powiedziała i zaczęła pisać e-mail, wyjaśniając, że chce się skontaktować z kolegą z pracy, komisarzem Maréchalem, który kierował pododdziałem policji nadzorującym sprawy transportu. — Franck Maréchal zna metro paryskie jak własną kieszeń. Jestem pewna, że od razu powie nam, o którą stację tu chodzi!

— Tylko bez żadnych wygłupów! — ostrzegł Constance Sebastian, nachylając się nad jej ramieniem. — Nie mamy wiele do stracenia, więc proszę nas nie oszukać, bo inaczej... Ale zaraz, zaraz... Niespełna trzy godziny temu chciała pani nas za wszelką cenę aresztować, więc skąd ta nagła zmiana frontu?

Constance wzruszyła ramionami i kliknęła na ikonkę Wyślij.

— Bo uwierzyłam w waszą historię. I bądźmy realistami, po prostu nie macie innego wyjścia, musicie mi zaufać...

# 50

Constance paliła papierosa za papierosem, czytając swoje notatki. Jak studentka podkreślała, zaznaczała, przepisywała całe zdania i kreśliła schematy, posiłkując się strzałkami, co pomagało jej skupić się i logicznie myśleć. Chciała wreszcie wpaść na jakiś pomysł.

Powoli zaczął rysować się jej w głowie schemat, który wydawał się coraz bardziej prawdopodobny. Dzwonek komórki przerwał jej rozmyślania. Spojrzała na ekran: dzwonił komisarz Maréchal.

Odebrała i włączyła głośnik, żeby Nikki i Sebastian mogli słyszeć rozmowę. Pełen uroku i pewności siebie głos Maréchala zabrzmiał w pokoju.

— Hello, Constance!

— Cześć, Franck!

— Czy w końcu zdecydowałaś się przyjąć moje zaproszenie na kolację?

— Z wielką radością poznam wreszcie twoją żonę i dzieci!

— Ee... Nie... No wiesz, o co mi chodzi...

Constance potrząsnęła głową. Maréchal był jej instruktorem w szkole oficerskiej w Cannes-Écluse. Na koniec jej kursu przeżyli pełen pasji, destrukcyjny romans. Za każdym razem, kiedy Constance groziła zerwaniem, Franck przysięgał, że odejdzie od żony. Wierzyła mu przez dwa lata, ale potem odeszła.

Jednak Franck nie mógł o niej zapomnieć. Mniej więcej co pół roku próbował nawiązać romans na nowo, nawet jeśli do tej pory wszystkie jego próby spaliły na panewce.

— Słuchaj, Franck, nie mam teraz czasu na żarty...

— Proszę cię, Constance, zostaw mi chociaż jedną...

Constance przerwała mu sucho:

— Przejdźmy do faktów, dobrze? Ten film, który ci przesłałam, nie został nakręcony przez kamery na Barbès, prawda?

Maréchal westchnął rozczarowany i przeszedł na ton profesjonalny.

— Tak, masz rację. Gdy tylko go obejrzałem, od razu się zorientowałem, że został nakręcony na „stacji widmie".

— Na stacji widmie?

— Niewiele osób o tym wie, ale sieć metra ma kilka stacji, których nie ma na planie — wyjaśnił Maréchal. — Są to głównie stacje zamknięte podczas drugiej wojny światowej i od tamtych czasów nigdy niewykorzystywane. Czy wiesz na przykład, że jest stacja dokładnie pod Champ-de-Mars?

— Nie — przyznała Constance.

— Obejrzałem to nagranie kilka razy i wydaje mi się, że to zostało nakręcone na peronie widmie na Porte-des-Lilas.

— Co nazywasz peronem widmem?

— Na linii numer jedenaście, na stacji Porte-des-Lilas jest peron zamknięty dla ruchu od tysiąc dziewięćset trzydziestego dziewiątego roku. Służy czasami do nauki dla motorniczych albo żeby przetestować nowe wagony, ale głównie wynajmuje się go do kręcenia filmów albo reklam, których akcja toczy się w paryskim metrze.

— Mówisz poważnie?

— Jak najbardziej. Z czasem powstało tam prawdziwe studio filmowe. Dekoratorom wystarczy zmienić wystrój i nazwę stacji, żeby powstało złudzenie jakiegokolwiek peronu w jakiejkolwiek epoce. Jeunet kręcił tam sceny do *Amelii*, bracia Coen nakręcili tam krótki metraż o Paryżu.

Constance zainteresowała się bliżej.

— Jesteś pewien, że ten mój filmik tam właśnie został nakręcony?

— Tym bardziej pewny, że wysłałem go do kierownika RATP i on potwierdził moje przypuszczenia.

Szybki, inteligentny, skuteczny — Franck był może babiarzem, ale też doskonałym policjantem.

— Zresztą ten facet doskonale pamiętał, jak to kręcili, bo to było w poprzedni weekend — sprecyzował Maréchal. — Na dwa dni peron został oddany do dyspozycji studentów szkoły filmowej: Conservatoire libre du cinéma français.

— Do nich też telefonowałeś? — spytała.

— Oczywiście. I nawet udało mi się zidentyfikować autora twojego wideo, ale żeby poznać jego nazwisko, najpierw musisz zgodzić się na kolację w moim towarzystwie.

— To szantaż! — zaprotestowała Constance.

— Tak! — zgodził się Maréchal. — Kiedy naprawdę czegoś się pragnie, cel uświęca środki, zgodzisz się?

— Ach, odczep się! Sama się dowiem!

— Jak chcesz, ślicznotko!

Constance chciała już odłożyć słuchawkę, gdy Sebastian pociągnął ją gwałtownie za ramię.

— Niech się pani zgodzi! — wymówił bezgłośnie. Nikki poparła jego prośbę, stukając w tarczę zegarka tuż przed nosem Constance.

— Okay, Franck! — westchnęła pani kapitan. — Zgoda na wspólną kolację.

— Obiecujesz?

— Obiecuję, przysięgam — dodała.

Zadowolony Maréchal podał jej rezultaty śledztwa:

— Dyrektorka Conservatoire powiedziała mi, że obecnie szkoła gości studentów amerykańskich jako część programu wymiany kulturalnej. Studentów jakiejś nowojorskiej szkoły, z którą współpracuje uczelnia francuska.

— I to jeden z tych Amerykanów jest autorem filmiku?

— Tak. To krótki metraż jako ukłon w stronę Alfreda Hitchcocka, zatytułowany *Trzydzieści dziewięć sekund*. Aluzja do *Trzydziestu dziewięciu kroków*...

— Dziękuję bardzo, panie profesorze, odrobiłam lekcje, znam na pamięć klasykę filmową. Znasz nazwisko tego studenta?

— Ten chłopak nazywa się Turner, Simon Turner. Mieszka w campusie dla studentów zagranicznych, ale jeśli chcesz go przesłuchać, musisz się pospieszyć: on dziś wieczorem wraca do Stanów.

Gdy tylko Nikki usłyszała nazwisko chłopca, zagryzła wargi, żeby nie krzyknąć.

Constance rozłączyła się i popatrzyła na nią.

— Zna go pani?

— Oczywiście! To najlepszy przyjaciel Jeremy'ego!

Constance podparła brodę dłonią i przez chwilę milczała, po czym rzekła:

— Musicie się zmierzyć z gorzką prawdą. To wasz syn sam wszystko zainscenizował.

# 51

— Niemożliwe! — wykrzyknął zrozpaczony Sebastian.

Constance popatrzyła na niego.

— Niech się pan zastanowi... Kto miał łatwe dojście do pańskiej karty kredytowej i do pańskiego sejfu? Kto doskonale zna rozmiar garnituru, jaki pan nosi?

Sebastian potrząsnął głową. Nie mógł w to uwierzyć. Constance kontynuowała serię pytań, spoglądając to na żonę, to na męża.

— Kto wiedział o waszej pierwszej romantycznej wyprawie do Paryża? Kto znał na tyle dobrze waszą determinację i spryt, żeby sądzić, że nie zawahacie się wsiąść do samolotu lecącego do Francji i że uda się wam rozgryźć zagadkę kłódek na pont des Arts?

Nikki zmieniła się na twarzy.

— Camille i Jeremy... — wyszeptała. — Ale po co by to robili?

Constance odwróciła wzrok i popatrzyła na pejzaż za oknem. Po chwili powiedziała cicho:

— Moi rodzice rozwiedli się, kiedy miałam czternaście lat... To był chyba najgorszy okres w moim życiu: bardzo cierpiałam, wszystko to, w co wierzyłam, zawaliło się...

Powoli zapaliła papierosa i zaciągnęła się. Milczała.

— Myślę, że większość dzieci rozwiedzionych rodziców ma cichą nadzieję, że matka i ojciec w końcu zejdą się z powrotem — wyszeptała.

Sebastian zaprotestował.

— To nie ma sensu. Zapomniała pani o kokainie, o splądrowanym apartamencie Nikki, o morderstwie Drake'a Deckera! Nie mówiąc już o tym nienormalnym olbrzymie, który chciał zabić nas oboje!

— To prawda, moja hipoteza przecież wszystkiego nie wyjaśnia! — zgodziła się Constance.

# 52

— Proszę, niech pan wejdzie, poruczniku! — powiedziała Keren White, podnosząc oczy znad papierów.

Santos pchnął drzwi do gabinetu anatomopatologa. Młoda kobieta wstała od stołu i włożyła nabój z kawą do maszynki stojącej na półce.

— Espresso?

— Czemu nie — odrzekł Santos, patrząc na makabryczne zdjęcia przyklejone do ścian pomieszczenia. Spuchnięte, posiniaczone, pocięte twarze, poranione ciała, szwy, usta wykrzywione w krzyku...

Santos odwrócił oczy i popatrzył na młodą kobietę, przygotowującą dwie kawy. Miała obcisłą spódnicę, okulary „kujonki", poważny wyraz twarzy i włosy starannie upięte w koczek wysoko nad karkiem, co nadawało jej wygląd nauczycielki z dawnych czasów. Mimo że nosiła przezwisko Miss Skeleton, była obiektem marzeń sennych wielu swoich kolegów. Do jej obowiązków jako pracownika nowojorskiej policji należała identyfikacja szczątków ludzkich — wszelkich kości, zębów, zwęglonych czy rozkładających się ciał — znalezionych na miejscu zbrodni. Była to praca skomplikowana: zbrodniarze, świadomi postępów medycyny sądowej, coraz częściej pozbawiali swoje ofiary tych części ciała, które mogły ułatwić identyfikację.

— Za dziesięć minut zaczynam sekcję — uprzedziła Keren White Santosa.

— Niech pani wali prosto z mostu — odpowiedział, siadając.

Policjantka zgasiła wszystkie światła. Wstawał świt, ale niebo było wciąż szare i przykryte nisko zawieszonymi chmurami, więc w pomieszczeniu panował półmrok. Keren White nacisnęła guzik pilota, żeby włączyć płaski ekran OLED zawieszony na ścianie.

Jednym kliknięciem włączyła pokaz slajdów zsynchronizowany z podkładem dźwiękowym, przedstawiający sekcję Maorysa, któremu Sebastian Larabee poderżnął gardło w barze Drake'a Deckera.

Masywne opalone ciało leżące na metalowym stole pod ostrym światłem reflektorów miało w sobie coś odrażającego, ale Santos niejedno już w życiu widział. Zmrużył oczy i zdziwił się, że zwłoki pokrywało tak wiele tatuaży. Znajdowały się one nie tylko na twarzy, lecz zajmowały całe ciało: na udach wytatuowane były spirale, na plecach jakiś ogromny znak plemienny, na piersiach promienie i arabeski.

Keren zaczęła wyjaśniać:

— Z powodu tych znaków i nacięć na twarzy najpierw myślałam tak jak pan, że ofiara pochodzi z Polinezji.

— Ale nie pochodzi z Polinezji...

— Nie, motywy przypominają w rysunku wzory polinezyjskie, ale nie zgadzają się treścią. Myślę, że chodzi tu o jakiś gang.

Santosowi gangi nie były obce. W grupach przestępczych z Ameryki Środkowej tatuaż odpowiadał danemu gangowi i określał przynależność członka do gangu aż do śmierci.

Keren White wskazała pilotem ekran, na którym pojawiła się kolejna seria zdjęć.

— Te fotografie zostały wykonane w więzieniach kalifornijskich. Ci więźniowie należą do różnych gangów, ale za każdym razem tatuaż jest podporządkowany tej samej logice: po każdym nowym przestępstwie członkowie mają prawo dorzucić jakiś motyw w tatuażu. Gwiazdka na ramieniu oznacza na przykład, że zabił pan jedną osobę, taka sama gwiazdka na czole świadczy o tym, że zabił pan co najmniej dwie...

— Dziary na ciele to jak życiorys — podsumował Santos.

Antropolożka przytaknęła i pokazała powiększenie jednego z tatuaży ofiary.

— Nasz „przyjaciel" ma wytatuowany symbol czerwonej pięcioramiennej gwiazdy. Tatuaż jest tak głęboki, że wygląda jak płaskorzeźba.

— Zbadała go pani?

— Bardzo dokładnie. Zrobiony został niewątpliwie tradycyjnym nożem o krótkim ostrzu. Ale najciekawszy jest rodzaj pigmentu, który wstrzyknięto pod skórę. Myślę, że chodzi o bardzo szczególny rodzaj sadzy, pochodzącej z żywicy drzewa występującego głównie na południu Brazylii. To jest sosna Parana.

Keren zamilkła. Po chwili pokazała dalsze zdjęcia.

— To są zdjęcia więźniów z brazylijskiego więzienia w Rio Branco.

Santos wstał i podszedł bliżej do ekranu. Na ciałach więźniów zobaczył wytatuowany ten sam wzór, co na Maorysie: te same poplątane arabeski, te same zwijające się w spirale wypustki. Keren mówiła dalej:

— Widocznych tu więźniów łączy przynależność do kartelu narkotykowego Seringueiros, działającego w regionie Acre, małego brazylijskiego stanu na granicy Peru i Boliwii.

— Seringueiros?

— Tak kiedyś nazywano robotników, którzy zbierali mleczko kauczukowe. Acre był jednym z największych producentów mleczka kauczukowego. Myślę, że ta nazwa przetrwała.

Keren wyłączyła aparat do pokazu slajdów i zapaliła światło. Santos chciał jej zadać mnóstwo pytań, ale Miss Skeleton zakończyła spotkanie, nie bawiąc się w uprzejmości:

— Teraz kolej na pana, poruczniku! — powiedziała, wychodząc razem z nim na korytarz i zostawiając go samego.

□

Santos stał w drzwiach komisariatu na Ericsson Place. Tymczasem na ciemnym niebie pojawiło się słońce, które zalewało swoim światłem chodniki Canal Street. Będąc wciąż pod wrażeniem informacji, które przekazała mu Keren White, wszedł do pobliskiej Starbucks Coffee, zamówił ciepłe picie i usiadł przy stoliku, zagłębiając się w myślach.

Kartel Seringueiros...

Pracował w wydziale do walki z narkotykami od dziesięciu lat, ale nigdy nie słyszał o takim kartelu. W sumie nie było to specjalnie dziwne, bo jego codzienna praca polegała głównie na zamykaniu lokalnych dealerów, a nie na rozpracowywaniu międzynarodowych siatek. Otworzył laptop i złapał miejscowe Wi-Fi. Kilka kliknięć i znalazł się na stronie internetowej gazety „Los Angeles Times", która miesiąc wcześniej zamieściła artykuł na temat tego kartelu.

UPADEK KARTELU SERINGUEIROS

Po dwóch latach śledztwa władze brazylijskie rozbiły kartel narkotykowy, który powstał w zachodniej części jednego z brazylijskich stanów znad Amazonki, Acre. Kartel ten zorganizowany na wzór kolumbijskiego oplatał swoimi mackami ponad dwadzieścia stanów federacji. Kokaina z Boliwii sprowadzana była do Brazylii awionetkami i rozwożona samochodami po największych miastach kraju. Pablo „Imperador" Cardoza, obecnie w więzieniu, kierował tą mafijną grupą przy pomocy armii najemników, która prawdopodobnie doprowadziła do bestialskich egzekucji około pięćdziesięciu ludzi z konkurencyjnego kartelu.

Działający od dawna w stanie Acre gang Seringueiros co roku sprowadzał do kraju ponad pięćdziesiąt ton kokainy dzięki wielu tajnym lotniskom zbudowanym w dżungli amazońskiej. Awionetki przywoziły setki kilogramów czystej kokainy, która następnie była mieszana z tak zwanymi wypełniaczami i dostarczana dealerom w wielkich miastach, zwłaszcza w Rio i São Paulo.

Kartel Pabla Cardozy, żeby umocnić swoją władzę, stworzył wielką sieć korupcyjną i pralnię brudnych pieniędzy, wciągając do współpracy tysiące ludzi, między innymi posłów, przedsiębiorców, burmistrzów, sędziów, a nawet wielu komisarzy policji, później oskarżonych o umorzenie licznych śledztw dotyczących morderstw popełnianych przez tę mafijną organizację. W kraju nastąpiła fala aresztowań i wciąż oczekuje się następnych.

Santos zaczął szukać jeszcze innych informacji, żeby uzupełnić wiadomości z artykułu.

Co miał teraz robić?

Po gorączkowych poszukiwaniach spróbował zebrać swoje pomysły. Było oczywiste, że jego zwierzchnicy nigdy nie dadzą mu pozwolenia na kontynuowanie śledztwa w Brazylii. Zbyt wiele przeszkód natury administracyjnej i politycznej.

Teoretycznie mógł porozumieć się z policją brazylijską i przekazać jej swój raport, ale wiedział, że w ten sposób niczego konkretnego nie uzyska.

Zawiedziony, zajrzał jednak na strony różnych linii lotniczych. Rio Branco, stolica stanu Acre, znajdowało się bardzo daleko. Poza tym nie było tam zbyt wiele połączeń lotniczych. Żeby się tam dostać z Nowego Jorku, trzeba się przesiadać co najmniej trzy razy! Cena biletu była wysoka, ale nie nazbyt wygórowana: tysiąc osiemset dolarów w „tanich liniach". Tyle pieniędzy miał na koncie.

Nie wahał się długo.

Znów pomyślał o Nikki. Jakby pchany nieznaną siłą, wsiadł do samochodu, po drodze zabrał kilka osobistych rzeczy ze swojego mieszkania i udał się na lotnisko.

# 53

Constance opuściła szybę i podała trójkolorową legitymację strażnikowi stojącemu na warcie przed Fundacją Stanów Zjednoczonych.

— Kapitan Lagrange, BNRF, proszę otworzyć.

Ośrodek studencki mieścił się w czternastej dzielnicy naprzeciwko parku Montsouris i stacji świeżo powstałej linii tramwajowej przy boulevards des Maréchaux. Constance zaparkowała swoje coupé przed ogromnym budynkiem z cegły koloru ochry i białego kamienia. Razem z idącymi za nią Nikki i Sebastianem weszła do holu, gdzie znajdowała się recepcja, i zażądała podania numeru pokoju Simona Turnera. Uzyskawszy informację, cała trójka weszła na piąte piętro, na którym w amfiladzie mieściły się małe pracownie artystyczne i pokoje zarezerwowane dla studentów sztuk pięknych oraz konserwatorium.

Constance pchnęła wybrane drzwi bez pukania. W pomieszczeniu przebywał może dwudziestoletni chłopak, dziwacznie uczesany, w modnym T-shircie, spodniach rurkach i szpanerskich starych tenisówkach, który starał się domknąć wielką walizkę leżącą na nieposłanym łóżku. Był chudy jak patyk, a w jednej z brwi miał kolczyk. Wyglądał na lalusia, jednego z tych „metroseksualnych".

— Potrzebujesz pomocy, kochanie? — spytała Constance, pokazując mu swoją policyjną odznakę.

W jednej chwili chłopak stracił pewność siebie, przestraszył się i zbladł.

— Jestem obywatelem amerykańskim! — wyjąkał, podczas gdy Constance chwyciła go mocno za ramię.

— Ta odzywka działa tylko w filmie, kochanie, w rzeczywistości to frazes! — rzuciła, zmuszając chłopaka, żeby usiadł na krześle przy biurku.

Kiedy Simon zauważył państwa Larabee, wykrzyknął, patrząc na Nikki:

— Przysięgam pani, że próbowałem odwieść Jeremy'ego od tego zamiaru!

Sebastian podszedł bliżej i teraz on chwycił go za ramię.

— Okay, wierzę ci! Uspokój się i opowiedz nam wszystko od początku.

Simon wystękał swoją opowieść. Jak to zgadła Constance, Jeremy wszystko zaaranżował tak, by rodzice, mimo niechęci, jaką do siebie żywili, musieli się spotkać.

— Był przekonany, że uczucie między państwem wróci, jeśli tylko będziecie mieli szansę spędzić razem kilka dni — wyjaśnił Simon. — Myślał już o tym od dawna. Ostatnio to zmieniło się w prawdziwą obsesję. Gdy tylko zdołał namówić do współpracy siostrę, zaczął pracować nad planem, który zmusiłby państwa do wspólnej wyprawy do Paryża.

Zdumiony Sebastian nie mógł uwierzyć w opowiadaną przez chłopaka historię.

— Najlepszym sposobem, żeby państwa podejść, było sprawić, żebyście myśleli, że jedno z waszych dzieci jest w niebezpieczeństwie — ciągnął Simon. — Dlatego wymyślił to porwanie.

Zamilkł na chwilę, żeby odetchnąć.

— Mów dalej! — ponaglała go Nikki.

— Jeremy pasjonuje się kinem. Żeby zmusić państwa do wspólnego ruszenia jemu na ratunek, napisał prawdziwy scenariusz, ze wskazówkami, fałszywymi tropami i innymi niespodziankami.

— A jaka była twoja rola? — spytała Constance.

— Już od dawna miałem jechać na staż do Paryża. Jeremy wykorzystał to i poprosił mnie, żebym zrealizował krótki filmik o jego porwaniu na stacji metra.

— To ty przysłałeś nam wideo? — spytał Sebastian.

Młody człowiek potwierdził skinieniem głowy i dodał:

— Ale ten gość z nagrania to nie Jeremy. To mój kumpel, Julian. Jest trochę podobny do państwa syna, ale przede wszystkim ma na sobie jego ubranie: czapkę, kurtkę, T-shirt Shootersów. Daliście się państwo nabrać, prawda?

— Uważasz, że to zabawne, gówniarzu?! — zdenerwował się Sebastian, potrząsając chłopakiem gwałtownie. Wykończony nerwowo, starał się ułożyć sobie chronologicznie wszystkie wydarzenia.

— To ty zadzwoniłeś do nas z tego baru La Langue au chat?

— Tak. To był pomysł Camille. Fajny, prawda?

— A potem? — zniecierpliwiła się Constance.

— Potem wykonałem dokładnie instrukcje, jakie dał mi Jeremy: oddałem jego plecak do przechowalni na dworcu, przypiąłem kłódkę do balustrady pont des Arts i zaniosłem do hotelu ubrania, które Camille kazała mi kupić.

Sebastian nie mógł już dłużej tego znieść:

— Nie wierzę, żeby Camille w ogóle brała w tym udział!

Simon wzruszył ramionami.

— A jednak... Kiedy jeszcze był pan w Nowym Jorku, za pomocą pańskiej karty kredytowej zarezerwowała hotel na Montmartrze i opłaciła tę kolację na Sekwanie.

— To nieprawda!

— Prawda! — zaprzeczył chłopak. — A ta książka u bukinisty? Według pana kto wyjął ją z pańskiego sejfu i wstawił na eBay?

Wobec takich argumentów Sebastianowi opadły ręce i zamilkł. Bardzo spokojna Nikki położyła rękę na ramieniu Simona.

— Jak miała się skończyć ta cała zabawa?

— Znaleźli państwo zdjęcie, prawda?

Nikki przytaknęła.

— To był ostatni element układanki, tak? — spytała.

— Tak. Spotkanie w ogrodzie Tuileries. Camille i Jeremy

chcieli się z wami tam spotkać dziś o wpół do siódmej wieczorem. Mieli wyznać całą prawdę. Ale...

— Ale co? — ponaglała Constance.

— Nie przyjechali do Paryża, chociaż taki był plan... — mówiąc to, chłopiec wyglądał na przestraszonego. — Już od prawie tygodnia Jeremy nie daje znaku życia, a komórka Camille od dwóch dni też nie odpowiada.

Sebastian trząsł się ze złości. Groźnie pokiwał palcem wskazującym i krzyknął:

— Uprzedzam cię, jeśli to jeszcze jedno kłamstwo...

— Przysięgam, że mówię prawdę!

— A narkotyki i morderstwo to też była część tego waszego cholernego planu?! — wybuchł Sebastian.

Simon zbladł.

— Jakie narkotyki? Jakie morderstwa? — wyjąkał w panice.

# 54

Wściekły Sebastian złapał Simona za kołnierz i uniósł w górę.

— W pokoju mojego syna znalazłem kilogram kokainy! Nie mów mi, że nic o tym nie wiesz!

— Niemożliwe! Żaden z nas nie bierze kokainy!

— Ale do pokera go namawiałeś!

— I co w tym złego? To nie zbrodnia!

— Mój syn ma ledwo piętnaście lat, ty idioto! — ryknął Sebastian i przyparł Simona do ściany.

Simon trząsł się jak galareta. Twarz wykrzywił mu paroksyzm strachu. Obawiając się ciosu pięścią, zamknął oczy i zasłonił się rękami.

— Trzeba było się nim zaopiekować, zamiast ciągnąć go do Drake'a Deckera! — krzyczał Sebastian.

Simon otworzył oczy i wyjąkał:

— Drake De... Decker? Ten facet z Bumerangu? Jeremy nie potrzebował mnie, żeby się z nim skontaktować! Poznał go sam w celi komisariatu w Bushwick, gdy gliny zatrzymały go za kradzież gry wideo!

Załamany tą wiadomością Sebastian puścił Simona.

Pałeczkę przejęła Nikki:

— Chcesz powiedzieć, że to Decker zaproponował Jeremy'emu, żeby zagrał w pokera u niego w barze?

— Tak, i potem ten tłusty wieprz pluł sobie w brodę. Razem z Jeremym załatwiliśmy go na ponad pięć tysięcy dolców! I to bez oszukiwania! — Simon odzyskał trochę pewności siebie. Poprawił porozciągany T-shirt i dodał: — Decker nie mógł znieść takiej obrazy. Nie chciał nam zapłacić, więc postanowiliśmy włamać się do jego mieszkania i zabrać walizkę, w której trzymał forsę.

Metalowa walizka z przyborami do pokera... — pomyśleli jednocześnie Nikki i Sebastian i popatrzyli na siebie zdumieni. W jednej chwili pojęli, że to kradzież owego kuferka spowodowała katastrofę.

— Tam był prawie kilogram kokainy! — wykrzyknął Sebastian.

— Ależ skąd!

— Była schowana w stertach żetonów! — sprecyzowała Nikki.

— No, tego nie wiedzieliśmy! — usprawiedliwiał się Simon. — Chcieliśmy tylko odzyskać forsę, którą Drake był nam winien.

Constance milczała, starając się uporządkować w myślach kolejność zdarzeń. Powoli każdy element układanki trafiał na swoje miejsce, niemniej coś jeszcze nie dawało jej spokoju.

— Powiedz mi, Simon, kiedy dokładnie ukradliście ten kuferek? — spytała.

Chłopak zaczął się zastanawiać.

— To było tuż przed moim wyjazdem do Francji, a więc jakieś dwa tygodnie temu.

— I nie baliście się zemsty Drake'a? Tego, że dobierze się wam do skóry, gdy zda sobie sprawę z kradzieży?

Simon wzruszył ramionami.

— Nie miał żadnych szans. Znał tylko i wyłącznie nasze imiona. Nie znał naszych nazwisk ani adresów. Brooklyn liczy dwa i pół miliona mieszkańców! — powiedział z wyższością.

Constance nie zwróciła na to uwagi.

— Powiedziałeś, że Decker był wam winien pięć tysięcy dolarów, a ile było w tej walizeczce?

— Trochę więcej, ale nie tak dużo — zgodził się Simon. — Może siedem... Podzieliliśmy się tym stosownie do wkładu w to przedsięwzięcie. Nawet ucieszyliśmy się z tej nadwyżki, bo Jeremy potrzebował forsy na wprowadzenie w życie swojego planu i na...

Zamilkł.

— Na co jeszcze? — spytała Constance.

Trochę zażenowany Simon spuścił oczy i wyznał:

— Przed przyjazdem do Paryża chciał jeszcze pojechać na kilka dni do Brazylii...

Do Brazylii...

Nikki i Sebastian znów wymienili zaniepokojone spojrzenia. Dwa dni wcześniej, kiedy wypytywali Thomasa przy wyjściu ze szkoły, ten mówił coś o jakiejś Brazylijce, którą jakoby Jeremy poznał przez internet.

— Mnie też to mówił! — potwierdził Simon. — Całe noce czatował z piękną Cariocą, która nawiązała z nim kontakt przez Facebook Shootersów.

— Tej grupy rockowej? Zaczekaj, to się nie trzyma kupy! — rzuciła Nikki. — Shootersi to nie Coldplay; oni grają w małych salkach, w podrzędnych klubach. Jak dziewczyna z Rio de Janeiro mogła być fanką nikomu nieznanej grupy?

Simon machnął ręką.

— Dziś dzięki internetowi...

Sebastian westchnął. Mimo zdenerwowania spytał spokojnie:

— A ty znasz tę dziewczynę?

— Nazywa się Flavia. Ze zdjęć wynika, że to ostra laska.

— Masz tu te zdjęcia?

— Tak, Jeremy wrzucił ich dużo na Facebook... — powiedział Simon.

Wyjął z torby laptop, połączył się przez Wi-Fi z portalem społecznościowym i po kilku kliknięciach zebrał na jednej stronie z dziesięć zdjęć jakiejś seksownej blondynki o jasnych oczach, ponętnych kształtach i delikatnie opalonej skórze. Constance, Nikki i Sebastian zbliżyli się do ekranu i przyglądali z uwagą młodej Brazylijce o zbyt idealnej urodzie: twarz jak u Barbie, szczupła talia, piękne piersi, długie kręcone włosy... Na zdjęciach występowała w różnych pozach: Flavia na plaży, Flavia na desce surfingowej, Flavia pijąca koktajl, Flavia grająca w siatkówkę plażową z koleżankami, Flavia w bikini na gorącym piasku...

— Co jeszcze o niej wiesz?

— Ona pracuje w jakimś barze na plaży. Jeremy powiedział, że się w nim zakochała i że zaprosiła go na kilka dni do siebie.

Sebastian potrząsnął głową. Ile lat mogła mieć ta blond piękność? Dwadzieścia? Dwadzieścia dwa? Jak taka dziewczyna mogła zakochać się w jego piętnastoletnim synu?

— A ta plaża to gdzie konkretnie? — spytała Nikki.

Constance kilkakrotnie kliknęła na ekran.

— Ipanema — powiedziała.

Przybliżyła zdjęcie zoomem i zobaczyli pośrodku ekranu krajobraz z wysokimi wzgórzami, z tyłu zaś morze i szeroką plażę.

— Te dwie bliźniacze góry nazywają się Dwaj Bracia. Za nimi zachodzi słońce — wyjaśniła policjantka. — Byłam tam na wakacjach kilka lat temu.

Przesuwała kursorem po zdjęciu, aż wyizolowała napis na parasolach baru, w którym pracowała piękna Flavia. Miejsce nazywało się Cachaça. Constance zapisała to w notesie.

— A Camille? — spytała Nikki.

Simon potrząsnął głową.

— Gdy Jeremy nie dawał znaku życia, zaniepokoiła się i pojechała za nim do Rio. Ale mówiłem już, że odkąd jest w Brazylii, nie można się do niej w ogóle dodzwonić!

Sebastian był rozgniewany, ale też załamany. Widział już

swoje dzieci zagubione gdzieś w tym ogromnym, niespokojnym mieście, i do tego bez grosza przy duszy.

Poczuł na ramieniu dotyk dłoni Nikki.

— Jedźmy tam! — usłyszał.

Constance od razu sprzeciwiła się temu pomysłowi.

— Obawiam się, że to niemożliwe. Przypominam wam, że jesteście przestępcami poszukiwanymi międzynarodowym listem gończym. Wszędzie rozesłano wasz rysopis i zdjęcia. Wystarczy dziesięć minut na Roissy...

— Niech pani nam pomoże! — poprosiła Nikki ze łzami w oczach. — Chodzi o nasze dzieci!

Constance westchnęła i odwróciła głowę do okna. Przypomniała sobie, jak dwadzieścia cztery godziny temu otrzymała dokumenty dotyczące sprawy małżonków Larabee e-mailem na komórkę. Przeglądając pierwsze strony, ani przez chwilę nie pomyślała, że ta sprawa, wyglądająca na banalną, przybierze taki dziwny obrót. Musiała jednak przyznać, że niewiele czasu było trzeba, żeby poczuła dla tej dziwnej pary i dwójki ich równie dziwnych dzieci współczucie połączone z sympatią. Uwierzyła w ich opowieść, naprawdę chciała im pomóc, ale teraz natknęła się na przeszkodę nie do pokonania.

— Przykro mi, ale nie widzę sposobu, w jaki miałabym umożliwić wam wyjazd z Francji... — powiedziała, odwracając oczy od Nikki.

# 55

— Witamy na pokładzie, pani Lagrange. Witamy, panie Botsaris!

Nikki i Sebastian odebrali karty pokładowe i poszli za uroczą stewardesą linii TAM* aż do swoich miejsc w biznes class. Sebastian oddał jej marynarkę, zatrzymując przy sobie oba cenne paszporty, które dali im Constance i jej podwładny.

— Nie wierzę, że się udało! — wyszeptał, przyglądając się zdjęciu w dowodzie tożsamości Nicolasa Botsarisa. — Ten facet jest co najmniej piętnaście lat ode mnie młodszy!

— Zgadzam się, że może nie wyglądasz na swój wiek — powiedziała Nikki. — Ale urzędnicy kontroli paszportowej nie przyglądali się nam zbyt dokładnie.

Ze strachem spojrzała przez iluminator na reflektory oświetlające pasy startowe, błyszczące w nocy. W Paryżu

* Największa linia lotnicza Ameryki Łacińskiej.

lało. Deszcz moczył asfalt lotniska i odblask świateł zdobił go świecącymi srebrnymi liniami. Pogoda była okropna i przez nią Nikki jeszcze bardziej niż zwykle bała się tego lotu. Zajrzała do kosmetyczki, należącej do wyposażenia jej miejsca, szukając zasłony na oczy. Założyła zasłonę, w uszy włożyła sobie słuchawki iPoda, który wzięła z pokoju syna, i usadowiła się wygodnie, mając nadzieję jak najszybciej zasnąć.

Pokonać strach.

Oszczędzać siły.

Wiedziała, że w Brazylii nie będzie im łatwo. Tyle czasu stracili na Paryż! Jeśli chcą odnaleźć dzieci, muszą działać bardzo szybko.

Kojąca muzyka w słuchawkach spowodowała, że Nikki powoli odpływała i wkrótce znalazła się w stanie między snem a jawą. Kilkakrotnie wróciło do niej bardzo realistyczne wspomnienie porodu, momentu, kiedy po raz pierwszy po miesiącach kojącej fizycznej bliskości dzieci zostały brutalnie od niej oderwane.

□

Minęły dwie godziny od startu boeinga 777. Samolot przelatywał obecnie nad południową Portugalią. Sebastian oddał stewardesie tacę po zjedzonym posiłku.

Kręcił się niespokojnie na fotelu. Chciał zasnąć, ale był zbyt zdenerwowany. Żeby zabić nudę, otworzył przewodnik turystyczny, który dała mu Constance, i zaczął czytać tekst na pierwszej stronie.

Ogromne, dwunastomilionowe miasto, Rio de Janeiro jest słynne na całym świecie ze swojego karnawału, piaszczystych plaż i mieszkańców uwielbiających zabawę. To drugie pod względem wielkości miasto w Brazylii jest jednocześnie gniazdem przemocy i przestępczości. W zeszłym roku w stanie Rio zamordowano prawie pięć tysięcy osób, statystycznie jest to najbardziej niebezpieczne miejsce świata. Popełnia się tam trzydzieści razy więcej zbrodni niż we Francji i...

Sebastiana przeleciał dreszcz strachu. Zbyt zestresowany tym bezpośrednim wejściem w temat, przestał czytać w połowie zdania i odłożył książkę do kieszeni na siedzeniu przed sobą.

To nie jest odpowiednia chwila, żeby ulec panice! — pomyślał.

Wspomniał ciepło Constance Lagrange. Mieli z Nikki ogromne szczęście, że ją spotkali. Bez niej z pewnością siedzieliby już w więzieniu. Zapłaciła za ich bilety lotnicze, dostarczyła dokumenty, pieniądze i telefon.

Sebastian zadumał się nad niesprawiedliwością losu, jaka ją spotkała. Tak ciężka choroba w młodym wieku, uderzająca w osobę pełną temperamentu i energii życiowej... Z tego, co zrozumiał z rozmowy z nią oraz z historii jej choroby, wszystko było już przesądzone. Ale czy na pewno? Kilka razy w życiu spotkał ludzi, którym silną wolą i determinacją udało się zadać kłam lekarskim diagnozom. Słynny nowojorski onkolog, doktor Garrett Goodrich, wyleczył jego poważnie chorą matkę. Obiecał sobie, że mimo wszystko postara się pomóc Constance i zorganizuje jej wizytę u tego lekarza.

Potem jego myśli poszybowały do syna. Poczuł złość i podziw jednocześnie. Złość wobec naiwności chłopaka, przez którą nie tylko sam naraził się na niebezpieczeństwo, lecz także pociągnął za sobą siostrę. Podziw, gdyż fakt, że Jeremy wymyślił taki plan, zainscenizował swoje porwanie tylko po to, żeby oni się z powrotem zeszli, świadczył o tym, jak bardzo musiał cierpieć od chwili, gdy się rozstali. Prawie wbrew sobie Sebastian poczuł dumę z wytrwałości syna. Jeremy zaskoczył go, zrobił coś, czego on jako ojciec w ogóle się po nim nie spodziewał i co wywarło na nim ogromne wrażenie.

Sebastian zamknął oczy. Myśląc o trzech ostatnich dniach, poczuł zawrót głowy. W kilka godzin jego życie wywróciło się do góry nogami, wypadło z utartego toru, a on sam nad niczym nie miał kontroli. Siedemdziesiąt dwie godziny niepokoju i stresu, ale też prawdziwej ekscytacji.

Była to prawda nie do podważenia i Jeremy to dawno zrozumiał: będąc z Nikki, Sebastian czuł, że żyje. Kobieta ta, trochę anioł, trochę diablica, emanowała witalnością, jej dziecięcy spryt i zwierzęcy magnetyzm poruszały go do głębi. W obliczu niebezpieczeństwa grożącego dzieciom umieli zapomnieć o dzielących ich konfliktach i znów działali razem. Mimo przeszłości, mimo ich trudnych charakterów, mimo ich predyspozycji do kłótni. To prawda, nie umieli rozmawiać ze sobą spokojnie, byle co wywoływało spór, wciąż żywili do siebie urazę, ale tak jak pierwszego dnia ich związku, wciąż jakaś nieznana siła przyciągała ich ku sobie.

Życie z Nikki było jak *screwball comedy*, w której on był Cary Grantem, a ona Katharine Hepburn. Musiał spojrzeć prawdzie w oczy: niczego tak nie pragnął, jak śmiać się z nią, kłócić czy dyskutować. Dzięki niej każdy dzień stawał się inny, bogaty w wydarzenia, intensywny. Nikki umiała rozpalić iskierkę, dzięki której życie miało sens.

Sebastian westchnął i umościł się głębiej w fotelu. Coś jednak w głębi ostrzegało go, że jeśli chce odnaleźć dzieci, musi za wszelką cenę nie dopuścić do tego, by znów zakochać się w swojej byłej żonie.

Gdyż Nikki, będąc jego głównym sprzymierzeńcem, była jednocześnie jego największym wrogiem.

# Część czwarta

# The Girl from Ipanema

*Między dwojgiem ludzi, choćby nie wiem jak byli sobie bliscy, zawsze istnieje przepaść, przez którą miłość może przerzucić jedynie cienki mostek.*

Hermann Hesse

# 56

— *Táxi! Táxi! Um táxi para levá-lo ao seu hotel!*

Nerwowa atmosfera, głośny szum, długie kolejki po bagaż czy do kontroli celnej: na ogromnym lotnisku Galeão panował ogromny wilgotny upał jak w łaźni.

— *Táxi! Táxi! Um táxi para levá-lo ao seu hotel!*

Nikki i Sebastian, z twarzami poszarzałymi ze zmęczenia, minęli hałaśliwą grupę taksówkarzy, którzy zaczepiali świeżo przybyłych turystów, i skierowali się do wypożyczalni samochodów. Krótki postój przewidziany w São Paulo przeciągnął się w nieskończoność. Z jakichś niewiadomych przyczyn, jakoby tłoku na pasach startowych, samolot ich wystartował z ponaddwuipółgodzinnym opóźnieniem i znaleźli się na miejscu dopiero o jedenastej trzydzieści.

— Zajmij się samochodem, a ja w tym czasie wymienię trochę pieniędzy — zaproponowała Nikki.

Sebastian kiwnął głową i stanął w kolejce, wyjmując z kieszeni prawo jazdy Botsarisa. Kiedy nadeszła jego kolej, zawahał się przy wyborze modelu samochodu. Czy będą jeździli tylko po mieście, czy też będą musieli pokonywać jakieś trudne tereny? Nie będąc pewny, wybrał landrover compact, który czekał na rozpalonej słońcem płycie parkingu.

Zlany potem, zdjął marynarkę i usiadł za kierownicą, podczas gdy Nikki odsłuchiwała na „swojej" komórce wiadomość zostawioną przez Constance.

Tak jak się umówili, policjantka zarezerwowała im pokój w hotelu w dzielnicy Ipanema, niedaleko plaży, na której pracowała Flavia. Constance kontynuowała śledztwo, a im życzyła powodzenia.

Wyczerpani podróżą, jechali w milczeniu, kierując się znakami informacyjnymi przy autostradzie (Zona Sul — Centro — Copacabana), ustawionymi regularnie wzdłuż szosy prowadzącej na południe od Ilha do Governador aż do centrum miasta.

Sebastian otarł czoło z potu i przesunął rękoma po oczach. Niebo wisiało nisko nad ziemią, powietrze było ciężkie, wilgotne, smog dusił i piekł w oczy. Przez przyciemnione szyby pejzaż wydawał się niewyraźny i żółtawobrązowy, jak na zamazanym starym zdjęciu w kolorze sepii.

Po kilku zaledwie kilometrach stanęli w korku. Zrezygnowani, patrzyli przez szybę samochodu na okolicę. Wzdłuż tej drogi szybkiego ruchu jak okiem sięgnąć widać było tysiące domków z cegły, dwupiętrowych klocków z tarasami na dachach, połączonych sznurami, na których suszyło się pranie. Domy wyglądały, jakby zahaczały o siebie, łączyły się, zrastały, tworząc grona z trudnością utrzymujące się nawzajem w stanie równowagi. Chaotyczny, gigantyczny labirynt faweli dzielił pejzaż, łamiąc i skrzywiając perspektywę, zaciemniając horyzont kubistycznym kolażem w tonie żółci, rdzy i czerwieni.

Powoli widok zaczął się zmieniać. Biedne domki ustąpiły miejsca zabudowaniom przemysłowym. Co sto metrów wielkie billboardy zapowiadały nadchodzący Puchar Świata w Piłce Nożnej i olimpiadę w dwa tysiące szesnastym roku. Miasto, najwyraźniej wyczekujące z niecierpliwością tych dwóch wielkich wydarzeń, całe było jakby w trakcie generalnego remontu. Za siatkami ogradzającymi opuszczone tereny stały ogromne maszyny budowlane, które zmieniały pejzaż: buldożery rozwalały mury, koparki przewracały ziemię, a po wszystkim jeździły w tę i we w tę wywrotki.

Potem minęli las wieżowców dzielnicy bankowej, a wreszcie dostali się do południowej części miasta, w której znajdowała się większość hoteli i centrów handlowych. Stolica Brazylii upodabniała się tutaj wreszcie do takiej, jaką znali z widokówek: *cidade maravilhosa*, bogata we wspaniałe plaże z jednej, a wzgórza i góry z drugiej strony.

Landrover wjechał w końcu powoli na przepiękną nadmorską drogę: słynną Avenida Vieira Souto.

— To tu! — rzuciła Nikki, wskazując mały budynek z zadziwiającą fasadą ze szkła, drewna i marmuru.

Zostawili samochód parkingowemu, a sami weszli do środka budynku. Hotel godnie reprezentował swoją elegancką, szykowną dzielnicę, z gustem urządzony w stylu lat pięćdziesiątych i sześćdziesiątych, wydawał się dekoracją z serialu *Mad Men*.

W lobby było bardzo przytulnie: angielska cegła, cicha muzyka, parkiet, pikowane kanapy, biblioteka w stylu *old school*. Podenerwowani, oparli się łokciami o kontuar recepcji — wycięty z pnia drewna z amazońskiego lasu — i zarejestrowali się jako Constance Lagrange i Nicolas Botsaris.

Do pokoju poszli, żeby się tylko odświeżyć. Z balkonu mieli piękny widok na spienione fale rozbijające się o piasek plaży. Broszura hotelowa informowała, że nazwa Ipanema pochodzi z dialektu amerykańskich Indian i znaczy „niebezpieczne wody". Uznali to za nieprzyjemną wróżbę, postanowili jednak nie przywiązywać do niej wagi. Zdecydowani jak najszybciej odszukać „dziewczynę z Ipanemy", wyszli z pokoju.

□

Gdy tylko znaleźli się na zewnątrz, znów uderzyło ich gorąco, zapach spalin i hałas ruchu ulicznego. Nieprzerwane fale biegaczy, młodzieży na deskorolkach i rowerzystów przeszkadzały przechodniom iść spokojnie po chodniku. Była to dzielnica luksusowych butików, klubów fitness i klinik chirurgii estetycznej.

Nikki z Sebastianem przeszli przez jezdnię na długą promenadę obrośniętą palmami, biegnącą wzdłuż plaży. Esplanada była królestwem sprzedawców ulicznych, którzy prześcigali się w fortelach, żeby tylko zwrócić na siebie uwagę klienta. Mieli lodówki, metalowe pojemniki albo siedzieli w jakichś lepiankach i proponowali mleko kokosowe, alkohol maté, arbuzy, rumiane ciasteczka prosto z pieca, chrupiące karmelowe *cocadas* albo szaszłyki wołowe, których ostry zapach rozchodził się po całej alei.

Para Amerykanów weszła na schody prowadzące na plażę. Znacznie elegantsza niż jej sąsiadka Copacabana, Ipanema rozciągała się na trzech kilometrach parzącego w stopy i oślepiająco błyszczącego białego piasku. W porze lunchu miejsce to było zatłoczone. Huczały lśniące wody oceanu, wzburzone fale z białymi grzebieniami zwalały się na piach. Po chwili marszu Nikki i Sebastian opuścili tereny prywatnej plaży, którą hotel oferował do dyspozycji gościom, i udali się w kierunku baru, w którym miała pracować Flavia.

Co siedemset metrów na plaży stała wieża ratowników. Był to punkt orientacyjny i miejsce spotkań kąpiących się. Ozdobione tęczową flagą *ponto* numer osiem było pewnie miejscem spotkań homoseksualistów. Nikki i Sebastian minęli je i poszli dalej. Od strony oceanu dosięgła ich wodna mżawka. W oddali ujrzeli błyszczące tysiącem świateł wyspy Cagarras oraz bliźniacze góry o nazwie Dwaj Bracia, które widzieli na zdjęciu pokazanym im przez Simona.

Szli po białym piasku, mijając graczy w piłkę nożną i w siatkówkę. Plaża tętniła życiem, przypominała wybieg na pokazie mody bielizny i kostiumów kąpielowych. Ipanema była miejscem bardzo zmysłowym, można powiedzieć, że napięcie erotyczne wisiało w powietrzu. Szczupłe, pełne wdzięku kobiety z silikonowymi piersiami poruszały się zmysłowo w skąpych bikini na oczach surferów o wyrzeźbionych kształtach ciała, błyszczących od olejku do opalania.

Nikki i Sebastian dotarli tymczasem do *ponto* numer dziewięć, najlepszego miejsca spotkań na całej plaży, gdzie zbierała się złota młodzież Rio.

— No więc zamierzamy odnaleźć piękną blondynkę, na pół nagą, która nazywa się Flavia i podaje koktajle w barze pod nazwą... — streściła Nikki.

— Cachaça — szepnął Sebastian, wskazując na luksusową chatkę pokrytą słomianym dachem.

Poszli w kierunku baru. Cachaça okazała się typowym *beach bar design*, zarezerwowanym dla majętnej klienteli, przechadzającej się w markowych pareo i w dużych modnych okularach słonecznych, pijących mojito po sześćdziesiąt reali i słuchających alternatywnych wersji bossa novy. Nikki i Sebastian zaczęli przyglądać się każdej kelnerce. Wszystkie wyglądały podobnie: miały po dwadzieścia lat, były szczupłe, nosiły króciutkie szorty i top z dużym dekoltem...

— *Hello, my name is Betina. May I help you?* — zaczepiła ich jedna z nich.

— Poszukujemy młodej kobiety... — zaczęła Nikki. — Nazywa się Flavia.

— Flavia? Tak, Flavia pracuje tutaj, ale dziś jej nie ma.

— Wie pani, gdzie ona mieszka?

— Nie, ale mogę się dowiedzieć.

Dziewczyna zawołała koleżankę, następną lalkę Barbie: blondynkę o jasnych oczach i kryształowym uśmiechu.

— To jest Cristina. Mieszka w tej samej dzielnicy co Flavia.

Młoda Brazylijka przywitała się z nimi. Mimo urody miała w sobie coś smutnego i kruchego. Była jak wdzięczna nimfa bez życia.

— Flavia nie przychodzi do pracy już od trzech dni — powiedziała.

— Wie pani dlaczego?

— Nie. Zwykle przychodzimy tu razem, jeśli pracujemy w tych samych godzinach. Ale teraz jej nie ma w domu.

— Gdzie ona mieszka?

Dziewczyna wskazała ręką mało konkretnie pobliskie wzgórza.

— Mieszka z rodzicami w Rocinha.

— Dzwoniła pani do niej?

— Tak, ale odpowiada automatyczna sekretarka.

Nikki wyjęła z portfela zdjęcie Jeremy'ego.

— Widziała pani tego chłopaka? — spytała dziewczynę.

Cristina zaprzeczyła.

— Nie, ale wie pani, u Flavii wciąż pojawiają się nowi chłopcy...

— Może nam pani podać jej adres? Chcielibyśmy porozmawiać z jej rodzicami.

Młoda Brazylijka się skrzywiła.

— Rocinha to nie jest miejsce dla turystów. Nie mogą państwo pójść tam sami.

Teraz do rozmowy włączył się Sebastian, ale też spotkał się z odmową.

— A może pani nas tam zaprowadzi? — naciskała Nikki.

Ta propozycja nie przypadła do gustu kelnerce.

— To niemożliwe, dopiero co zaczęłam pracę.

— Bardzo panią prosimy, Cristino! Zapłacimy pani jak za dzień pracy. Jeśli Flavia jest pani przyjaciółką, musi pani jej pomóc!

Ten argument zadziałał, Cristina musiała poczuć wyrzuty sumienia.

— Dobrze, zaczekajcie.

Dziewczyna poszła poprosić o pozwolenie jakiegoś mężczyznę, pewnie jej szefa: młodego człowieka w obcisłych slipkach, który stał przy barze i sączył *caïpirinhas* w towarzystwie dwa razy od siebie starszej klientki.

— Zgoda! — powiedziała Cristina, wracając do nich. — Czy macie samochód?

# 57

Landrover był ciężkim wozem, ale zgrabnie się poruszał po wijącej się drodze, która prowadziła na ubogie przedmieście, fawelę. Sebastian za kierownicą jechał dokładnie według wskazówek siedzącej z tyłu Cristiny. Młoda kobieta poprowadziła ich najpierw przez luksusowe rezydencje mieszkalne na południu miasta, a potem wskazała Estrada da Gávea, wąską drogę wijącą się po stoku wzgórza, jedyną, jaką można było dotrzeć do największej faweli w całym Rio.

Tak jak większość biednych dzielnic, Rocinha była zbudowana na *morros*, ogromnych wzgórzach, które dominowały nad miastem. Nikki wychyliła się przez okno i ujrzała przylepione do stoku tysiące zachodzących na siebie domków, które zasłaniały horyzont brązowożółtą cegłą i wyglądały, jakby zaraz miały się zawalić.

W miarę jak zjeżdżali z asfaltu* i zbliżali się do wzgórz,

---

* W Rio de Janeiro czasem określa się na zasadzie kontrastu „asfaltem" dzielnice nadmorskie, zamieszkane przez ludzi bogatych, a *morros* — zbocza wzgórz, na których stoją nędzne domki zamieszkane przez biedaków.

coraz bardziej uderzał ich paradoks, że najpiękniejszy widok na miasto mieli właśnie nędzarze. Trudno dostępne, niczym orle gniazda domki oferowały panoramę plaż Leblon i Ipanema, ale również dominowały nad miastem jak cytadela. Był to idealny punkt obserwacyjny na leżące w dole miasto, co wyjaśniało, dlaczego handlarze narkotyków umieścili tutaj swój sztab.

Sebastian wrzucił niższy bieg. Wjazd na ubogie przedmieście był już tuż-tuż, ale podwójny zakręt wąskiej drogi hamował ruch. Tylko stare motorowery i prychające motocykle-taksówki dawały radę tędy przejechać.

— Najlepiej zaparkujmy tutaj — zaproponowała Cristina.

Sebastian wjechał na pobocze i zatrzymał samochód. Wysiedli i pieszo pokonali sto metrów dzielących ich od wjazdu do Rocinhy.

□

Na pierwszy rzut oka fawela nie miała w sobie nic z nędznego wyglądu, jak to opisywały przewodniki turystyczne. Nikki i Sebastian oczekiwali, że znajdą się na jakimś niebezpiecznym przedmieściu, gdy tymczasem miejsce wyglądało na miłą robotniczą dzielnicę. Ulice były czyste, domy murowane, skanalizowane, z telewizją kablową. Stały tu nawet domki trzypiętrowe, owszem, pokryte graffiti, ale kolorowe, wprowadzały nastrój wesołości i dobrego humoru.

— W Rio jeden człowiek na pięciu to *favelado*, mieszkaniec biednych przedmieść — wyjaśniła Cristina. — Większość z nich to uczciwie pracujący ludzie: niańki, sprzątaczki, kierowcy autobusów, pielęgniarki, nawet profesorowie...

Nikki i Sebastian rozpoznali zapach przypraw, szaszłyków i kukurydzy, ten sam co wcześniej na plaży. Atmosfera tej okolicy była raczej pogodna, coś między rozleniwieniem a niespieszną krzątaniną. Z domów dobiegała słuchana na cały głos muzyka *baile funk**. Na głównej ulicy dzieciaki grały w piłkę, udając Neymara. Na tarasach mężczyźni w różnym wieku sączyli z butelek bamberg pilsen, podczas gdy kobiety, czasem nawet bardzo młode, zajmowały się dziećmi albo plotkowały, siedząc w oknach.

— Niedawno była łapanka policji — usprawiedliwiała się Cristina, gdy przechodzili przed ogromnym freskiem noszącym ślady kul.

Potem zeszli z głównej ulicy i zagłębili się w labirynt schodzących w dół wąskich uliczek. Stopniowo atmosfera się zmieniała, fawela zaczęła ukazywać swoje mniej urokliwe oblicze. Domy wyglądały jak połatane byle jak statki uratowane z katastrofy na morzu. Przed drzwiami leżały kupy śmieci, nad głowami wisiały splątane druty elektryczne, połączone ze sobą bez zważania na zasady bezpieczeństwa. Nikki i Sebastian, z lekka przestraszeni, z trudnością uwolnili się od grupy dzieciaków, które natrętnie domagały się jałmużny.

Teraz domy nie miały już numerów, a ulice nazw. Groźne

* Mieszanka rapu i funku, muzyka do surowych tekstów, typowa dla robotniczych dzielnic Rio.

cienie budowli odbijały się w rynsztokach pod gołym niebem. Nad brudnymi kałużami fruwały chmary komarów.

— Służby oczyszczania miasta zbierają śmieci przeważnie tylko na głównych ulicach — wyjaśniła Cristina.

Prowadzone przez młodą kelnerkę trio przyspieszyło, płosząc okoliczne szczury. Pięć minut później znaleźli się na innym zboczu, na którym domy były w jeszcze gorszym stanie.

— To tu — powiedziała Cristina, pukając do okna domu o kompletnie zniszczonej fasadzie.

Po chwili drzwi otworzyła im stara zgarbiona kobieta.

— To matka Flavii — poinformowała ich Cristina.

Mimo upału kobieta była owinięta grubą chustą.

— *Bom dia, Senhora Fontana. Você já viu Flavia?*

— *Olá, Cristina!* — przywitała ją stara kobieta i zaczęła coś mówić, stojąc w uchylonych drzwiach. Cristina odwróciła się do Sebastiana i Nikki, żeby przetłumaczyć jej słowa.

— Pani Fontana od dwóch dni nie ma żadnych wiadomości od swojej córki i...

Młoda kobieta nie zdążyła skończyć zdania, kiedy stara matka znów zaczęła coś mówić. Nie rozumiejąc ani słowa z portugalskiego, Nikki i Sebastian mogli tylko biernie przysłuchiwać się rozmowie dwóch Brazylijek.

— Jak ta kobieta może mieć dwudziestoletnią córkę? — zastanawiała się Nikki, przyglądając się starej mieszkance Rio. Twarz miała posiekaną głębokimi zmarszczkami, teraz jeszcze wykrzywioną strachem i brakiem snu. Wyglądała na siedemdziesiąt lat. Potok jej słów, przerywany jękami i skargami, był nieznośny do słuchania.

Cristina musiała jej przerwać, żeby wyjaśnić, o co chodzi.

— Ona mówi, że na początku tygodnia Flavia przyprowadziła do domu jakiegoś młodego Amerykanina z siostrą...

Nikki otworzyła portfel i wyjęła z niego zdjęcie bliźniaków.

— *Eles são os únicos! Eles são os únicos!* — wykrzyknęła stara kobieta, rozpoznając chłopca i dziewczynę.

Sebastian poczuł, jak serce zaczyna mu szybciej bić. Do tej pory nie byli jeszcze tak blisko celu...

— Co się z nimi stało?! — wykrzyknął zdenerwowany.

Cristina ciągnęła wyjaśnienia:

— Przedwczoraj z samego rana zjawili się u niej jacyś uzbrojeni mężczyźni, którzy porwali Flavię i wasze dzieci.

— Mężczyźni? Jacy mężczyźni?!

— *Os Seringueiros!* — wykrzyknęła stara. — *Os Seringueiros!*

Nikki i Sebastian popatrzyli na Cristinę prosząco.

— *Se... Seringueiros...* — wyjąkała dziewczyna. — Nie wiem, kto to jest.

Ich podniesione głosy i krzyki kobiety wzbudziły zainteresowanie sąsiadów. Plotkarki siedzące w oknach oderwały się od swoich *telenovelas*, bo spektakl uliczny okazał się ciekawszy. Stojący pod domami i gapiący się mężczyźni zaczęli odsuwać od siebie namolne dzieci, żeby ocenić sytuację.

Cristina wymieniła jeszcze ze starą kobietą kilka słów.

— Pani Fontana zgadza się pokazać wam pokój córki — powiedziała. — Podobno wasze dzieci zostawiły tam swoje rzeczy.

Nikki i Sebastian, zdenerwowani, weszli za kobietą do nędznego domostwa. Wnętrze było takie, jakiego się spodziewali. Przepierzenia zostały zrobione z byle jak skleconych kawałków. Pokój Flavii okazał się zwykłym pokojem z piętrowym łóżkiem. Na jednym z materaców Sebastian rozpoznał torbę podróżną z żółtej skóry należącą do Camille. Rozgorączkowany, rzucił się do niej i wysypał zawartość na łóżko: dżinsy, dwa swetry, bielizna, kosmetyczka... Nie znalazł tam nic szczególnego, może tylko... Komórka córki. Spróbował ją włączyć, ale bateria była wyczerpana, a ładowarka znikła. Zawiedziony wsunął telefon do kieszeni. Zajmie się nim później. Przynajmniej dowiedzieli się czegoś konkretnego. Camille i Jeremy, zanim zostali porwani przez tajemniczych Seringueiros, byli tutaj razem z tą Flavią...

Staruszka znów zaczęła swoje lamenty. Płakała, krzyczała, jęczała, brała Boga na świadka, groziła komuś pięścią. Młoda kelnerka popchnęła ich do wyjścia. Na zewnątrz też panowały nastroje bojowe. Przed domem stał już tłumek. Sąsiedzi, niemający przecież z tym nic wspólnego, zebrali się i z przyjemnością dolewali oliwy do ognia. Napięcie stało się namacalne: wrogość narastała. Nie byli już mile widziani w tej okolicy.

Nagle staruszka zwróciła się bezpośrednio do nich.

— Ona mówi, że Flavia została porwana z powodu waszych dzieci! — przetłumaczyła Cristina. — Oskarża was, że ściągnęliście nieszczęście na jej dom.

Atmosfera robiła się coraz bardziej nieprzyjemna. Jakiś podpity *favelado* potrącił Nikki, a Sebastian ledwo się uchylił, żeby nie spadły na niego obierki, wysypane z wiadra przez okno.

— Postaram się ich uspokoić, ale niech już państwo sobie pójdą! — powiedziała Cristina. — Dam sobie radę, wrócę sama!

— Dziękujemy ci, Cristino, ale...

— Proszę już iść! — powtórzyła. — Widzą państwo sami, że tu robi się niebezpiecznie...

Nikki i Sebastian kiwnęli głowami i zdecydowali się zostawić młodą dziewczynę. Zewsząd ścigały ich przekleństwa i pogróżki. Szybkim krokiem poszli w kierunku samochodu, starając się nie zgubić w krętych, stromych zaułkach faweli.

Kiedy znaleźli się przy podwójnym zakręcie, przy którym zostawili samochód, już nikt za nimi nie szedł. Ale samochód zniknął.

# 58

Upał, kurz, zmęczenie, strach...

Nikki z Sebastianem szli już prawie godzinę, zanim znaleźli taksówkę, której szofer wykorzystał ich panikę i za podwiezienie do hotelu kazał sobie zapłacić dwieście reali. Gdy znaleźli się wreszcie w swoim pokoju, byli zmordowani i zlani potem.

Kiedy Nikki brała prysznic, Sebastian zadzwonił do recepcji i poprosił o ładowarkę, żeby uruchomić telefon Camille. Pięć minut później boy przyniósł ją do pokoju. Sebastian włączył ładowarkę do kontaktu, ale ponieważ bateria całkiem się rozładowała, trzeba było dłuższej chwili, żeby telefon zaczął działać.

Sebastian bardzo się niecierpliwił, czekając. Przykręcił trochę klimatyzację, bo w pokoju wiało chłodem. Gdy wreszcie komórka się zaświeciła, wpisał do niej kod PIN, po raz pierwszy zadowolony z tego, że go znał; te miesiące szpiegowania córki teraz się przydały. Nagle skrzywił się z bólu, coś zakłuło go w klatce piersiowej. Długi marsz, żeby wrócić do hotelu, odnowił jego kontuzje. Czuł się okropnie, wszystko go bolało, a przede wszystkim plecy i kręgi szyjne. Żebra zachowały wspomnienie ciosów Youssefa i jego zbirów. Podniósł oczy i ogarnęła go niechęć, gdy zauważył swoje odbicie w lustrze. Gęsta broda, sklejone od potu włosy, źrenice błyszczące groźnym płomieniem. Pożółkła od potu koszula lepiła się do ciała. Sebastian pełen niesmaku odwrócił oczy od lustra i poszedł do łazienki.

Nikki obwiązana ręcznikiem wyłoniła się spod prysznica. Mokre potargane włosy opadały jej długimi splątanymi jak liany kosmykami na ramiona. Zadrżała. Sebastian nastawił się na zwykłą falę wyrzutów: „Proszę, nie krępuj się! Mogłeś zapukać! Czuj się jak u siebie w domu!". Zamiast tego Nikki zrobiła krok w jego kierunku i ukwiła w nim spojrzenie.

Jej oczy koloru absyntu błyszczały jak tafla jeziora. Unosząca się w łazience para podkreślała mleczną bladość jej cery, obsypanej niczym gwiezdnym pyłem dyskretnymi piegami.

Sebastian gwałtownym gestem chwycił ją za szyję i przywarł ustami do jej ust. Ręcznik ześlizgnął się z Nikki na podłogę, ukazując jej nagie ciało.

Ona sama nie stawiała żadnego oporu i poddała się temu dzikiemu pocałunkowi. Sebastian poczuł gwałtowny ból w dole brzucha i zalała go fala rosnącego pożądania. Ich oddechy zmieszały się, a on odnalazł smak ust swojej żony i miętową świeżość jej skóry. Przeszłość dogoniła teraźniejszość. Dawno zapomniane wrażenia wracały w towarzystwie różnych wspomnień, wywołując w nim mieszane uczucia. Oboje zwarli się w pospiesznym brutalnym uścisku, w którym ulga mieszała się ze strachem, pragnienie pozostania na miejscu z chęcią ucieczki. Mięśnie mieli napięte, serca waliły im w piersi jak oszalałe. Zawrót głowy kazał im przekraczać wyznaczone granice, rozwiązywać splątane węzły, które od lat utrzymywały ich w stanie frustracji i żalu. Stracili nad sobą kontrolę, ich gesty stawały się coraz śmielsze i...

Ostry, srebrzysty, prawie melodyjny dźwięk dotarł do ich ciał, rozrywając nagle ich uścisk. Komórka Camille!

Sygnał oznaczający nową wiadomość tekstową brutalnie przywołał ich do rzeczywistości.

Szybko się pozbierali. Sebastian zapiął koszulę, Nikki okryła się z powrotem ręcznikiem. Wbiegli razem do pokoju i uklękli przy komórce. Na ekranie pojawiła się informacja o nadejściu dwóch wiadomości. Dwie fotografie wysłane pocztą elektroniczną wyświetlały się powoli.

Dwa zbliżenia Camille i Jeremy'ego, związanych i zakneblowanych.

Spod tego samego numeru przyszła teraz trzecia wiadomość:

Czy chcecie zobaczyć wasze dzieci żywe?

Byli w stanie szoku. Wymienili spanikowane spojrzenia. Zanim mieli czas pomyśleć, otrzymali nowy SMS:

Tak czy nie?

Nikki chwyciła komórkę i odpisała:

Tak!

Wirtualna konwersacja trwała nadal.

W takim razie spotkanie o trzeciej rano w porcie handlowym Manaus, na wysokości osady na wodzie. Przynieście mapę. Macie być sami. Nie uprzedzajcie nikogo. Jeśli zrobicie inaczej...

— Mapę? Jaką mapę? O co im chodzi?! — wykrzyknął Sebastian.

Nikki wystukała w telefonie:

Jaką mapę?

Odpowiedzi nie było. Czekali długo. Zbyt długo. Skamieniali ze strachu, stali nieruchomo w bladym nierealnym świetle pokoju hotelowego. Zapadał wieczór. Niebo, plaża, budynki, wszystko pogrążało się w symfonii kolorów od bladoróżowego do ciemnoczerwonego. Po dwóch minutach Nikki powtórzyła pytanie:

O jaką mapę chodzi?

Mijały sekundy. Wstrzymali oddech, czekając na odpowiedź, która nie nadchodziła. Wkrótce od strony plaży zaczęły dobiegać znajome hałasy: jak co wieczór turyści i miejscowi bili z całych sił brawo, gdy słońce chowało się za bliźniacze wierzchołki Dwóch Braci. Tutejszy zwyczaj, aby podziękować ognistej gwieździe po pięknym dniu.

Zrozpaczony Sebastian zadzwonił na ten numer telefonu, ale nikt nie odebrał. Widocznie porywacze sądzili, że Larabee wiedzą coś, o czym oni sami nie mieli pojęcia. Sebastian zaczął się na głos zastanawiać.

— O co im mogło chodzić? O mapę czego?

Nikki rozłożyła na łóżku mapę Brazylii, którą hotel przygotował do dyspozycji gości.

Flamastrem zrobiła krzyżyk w miejscu spotkania wyznaczonego im przez porywaczy. Manaus jest największym miastem Amazonii, zabudowanej strefy pośród największego lasu świata, trzy tysiące kilometrów od Rio.

Sebastian spojrzał na zegar wiszący na ścianie. Była już prawie ósma wieczorem. Jak mogli dostać się do Manaus przed trzecią w nocy?

Zadzwonił do recepcji i poprosił o informację o godzinach lotów z Rio do głównego miasta Amazonii.

Po kilku minutach oczekiwania recepcjonista powiedział mu, że najbliższy lot jest o dwudziestej drugiej trzydzieści osiem.

Bez chwili wahania zarezerwowali dwa bilety i zamówili taksówkę, żeby pojechać na lotnisko.

# 59

— *Boa noite senhoras e senhores*. Tu mówi kapitan, José Luís Machado. Z przyjemnością witam państwa na pokładzie naszego samolotu, Airbusa A320, lecącego do Manaus. Lot przewidziany jest na cztery godziny piętnaście minut. Zakończyliśmy odprawę pasażerów. Start maszyny planowany na dwudziestą drugą trzydzieści osiem nastąpi około pół godziny później z powodu...

Nikki westchnęła i popatrzyła przez iluminator. Z powodu mających niedługo nastąpić międzynarodowych zawodów sportowych terminal zarezerwowany dla lotów krajowych był w remoncie. Na pasie startowym stało w kolejce, czekając na pozwolenie startu, około dziesięciu airbusów.

Jak zwykle zaraz po wejściu na pokład samolotu Nikki zamknęła oczy i włożyła słuchawki na uszy. To był już jej trzeci lot w ciągu ostatnich trzech dni, a strach, zamiast maleć, rósł. Nastawiła głośniej iPoda, żeby się zatopić w muzyce. W głowie miała straszny zamęt. Z powodu fizycznego i umysłowego zmęczenia jej mózg był pełen nachodzących na siebie różnych obrazów i wrażeń: świeże wspomnienie obejmujących ją ramion Sebastiana, nieznane niebezpieczeństwo grożące ich dzieciom, obawa przed tym, co czekało ich w Amazonii.

Oczekiwanie na start się przedłużało, Nikki otworzyła oczy, gdyż poczuła niepokój na dźwięk melodii, którą słyszała w słuchawkach. Skądś znała ten kawałek... Mieszanka muzyki elektronicznej z brazylijskim hip-hopem. Ach, przecież tę muzykę słyszała w fawelach! *Baile funk* dochodzący z otwartych okien! Muzyka brazylijska! Spojrzała na tytuły: mieszanka samby, bossy, remiksy reggae, jakieś rapowe tytuły po portugalsku. To nie był iPod jej syna! Dlaczego wcześniej tego nie zauważyła?

Podekscytowana, zdjęła słuchawki z uszu i zaczęła przeglądać zawartość urządzenia. Muzyka, wideo, zdjęcia, gry, kontakty... Nic szczególnego, w każdym razie myślała tak aż do chwili, w której otworzył jej się dość duży plik PDF.

— Chyba coś znalazłam! — powiedziała do Sebastiana, pokazując mu ekran iPoda.

Sebastian spojrzał, ale plik był nie do odczytania na maleńkim ekranie.

— Musimy podłączyć go do komputera — orzekł.

Odpiął pasy i poszedł alejką między fotelami, szukając kogoś, kto miałby laptop. W końcu zauważył jakiegoś biznesmena i zdołał go przekonać, żeby mu pożyczył na chwilę swój sprzęt razem z kablem USB. Wrócił na miejsce i podłączył iPoda do laptopa. Znalazł tytuł pliku PDF i nań kliknął.

▫

Pierwsze zdjęcia były zdumiewające. Widać było na nich szczątki jednopłatowego samolotu zatopionego w amazońskiej roślinności. Widocznie rozbił się w środku dżungli. Sebastian przejrzał zdjęcia jedno za drugim. Zrobione najprawdopodobniej komórką, były nie najlepszej jakości, ale dość wyraźne, żeby stwierdzić, iż widniał na nich metalowy douglas DC-3 z dwoma silnikami turbośmigłowymi. Jako dziecko Sebastian zrobił wiele makiet tego samolotu. Słynny samolot z okresu drugiej wojny światowej, żelazny ptak znaczący w historii lotnictwa, przewoził wojska na wszystkich frontach (Indochiny, Afryka Północna, Wietnam), zanim przeszedł do cywila. Solidny, nieskomplikowany w budowie i łatwy w utrzymaniu, został wyprodukowany w ponad dziesięciu tysiącach egzemplarzy i wciąż latał w Ameryce Południowej, w Afryce i w Azji.

Wskutek katastrofy dziób samolotu i tylna lotka były uszkodzone. Przy przymusowym lądowaniu w drobny mak roztrzaskała się przednia szyba. Skrzydła wolnonośne rozbiły się, a śmigła zablokowały w lianach. Jedynie kadłub, w którego boku znajdowały się wielkie dwuskrzydłowe drzwi, pozostał prawie nietknięty.

Następne zdjęcie było makabryczne. Przedstawiało zwłoki obu pilotów. Kombinezony mieli czarne od zaschniętej krwi, a twarze w stanie zaawansowanego rozkładu.

Sebastian kliknął na następne zdjęcie. Maszyna została przerobiona na samolot transportowy. W miejscu siedzeń pasażerskich stały jedne na drugich drewniane skrzynie i otwarte metalowe pojemniki, pełne broni wielkokalibrowej, karabinów automatycznych i granatów. Ale przede wszystkim znajdowało się tam mnóstwo... kokainy. Setki prostokątnych paczuszek pokrytych przezroczystą folią i poklejanych skoczem. Ile tego mogło być? Czterysta, pięćset kilogramów? Trudno ocenić, ale wartość ładunku musiała sięgać kilkudziesięciu milionów dolarów.

Następne zdjęcia okazały się jeszcze bardziej wymowne. Ich autor sfotografował sam siebie, wyciągnąwszy aparat jak najdalej do przodu. Był to wielki, mniej więcej trzydziestoletni facet z włosami skręconymi w dredy. Na jego chudej, zlanej potem i zasłoniętej kilkudniowym zarostem twarzy malowała się euforia. Przekrwione oczy błyszczały, źrenice miał rozszerzone. Z pewnością nawdychał się kokainy. Nosił słuchawki w uszach, plecak i przytroczoną do paska bermudów manierkę. Chyba nieprzypadkowo natrafił na ten samolot.

— Startujemy, proszę pana. Proszę zapiąć pasy i wyłączyć komputer.

Sebastian spojrzał i kiwnął głową do stewardesy, która zwróciła mu uwagę.

Szybko zaczął przesuwać dokument do przodu, żeby zobaczyć, na czym się kończył. Na ostatnich stronach znajdowała się satelitarna mapa lasu amazońskiego, dane GPS i szczegółowe instrukcje, jak dotrzeć do samolotu.

Prawdziwa mapa z drogą do skarbu! — pomyślał Sebastian.

— To ta cholerna mapa, której zażądali! Tego szukają od samego początku!

Nikki już zrozumiała. Wyjęła komórkę i zrobiła zdjęcia fotografii z ekranu komputera: samolotu, mapy i dziwnego faceta z dredami.

— Co robisz?

— Muszę wysłać te informacje do Constance. Może jej się uda zidentyfikować przemytników.

Samolot kołował na pas startowy. Stewardesa ponownie do nich podeszła i stanowczym tonem poprosiła o wyłączenie komórki.

Nikki szybko wybrała kilka zdjęć i dołączyła je do e-maila wysłanego do Constance, a kiedy Sebastian zaczął się usprawiedliwiać stewardesie, skorzystała z tego, że nie patrzył, i wpisała jeszcze jednego adresata, a mianowicie Lorenza Santosa.

# 60

Było już po dziewiątej wieczorem, gdy samolot Lorenza Santosa wylądował na małym lotnisku w Rio Branco. Ponad trzydzieści godzin zajęło mu dotarcie do stolicy stanu Acre. Policjant odbył bardzo męczącą podróż z dwoma przesiadkami — w São Paulo i Brasílii — w niewygodnym wąskim fotelu tanich linii, pośród niespokojnych i hałaśliwych pasażerów.

W oczekiwaniu na bagaż przy ruchomym chodniku przecierał oczy, wściekły na stewarda, który przy odprawie pasażerów nie pozwolił mu wziąć małej walizki ze sobą na pokład. Włączył telefon, żeby sprawdzić pocztę, i zauważył wiadomość od Nikki.

Nie było żadnego wyjaśniającego tekstu, tylko seria zdjęć. W miarę, jak się ukazywały, Santos czuł przypływ adrenaliny. Przyjrzał się dokładnie każdemu z nich. Nie wszystko wydawało się jasne, ale puzzle zaczęły stopniowo układać się w sensowny wzór, potwierdzając niektóre z jego przypuszczeń. Miał rację, idąc za intuicją, która kazała mu wybrać się do Brazylii!

Dłonie zaczęły mu lekko drżeć.

Ekscytacja związana z podróżą, gorączka, niebezpieczeństwo, strach...

Ulubiony koktajl gliny.

Spróbował zadzwonić do Nikki, ale włączyła się automatyczna sekretarka. Mógłby się założyć, że ta poczta była wołaniem o ratunek. Nie czekając na walizkę, rzucił się na poszukiwanie lądowiska dla helikopterów. Nareszcie poczuł wiatr w żaglach. Tej nocy za jednym zamachem osiągnie dwa cele: rozwiąże największą aferę narkotykową w całej swojej karierze i odzyska miłość ukochanej kobiety.

□

W tym samym czasie w Paryżu Constance Lagrange ciężko pracowała, starając się ze wszystkich sił pomóc małżonkom Larabee. Na Facebooku na stronie Simona odnalazła zdjęcia Flavii i rozesłała je wszystkim swoim kontaktom w różnych oddziałach policji. Informacje, które zdobyła, zmroziły jej krew w żyłach.

Zamrugała kilkakrotnie wyschniętymi ze zmęczenia powiekami, żeby przestały ją piec; taki los pracujących przy komputerze. Spojrzała na cyfrowy zegar w laptopie. Wskazywał trzecią rano. Postanowiła zrobić przerwę w pracy, wstała i poszła do kuchni, gdzie przygotowała sobie kawałek bułki z nutellą. Z przyjemnością jadła kolację, patrząc na ogród. Z każdym kęsem wracały do niej smaki dzieciństwa.

Lekki październikowy wietrzyk pieścił jej twarz. Zamknęła oczy i wydało jej się nagle, że odnalazła wewnętrzny spokój. Znikła gdzieś złość, ulotnił się lęk przed śmiercią. Czuła powiew chłodnego wiatru w oknie, wdychała słodki zapach jesiennych kamelii. Żyła chwilą z niesłychaną intensywnością. Może to absurdalne, ale nie bała się już niczego, czuła się tak, jakby koniec przestał być nieuchronny.

Metaliczny dzwonek zapowiedział nadejście nowej poczty.

Constance otworzyła oczy i wróciła przed ekran komputera.

E-mail od Nikki! Kliknęła, żeby otworzyć załączniki, które rozwinęły się od razu. Zobaczyła zdjęcia jakiegoś rozbitego w dżungli samolotu, pełnego karabinów automatycznych M-16 i AK-47, kilkuset kilogramów kokainy, jakiegoś turysty pod wpływem narkotyków, mapę Amazonii...

Przez następne trzy godziny Constance nie oderwała wzroku od ekranu. Wysłała dziesiątki e-maili do wszystkich swoich kontaktów z prośbą o komentarze do tych zdjęć. Było prawie wpół do siódmej rano, gdy zadzwoniła jej komórka.

To była Nikki.

# 61

Betonowa wysepka pośrodku Amazonii. Miasto Manaus leżało na północnym zachodzie Brazylii i wciąż się rozrastało, wyciągając swoje macki w głąb dżungli.

Po ponad czterech godzinach lotu Nikki i Sebastian znaleźli się w hali przylotów. Nie zwracając uwagi na tłum kierowców nielegalnych taksówek, którzy zaczepiali potencjalnych klientów w sali odbioru bagaży, udali się prosto do okienka autoryzowanej korporacji taksówkowej po kupon rezerwacji.

Padało.

Po wyjściu z terminalu zderzyli się z murem ciężkiego tropikalnego upału. Powietrze było brudne i pełne wilgoci. Deszcz mieszał się z kurzem, z brudnymi i tłustymi wyziewami miasta, bardzo utrudniając oddychanie. Po odczekaniu w kolejce i wręczeniu przedstawicielowi korporacji taksówkowej otrzymanego kuponu zostali skierowani do mercedesa 240d, przemalowanego na czerwono i zielono. Był to model z końca lat siedemdziesiątych.

W środku unosił się gorzki i duszny zapach od dawna niewietrzonego pomieszczenia. Woń zepsutego jajka, siarki i wymiotów. Szybko opuścili szybę, zanim jeszcze pokazali szoferowi, gdzie chcą jechać. Szofer był młodym Metysem o sztywnych włosach i zepsutych zębach, ubranym w żółto--zieloną koszulkę narodowej drużyny piłki nożnej Seleção. Z radia rozbrzmiewały dźwięki Macareny w brazylijskim sosie. Nieznośne, ogłuszające.

▫

Nikki włączyła telefon i starała się dodzwonić do Francji, podczas gdy Sebastian stanowczo zażądał od kierowcy ściszenia radia. Po kilku nieudanych próbach usłyszała głos Constance. W paru słowach zdała jej sprawę z sytuacji.

— Dowiedziałam się bardzo nieprzyjemnych rzeczy! — oznajmiła jej w odpowiedzi policjantka.

— Mamy bardzo mało czasu! — uprzedziła ją Nikki, włączając głośnik, żeby Sebastian też słyszał rozmowę.

— Słuchajcie więc uważnie! Wysłałam zdjęcia Flavii wszystkim moim kontaktom. Kilka godzin temu dostałam telefon od kolegi z OCRTIS*. Rozpoznał dziewczynę na zdjęciach. Nie nazywa się Flavia. To Sophia Cardoza, znana również jako „Barbie Narco". Jest jedyną córką Pabla Cardozy, słynnego bossa brazylijskiej mafii narkotykowej, dowodzącego kartelem Seringueiros.

---

* Centralne Biuro do Walki z Nielegalnym Handlem Narkotykami.

Nikki i Sebastian spojrzeli na siebie w panice. Seringueiros... Słyszeli już tę nazwę w Rio.

— Od miesiąca Pablo Cardoza siedzi w więzieniu federalnym w specjalnie strzeżonej celi — ciągnęła Constance. — Oficjalnie kartel został rozbity podczas szeroko zakrojonej akcji policji brazylijskiej, ale słynna Flavia chyba zamierza przejąć stery rządów w cesarstwie ojca. Praca kelnerki w barze na plaży Ipanema to tylko przykrywka. Ona nigdy nie mieszkała w faweli... Wasza wycieczka na tereny Rocinhy była specjalnie zaplanowanym podstępem.

Mimo panującego w taksówce smrodu Nikki podniosła szybę w oknie, żeby odgrodzić się od hałasu miasta. Upał był ciężki do zniesienia. Zanieczyszczone i wilgotne powietrze utrudniało oddychanie. Brzydkie wieżowce psuły widok starszych zabytkowych zabudowań, pochodzących z okresu świetności miasta, gdy dominowało ono w światowej produkcji kauczuku. Nawet w środku nocy hałaśliwe, ruchliwe ulice wypełniał kolorowy tłum.

— A samolot? — spytała Nikki.

— Pokazałam zdjęcia DC-3 temu samemu koledze, który nie miał żadnych wątpliwości, że jest to samolot należący do kartelu, a ładunek kokainy pochodzi prawdopodobnie z Boliwii. Zapewne około czterystu do pięciuset kilo czystej kokainy o wartości blisko pięćdziesięciu milionów dolarów. Samolot musiał nawalić w czasie przelotu nad dżunglą i spaść tam jakieś dwa lub trzy tygodnie temu. Od tego czasu Flavia i ci członkowie kartelu, którym udało się uniknąć aresztowania, pewnie gorączkowo go poszukują.

— Niby co w tym trudnego, znaleźć tak duży samolot? — spytał Sebastian.

— W Amazonii owszem. W zależności od tego, gdzie samolot spadł, można w ogóle go nie znaleźć. Do większości miejsc nie ma ani dojazdu, ani dostępu. Samolot widocznie nie miał boi ratunkowej, żeby dać znać o swoim położeniu w razie katastrofy. Rozejrzałam się trochę i dowiedziałam się, że w zeszłym roku wojsko brazylijskie przez ponad miesiąc szukało cessny Czerwonego Krzyża, która rozbiła się w dżungli. Dopiero jakieś miejscowe plemię ich zawiadomiło. — Francuzka zamilkła na chwilę, po czym powiedziała: — Ale najbardziej zaskakująca jest tożsamość człowieka, który odnalazł samolot...

— Nie rozumiem.

— Zdjęcia douglasa zostały zrobione telefonem komórkowym — wyjaśniła Constance. — Sądząc po wyposażeniu kempingowym, widocznym na niektórych z nich, można by założyć, że autorem jest jakiś wędrowiec, który odkrył ten samolot przypadkiem. Ale ja myślę, że ten facet od początku chciał oszukać kartel i starał się odnaleźć ten samolot sam. Zresztą był sam, gdyż zdjęcia robiono z wyciągniętej ręki. Ponieważ miał na sobie T-shirt z reprodukcją flagi amerykańskiej, założyłam, że nie jest Brazylijczykiem, i sprawdziłam na wszelki wypadek bazę danych Interpolu. Okazało się, że od pięciu lat poszukuje go nowojorska policja! Dał nogę z Brooklynu po tym, jak skazano go na karę długiego więzienia. Nazywa się Memphis Decker i jest bratem Drake'a Deckera, właściciela Bumerangu...

Nikki z Sebastianem przyjęli tę wiadomość ze zdumieniem. Od chwili, gdy wyjechali z lotniska, taksówka zdążała wciąż tą samą drogą: była to Avenida Constantino Nery, długa arteria, która łączyła północno-zachodnią część Manaus z portem i przechodziła przez stare miasto. Teraz nagle skręcili i zjechali na asfaltową drogę nabrzeża, biegnącą wzdłuż nieskończonej liczby różnych przystani. Ich oczom ukazał się ogromny port Manaus, założony na wodach Rio Negro.

— Ten facet, który odnalazł DC-3, to brat Drake'a Deckera? Jest pani pewna? — spytał Sebastian.

— Absolutnie! — potwierdziła Constance. — Zrzucił zdjęcia samolotu i mapy na swojego iPoda, po czym wysłał aparat do brata do Nowego Jorku. A Drake nie wpadł na nic mądrzejszego, jak schować wszystko do tej walizeczki z przyborami do pokera, którą ukradł mu Jeremy...

— A wie pani, gdzie ten Memphis Decker znajduje się obecnie? — spytała Nikki.

— Tak, na cmentarzu. Jego zwłoki znaleziono na parkingu dworca autobusowego w Coari, małym miasteczku na obrzeżach Amazonii. Z raportu policji wynika, że przed śmiercią był torturowany.

— Ludzie Flavii?

— To oczywiste. Na pewno chcieli się dowiedzieć, gdzie jest samolot.

Taksówka minęła pierwsze statki: ogromne okręty, na których pokładach wisiały setki kolorowych hamaków. Potem przemknęła przez strefę kontenerowców wypływających do głównych miast leżących nad Amazonką: do Belém, Iquitos, Boa Visty czy Santarém, a w końcu dotarła do wielkiej stalowej hali. Pod monumentalnym metalowym rusztowaniem stały stragany, na których sprzedawano wszystko: ryby, zioła lecznicze, tusze wołowego mięsa, skóry i owoce tropikalne. Było tu duszno i pachniało maniokiem. Na kolorowym i hałaśliwym wielkim targu panował ogromny tłok. Dziesiątki rybaków wyładowywało na stragany jeszcze żywe ryby i owoce morza.

Taksówka jechała dalej wzdłuż pordzewiałych nabrzeży. Sebastian przetarł oczy i starał się uporządkować sobie wszystkie wydarzenia. Po zabiciu Memphisa ludzie z kartelu wysłali jednego ze swoich, z pewnością tego osławionego Maorysa, żeby skontaktował się z Drakiem Deckerem. Ten przestraszył się i musiał pewnie wyznać, że jakiś chłopak imieniem Jeremy ukradł mu iPoda. Ale tak jak mówił Simon, Drake nie znał ani adresu, ani nazwiska Jeremy'ego. Wiedział tylko, że chłopak uwielbia Shootersów, bo nosił T-shirt z ich podobizną. Z pewnością więc Flavia wytropiła Jeremy'ego przez stronę tej grupy rockowej na Facebooku i zaczęła go podrywać, w nadziei, że ściągnie do Brazylii razem z tym iPodem...

Szalony plan. Perwersyjny, makiaweliczny plan.

— *Aqui é a cidade à beira do lago* — uprzedził szofer, podczas gdy hangary i kontenery ustępowały powoli miejsca dzikim zabudowaniom.

Miasto nad jeziorem było fawelą położoną nad czarną wodą. Slumsami, w których byle jak sklecone domki przykryte blachą falistą stały na drewnianych palach na wodzie. Kloaka klejącego tłustego błota na drodze w każdej chwili groziła utknięciem samochodu.

— Muszę już kończyć, Constance. Dzięki za pomoc!

— Nie idźcie na to spotkanie, Nikki! To jest szaleństwo! Nie zdajecie sobie sprawy, do czego są zdolni ci ludzie...

— Nie mam innego wyjścia, Constance! Moje dzieci są w ich rękach!

Constance milczała przez chwilę, po czym ich ostrzegła:

— Gdy tylko zdradzicie im położenie samolotu, po minucie zabiją was i wasze dzieci. To pewne.

Nikki nie chciała już tego słuchać i rozłączyła się. Spojrzała na byłego męża szeroko otwartymi oczami. Tym razem oboje wiedzieli, że grają ostatni set z góry przegranego meczu.

□

Szofer zatrzymał samochód, wziął pieniądze i natychmiast zawrócił, zostawiając swoich pasażerów na pustkowiu. Nikki i Sebastian stali przez dłuższą chwilę sami, coraz bardziej się bojąc. Była ciemna noc. Mżawka i mgła opadały na to pobojowisko obrośnięte chaszczami i utworzyły ogromne bajoro. Dokładnie o trzeciej pojawiły się na horyzoncie i podjechały do nich dwa wielkie hummery. Oślepieni reflektorami, odsunęli się, żeby ich nie rozjechano. Samochody zatrzymały się, nie zgaszono silników.

Otworzyły się drzwi wielkich terenówek i ze środka wyszło trzech uzbrojonych po zęby facetów. Mieli na sobie maskujące uniformy, przewieszone przez piersi pasy z nabojami, a w dłoniach trzymali karabiny szturmowe typu IMBEL. *Guérilleros* przekwalifikowani na przemytników narkotyków.

Brutalnie wyciągnęli z jednej z terenówek Camille i Jeremy'ego, po czym przyłożyli im lufy do policzków. Dzieci miały ręce związane na plecach, a usta zaklejone skoczem.

Na ten widok Nikki i Sebastian poczuli, jakby ktoś uderzył ich pięścią w brzuch. Serca zaczęły im walić w piersiach. Na końcu drogi do piekła znaleźli swoje dzieci. Camille i Jeremy'ego.

Żywych.

Ale jak długo jeszcze żywych?

Młoda szczupła blondynka trzasnęła drzwiczkami hummera i stanęła triumfalnie w świetle reflektorów.

Sophia Cardoza alias „Barbie Narco".

Flavia.

# 62

Pełna magnetyzmu, drapieżna, wyrafinowana, okrutna...

Wysmukła postać Flavii odcinała się na tle mżawki w ostrym świetle reflektorów ogromnych samochodów. Na ramiona spadały jej fale blond włosów, a w oczach igrały srebrzyste płomyki.

— Macie coś, co należy do mnie! — wykrzyknęła w noc.

Nikki i Sebastian stali nieruchomo i w milczeniu dziesięć metrów od niej. W dłoniach Brazylijki błysnął metal pistoletu automatycznego. Złapała Camille za włosy i przyłożyła lufę glocka do jej skroni.

— Dawać mi tę cholerną mapę, ale już!

Sebastian zrobił krok do przodu, szukając oczami wzroku córki, żeby dodać jej odwagi. Widział jej bladą z przerażenia twarz, zasłoniętą częściowo włosami rozwiewanymi przez wiatr. W panice rozkazał Nikki:

— Oddaj im iPoda!

Wysokie trawy na zboczu położyły się pod gwałtownym smagnięciem wiatru z deszczem.

— Bądźcie rozsądni! — niecierpliwiła się Flavia. — Mapa i za dwie minuty bierzecie dzieci i wracacie do Stanów!

Propozycja była kusząca, ale nieprawdziwa. W głowie Nikki odbiła się echem przestroga Constance: „Gdy tylko zdradzicie im położenie samolotu, zabiją was i wasze dzieci. To pewne".

Za wszelką cenę trzeba było zyskać na czasie.

— Nie mam już tego iPoda! — krzyknęła Nikki.

Zapadła cisza.

— Jak to, nie masz już tego iPoda?!

— Pozbyłam się go.

— Dlaczego ryzykowałabyś coś takiego? — spytała Flavia.

— Jeśli dam wam mapę, jaki będziecie mieli interes w utrzymywaniu nas przy życiu?

Twarz Flavii stała się niczym lodowa maska. Ruchem głowy rozkazała swoim ludziom przeszukać Amerykanów. Natychmiast trzech *guérilleros* rzuciło się na więźniów, wywracając im kieszenie i obmacując ubrania. Niczego nie znaleźli.

— Znam na pamięć położenie samolotu! — krzyknęła Nikki, starając się ukryć strach. — Ja jedna mogę was tam zaprowadzić!

Flavia się zawahała. Nie planowała zawracać sobie głowy więźniami, ale czy miała inny wybór? Dwa tygodnie temu myślała, że tortury rozwiążą język Memphisowi Deckerowi, ale Amerykanin wyzionął ducha, nie zdradzając położenia samolotu. Wskutek tego znalazła się teraz w ślepym zaułku.

Spojrzała na zegarek, starając się zachować spokój. Nie miała wiele czasu. Każda stracona godzina zwiększała szanse policji na znalezienie DC-3 przed nią.

— *Leva-los!* — krzyknęła do swoich ludzi.

*Guérilleros* jednym ruchem zgarnęli do samochodów Amerykanów i ich dzieci. Nikki i Sebastiana brutalnie wrzucono na tył jednego z samochodów, a Jeremy'ego i Camille na tył drugiego. Potem oba hummery opuściły port tak samo szybko, jak się pojawiły.

Jechali na wschód przez pół godziny. Konwój posuwał się do przodu w ciemnościach nocy pustymi drogami, aż wreszcie wjechał na błotnisty trakt. Ścieżka biegła wzdłuż grobli jeziora, a potem wypadła na wielkie pole, na którym stał ogromny black hawk i czekał na handlarzy narkotyków. Ledwo wyszli z samochodów, pilot już włączył silnik. Rodzina Larabee pod groźbą karabinów automatycznych weszła na pokład helikoptera, a za nimi Flavia i jej ludzie.

Młoda kobieta włożyła kask i usiadła na miejscu drugiego pilota.

— *Tiramos!* — rozkazała.

Pilot posłusznie skinął głową. Skierował black hawka dziobem do wiatru i oderwał maszynę od ziemi. Flavia zaczekała, aż helikopter osiągnie swoją właściwą prędkość lotu, i odwróciła się do Nikki.

— Dokąd lecimy? — rzuciła ostro.

— Najpierw w kierunku Tefé.

Flavia popatrzyła na nią ciężkim wzrokiem. Pozornie była spokojna, ale groźne błyski w oczach zdradzały jej niecierpliwość i determinację. Nikki nie dodała nic więcej. Przez cały lot z Rio do Manaus studiowała i starała się zapamiętać mapę drogi do samolotu wypełnionego po brzegi kokainą. Podzieliła trasę na jak najwięcej fragmentów, które zamierzała zdradzać jak najwolniej.

◻

Sebastian siedział z tyłu samolotu. Nie miał żadnego kontaktu z dziećmi. Trzej goryle usiedli między nimi, uniemożliwiając im kontakt wzrokowy i porozumienie.

W drugiej godzinie lotu Sebastian poczuł pierwsze objawy. Gorączka, mdłości, bóle stawów w nogach. Plecy miał zmartwiałe z zimna, szyję sztywną i bardzo bolała go głowa.

Grypa tropikalna? Pomyślał o komarach, które pogryzły go w faweli. Komary były nosicielami dengi, ale czas inkubacji wydawał mu się zbyt krótki. Samolot? Podczas lotu z Paryża do Rio przed nim siedział jakiś facet, który w pewnym momencie bardzo źle się poczuł i potem przez cały lot leżał pod kocem w dreszczach. Może od niego zaraził się jakimś świństwem...

To nie jest dobry moment na chorowanie! — pomyślał.

Ale nie mógł nic poradzić na rosnącą gorączkę. Zwinął się w kłębek i zaczął sobie rozmasowywać żebra, żeby się rozgrzać. Modlił się, by jego stan się nie pogorszył.

◻

Tefé znajdowało się ponad pięćset kilometrów za Manaus. Ten dystans helikopter pokonał w niecałe trzy godziny, przelatując nad oceanem lasu tropikalnego. Przez cały czas widać było tylko ciemne wierzchołki drzew. Flavia zmusiła Nikki do śledzenia na ekranie pilota przebiegu lotu black hawka.

— A teraz? — spytała, kiedy słońce wstawało na różowo-błękitnym niebie.

Nikki podciągnęła rękaw swetra. Jak uczennica wpisała na ramieniu długopisem serię cyfr i liter:

S 4 3 21
W 64 48 30

Dobrze zapamiętała lekcję Sebastiana, gdy kazał jej zapisać dane geograficzne w taki właśnie sposób. Szerokość i długość. Stopnie, minuty, sekundy.

Flavia zmrużyła oczy i poprosiła pilota, żeby wprowadził te dane do systemu nawigacyjnego.

Black hawk leciał jeszcze przez pół godziny, po czym wylądował na małej łączce pośród dżungli.

Wszyscy szybko wysiedli z helikoptera. *Guérilleros* wzięli ze sobą maczety, manierki i ciężkie plecaki. Związali z przodu ręce każdemu członkowi rodziny za pomocą plastikowych kajdanek z automatycznym zaciskiem, przyczepili im do pasków manierki i grupa zagłębiła się w dziewiczy las.

# 63

— Czy wszystko dobrze, tato? — zaniepokoił się Jeremy.

Sebastian puścił oko do syna, żeby go uspokoić, ale chłopak nie dał się oszukać. Ojciec był zlany potem, miał gorączkę i dreszcze, na szyi i na twarzy czerwone plamy.

Szli już tak od dwóch godzin. Grupę prowadziło dwóch *guérilleros*, każdy z maczetą, a trzeci pilnował więźniów. Pochód zamykały Nikki z groźną Flavią. Podała jej nowe dane, które ta natychmiast wprowadziła do przenośnego GPS-u. Nikki, korzystając z tego, że szła blisko Flavii, co chwila spoglądała ukradkiem na ekranik odbiornika. Według mapy, którą tak dokładnie przestudiowała w samolocie, od wraku DC-3 dzieliło ich jeszcze wiele kilometrów.

Teraz znajdowali się z dala od cywilizowanego świata, zagubieni w labiryncie gęstej dzikiej roślinności. Zewsząd czyhało niebezpieczeństwo. Musieli uważać na pnie drzew, na korzenie, na wypełnione wodą uskoki w terenie. Musieli mieć się na baczności przed jadowitymi wężami i tarantulami. Musieli przezwyciężyć zmęczenie, upał, hordy komarów, które kąsały nawet przez ubrania.

Im bardziej zagłębiali się w las, tym roślinność stawała się bardziej wroga, lepka i gęsta. Jak dantejski kocioł dżungla wrzała, drżała i wydawała dziwne dźwięki. Było duszno nie do wytrzymania, w powietrzu wisiał mdły odór fermentującej roślinności i ziemi.

Kiedy przechodzili pod tunelem splątanych gałęzi, nagle spadła intensywna tropikalna ulewa, ale Flavia nie zgodziła się na postój. Ulewa trwała dwadzieścia minut, po niej ziemia zamieniła się w błoto i jeszcze trudniej było iść.

W południe, po pięciu godzinach marszu, zatrzymali się na postój. Sebastian zachwiał się i myślał, że zemdleje. Straszna wilgoć w powietrzu utrudniała oddychanie, a ponieważ miał gorączkę, zaczął się dusić. Wypił całą wodę i umierał z pragnienia. Camille zauważyła to i podała mu swoją manierkę, ale odmówił.

Oparł się o jakiś pień i podniósł głowę, żeby popatrzeć na wierzchołki drzew, ponad czterdzieści metrów w górę. Wzrok płatał mu figle i widok przerw między drzewami, przez które dostrzegał niebo, wydawał mu się uspokajający. Oto skrawki odległego raju...

Nagle poczuł ostre swędzenie. To kolonia czerwonych mrówek wspinała się po jego przedramieniu, włażąc pod rękaw koszuli. Spróbował się od nich uwolnić, trąc się o drzewo. Maleńkie insekty, zgniecione, zmieniały się w czerwonawy sok.

Jeden z *guérilleros* zrównał się z nim i podniósł maczetę.

Sebastian skulił się ze strachu. Mężczyzna uderzył nożem w drzewo i pokazał mu, żeby spróbował cieknącego soku. Z pnia ciekł biały kleisty płyn, który miał smak roślinnego mleka, podobny do mleczka kokosowego. *Guérillero* rozciął Sebastianowi więzy i pozwolił mu napełnić manierkę.

Szli jeszcze godzinę, aż dotarli do punktu, który Memphis Decker zaznaczył na mapie.

Nic.

Nie zauważyli nic szczególnego.

Tylko splątane gałęzie drzew.

Rozciągająca się w nieskończoność plątanina zieleni.

— *Você acha que eu sou um idiota!* — wykrzyknęła Flavia.

— Tu powinna być rzeka! — broniła się Nikki.

Nerwowo sprawdziła dane na ekranie GPS-u. Wysokiej jakości odbiornik działał nawet w gęstym lesie. Światełko świadczyło, że odbiór sygnału satelitarnego jest wystarczająco silny. Skąd w takim razie problem?

Nikki popatrzyła dokoła. Błękitne ptactwo o gęstym upierzeniu wydawało dźwięki podobne do papuzich. Grupa leniwców szukała gałęzi oświetlonych promieniami słońca, żeby wysuszyć futro. Nagle Nikki pokazała pień zaznaczony strzałką. Memphis, żeby się nie zgubić, nacinał drzewa maczetą! Flavia rozkazała grupię zmienić kierunek. Szli jeszcze dziesięć minut i dotarli do błotnistego strumienia.

Mimo pory suchej, poziom rzeki nie był na tyle niski, żeby dało się przejść wpław. Podążali więc wzdłuż porośniętego krzewami brzegu w kierunku północnym, uważając na apatycznie unoszące się na powierzchni wody kajmany. Teren okazał się znacznie dostępniejszy niż dotychczas, co ułatwiło im dotarcie do zawieszonego mostu.

Grube splecione liany związane ze sobą przyczepione były do gałęzi drzew. Kto zbudował ten most? Memphis? Raczej nie, gdyż skonstruowanie go wymagało czasu. Może Indianie.

Flavia jako pierwsza weszła na most, a potem ostrożnie wkroczyła na niego reszta grupy. Kładka chwiała się jakieś dziesięć metrów nad rzeką. Po przejściu każdej osoby delikatna konstrukcja trzeszczała bardziej, grożąc zarwaniem. Pokonawszy tę przeszkodę, maszerowali jeszcze ponad godzinę, znów zagłębiając się w szmaragdowy las, aż doszli do następnego prześwitu, jednego z rzadkich miejsc w dżungli wystarczająco odkrytego, żeby promienie słoneczne mogły ogrzać ziemię.

— To tu! — oświadczyła Nikki. — Według mapy wrak samolotu znajduje się o niecałe trzysta metrów na północny wschód od tej polany.

— *Siga a seta!* — wrzasnął jeden z *guérilleros*, wskazując na kolejną strzałkę wyciętą w korze.

— *Vamos com cuidado!* — nakazała Flavia, wyciągając glocka.

Mało prawdopodobne, żeby gdzieś tutaj natknęli się na policjantów, ale od czasu aresztowania ojca Flavia była przewrażliwiona. Stanęła na czele grupy, nakazując swoim ludziom największą ostrożność.

Sebastian z trudnością pokonał kilka ostatnich metrów. Powieki mu się lepiły i z nosa leciała krew. Trząsł się jak galareta, wyglądało na to, że zaraz zemdleje, był zlany potem. Ból rozsadzał mu czaszkę, czuł się, jakby wbijano mu w głowę świder. Załamał się i obsunął na kolana.

— *Levante-se!* — ryknął jeden z *guérilleros*, zrównując się z nim.

Sebastian wytarł pot z twarzy i z trudem się podniósł.

Wypił kilka łyków z menażki, szukając wzrokiem Nikki i dzieci. Wszystko widział jak za mgłą, ale zauważył, że członkowie jego rodziny stali ściśnięci blisko siebie, zastraszeni przez ludzi Flavii.

Kiedy Jeremy robił mały znak ręką do ojca, oślepił go błysk światła. Jakiś przedmiot ukryty w gąszczu poszycia bardzo silnie błyszczał. Chłopak dyskretnie podniósł go, mimo że ręce miał skrępowane. To była sztormowa zapalniczka z białego złota, ze skórzanym pokrowcem. Przyglądając się pudełeczku, zauważył na srebrzystym zamknięciu dwa połączone inicjały: L.S.

Lorenzo Santos...

Tę zapalniczkę matka dała kiedyś Santosowi! Wsunął ją do kieszeni, zastanawiając się, jak ona mogła się tutaj znaleźć.

Potem grupa ruszyła naprzód ścieżką, którą Memphis Decker nieco przerzedził kilka tygodni wcześniej.

Po dziesięciu minutach marszu Flavia wycięła maczetą zawadzające gałęzie.

Nagle ujrzeli wrak samolotu.

Ogromny, upiorny, przerażający.

# 64

Ostrożnie podeszli kilka kroków do przodu.

Srebrzysty kadłub DC-3 błyszczał wśród wybujałej roślinności. Podwozie odleciało wskutek zderzenia z ziemią, a kokpit rozbił się o wielki pień, który wgniótł też ster. Wypukły kadłub był cały pogięty, ściany ziały otworami po dziesięciu iluminatorach, których szyby rozprysły się w drobny mak. Popękane i połamane skrzydła odpadły od kadłuba. Samolot stał się starym rdzewiejącym wrakiem.

Tylko że ten wrak zawierał towar wartości pięćdziesięciu milionów dolarów.

□

Narkotyki, wreszcie, pomyślała Flavia. Uśmiech ulgi rozświetlił jej twarz. Młoda kobieta się odprężyła. Udało jej się odnaleźć kokainę. Miliony, które zarobi na sprzedaży ładunku, pozwolą jej odbudować kartel Seringueiros! Nie robiła tego dla pieniędzy, ale żeby uratować honor rodziny. Jej ojciec, Pablo Cardoza, nigdy nie traktował córki serio. Dla niego liczyli się tylko jej dwaj skretyniali bracia, którzy dokończą swoją nędzną egzystencję w więzieniu. Tylko ona okazała się dość sprytna, żeby uciec policji. I też dość inteligentna, żeby odnaleźć samolot. Ojciec często nazywany był *Imperador*. Teraz to ona będzie *Imperatriz* narkotyków! A jej cesarstwo rozciągnie się od Rio do Buenos Aires, przechodząc przez Caracas i Bogotę...

Nagle wilgotną ciszę dżungli rozdarły dwa strzały, budząc Flavię z marzeń o wielkości. Nie zdążywszy uczynić żadnego gestu, dwaj idący z przodu *guérilleros*, trafieni prosto w głowę, padli martwi. We wraku samolotu siedział snajper, który miał ich na muszce, używając rozbitych iluminatorów jako strzelnicy! Trzecia kula przecięła powietrze o milimetr od Flavii, która rzuciła się na ziemię i schwyciła karabin jednego z członków swojej świty. Larabee też padli na ziemię i potoczyli się między zarośla, kuląc się, żeby nie trafił ich zagubiony pocisk.

Odpowiedź była niesłychanie gwałtowna. Flavia wraz ze swoim ochroniarzem zasypali samolot seriami z karabinów szturmowych. Z luf strzelały płomienie i iskry. Kule świszczały ze wszystkich stron, odbijając się od stalowego kadłuba z ogromnym hałasem.

Potem zapadła cisza.

— *Eu matei ele!** — stwierdził żołnierz.

---

* Zabiłem go!

Flavia patrzyła powątpiewająco. *Guérillero*, pewien siebie, rzucił się nieostrożnie ku drzwiom samolotu. Po kilku sekundach wyszedł na zewnątrz zadowolony i pełen energii.

— *Ele esta morto!* — ogłosił z triumfem.

Z palcem na spuście Flavia zebrała rodzinę Larabee i wzięła ich na muszkę swojego karabinu.

— *Matá-los!** — rozkazała ochroniarzowi.

— *Todos os quatro?*** — spytał.

— *Sim, se apresse!**** — powiedziała i teraz ona weszła do samolotu.

*Guérillero* wyciągnął z futerału pistolet i go naładował. Najwyraźniej nie pierwszy raz wykonywał egzekucję. Bez drgnięcia powiek kazał więźniom uklęknąć obok siebie w zaroślach.

Sebastian, Nikki, Camille, Jeremy...

Przyłożył zimną lufę do szyi Jeremy'ego, który z przerażenia pocił się i trząsł konwulsyjnie. Usta mu się wykrzywiły. Targany poczuciem winy, zdruzgotany konsekwencjami swojego planu, rozpłakał się. Chciał, aby rodzice z powrotem się zeszli, a tymczasem jego naiwny idealizm doprowadził do prawdziwego koszmaru. Z jego powodu siostra, ojciec i matka zginą.

Szlochał bezgłośnie.

— Przepraszam — wyjąkał, gdy zabójca położył palec na spuście.

---

* Zabij ich!

** Wszystkich czworo?

*** Tak, pospiesz się!

# 65

Flavia powoli wchodziła do kabiny samolotu. Było ciemno, pachniało prochem, dżunglą, benzyną i śmiercią.

Wymijała skrzynie z kokainą, aż dobrnęła do ciała Santosa. Ciało policjanta było podziurawione kulami. Z ust wypływała mu strużka czarnej gęstej krwi. Flavia popatrzyła bez emocji na martwego człowieka, zastanawiając się, kim był i jak mógł odnaleźć DC-3 przed nią. Uklękła i przemogła wstręt, żeby przeszukać wewnętrzną kieszeń jego marynarki. Szukała portfela, ale natrafiła na skórzane etui z odznaką nowojorskiej policji.

Zaniepokojona, chciała się podnieść, gdy zauważyła metalową bransoletkę na prawym nadgarstku martwego mężczyzny.

Kajdanki? zdziwiła się w myślach.

Za późno. Ostatnim wysiłkiem Santos otworzył oczy i chwycił Flavię za rękę, wsuwając na nią błyskawicznie drugą cześć kajdanków, którą zamknął jednym kliknięciem.

Złapana w pułapkę i spanikowana młoda Brazylijka na próżno próbowała się uwolnić. Była przywiązana do Santosa.

— *Aurélio! Salva-me!* — zawołała na pomoc swojego goryla.

Słysząc krzyk „Barbie Narco", *guérillero* zamarł z lufą przy szyi Jeremy'ego. Cofnął rękę z bronią i opuścił swoich więźniów, żeby rzucić się do wnętrza samolotu. Przebiegł kabinę i zatrzymał się przy Flavii.

— *Me livre!** — wyjęczała.

Aurélio natychmiast zrozumiał, jaka korzyść wynikała dla niego z tej sytuacji. W jego oku pojawił się szaleńczy błysk. Wszystko mogło być jego! Kokaina i miliony dolarów, władza i szacunek... Wspaniałe, niezależne życie...

Podniósł glocka i przyłożył go Flavii do czoła.

— *Sinto muito*** — wyszeptał, zanim oddał strzał.

□

Hałas wystrzału zagłuszył skrzypnięcie podwójnych drzwi w kadłubie samolotu, które Sebastian ostrożnie zamknął.

Odwrócił się do Nikki i kiwnięciem głowy polecił jej odejść dalej razem z dziećmi.

Wtedy dopiero zapalił sztormową zapalniczkę Santosa i wrzucił ją przez jeden z iluminatorów do wnętrza.

---

* Uwolnij mnie!

** Tak mi przykro.

Serie strzałów z karabinu automatycznego podziurawiły kabinę i przebiły główny bak. Samolot, skąpany w paliwie, zajął się ogniem jak stos drewna, a płomienie sięgnęły natychmiast wierzchołków drzew.

A potem wybuchł.

Jak bomba.

# Dwa lata później

Wszystko zaczęło się we krwi.
Wszystko we krwi się kończyło.

Krzyki.
Przemoc.
Strach.
Ból.

Tortury trwały już od wielu godzin, ale czas rozpływał się niczym maligna, niszcząc wszystko, co zazwyczaj służyło do orientacji.

Wycieńczona, dysząca i spięta Nikki otworzyła oczy, starając się złapać oddech. Leżała na plecach. Była cała rozpalona, serce jej waliło w piersiach, a twarz miała zlaną potem.

Krew pulsowała jej w skroniach, w czaszce czuła ucisk, wszystko widziała zamazane. W ostrym świetle neonów rozróżniała fragmenty strasznych obrazów: jakieś strzykawki, metalowe instrumenty, kaci w maskach na twarzach, którzy tańczyli wokół niej w cichym balecie, wymieniając między sobą napięte spojrzenia.

Nowy atak bólu przeszył jej brzuch. Nie mogła złapać oddechu. Zdusiła krzyk. Powinna trochę odpocząć i poprosić o tlen, ale teraz trzeba było już przeć. Złapała się poręczy łóżka, zastanawiając się, jak mogła wytrzymać coś podobnego za pierwszym razem, siedemnaście lat wcześniej. Stojący obok niej Sebastian wyszeptał parę ciepłych słów, ale w ogóle ich nie usłyszała.

Wody odeszły, po czym rytm skurczów stał się szybszy i bardziej intensywny. Ginekolog odłączył kroplówkę z oksytocyną i położył dłonie na brzuchu rodzącej. Położna pomogła jej złapać oddech, przypominając, żeby go blokowała, gdy poczuje nadchodzący skurcz. Nikki przeczekała atak bólu i parła ze wszystkich sił. Lekarz stopniowo uwolnił główkę dziecka, a potem ramionka i resztę ciała.

Kiedy noworodek wydał swój pierwszy krzyk, Sebastian uśmiechnął się szeroko i ścisnął dłoń żony.

Lekarz rzucił okiem na ekran monitorujący, żeby sprawdzić regularność uderzeń serca Nikki.

Potem pochylił się, aby się upewnić, że bliźniak jest ułożony główką do dołu, i przygotował się na przyjęcie drugiego dziecka.

# Dziękuję

Ingrid
za jej pomysły, zaangażowanie i pomoc.

# Spis treści

Część pierwsza

A rooftop in Brooklyn . . . . . . . . . . . . . . . . . . . . . 5

*Sebastian. Siedemnaście lat wcześniej...* . . . . . . . . . . . . 124

Część druga

Sami przeciw wszystkim . . . . . . . . . . . . . . . . . . . . 137

*Nikki. Siedemnaście lat wcześniej...* . . . . . . . . . . . . . . . 179

Część trzecia

Tajemnice Paryża . . . . . . . . . . . . . . . . . . . . . 261

Część czwarta

The Girl from Ipanema . . . . . . . . . . . . . . . . . . . 339

Dwa lata później . . . . . . . . . . . . . . . . . . . . . . . 393

*Polecamy powieść Guillaume'a Musso*

## CENTRAL PARK

**Alice i Gabriel nie pamiętają wczorajszej nocy...**
**Ale długo o niej nie zapomną...**

Nowy Jork, 8.00 rano. Alice i Gabriel budzą się na ławce w Central Parku skuci kajdankami. Nie znają się i nie pamiętają, żeby się kiedykolwiek spotkali. Poprzedniego wieczoru Alice bawiła się z przyjaciółkami na Polach Elizejskich, a Gabriel grał na pianinie w dublińskim klubie. Niemożliwe? A jednak... Jak wplątali się w tę niebezpieczną historię? Plamy czyjej krwi znajdują się na koszulce Alice? Dlaczego w jej broni brakuje jednego pocisku? Alice i Gabriel nie mają wyjścia – muszą połączyć siły, aby wyjaśnić to, co im się przydarzyło, aby wrócić do normalności. Ale to, co odkryją, wywróci ich życia do góry nogami.